Jules Barbey d'Aurevilly

L'Ensorcelée

Préface de
Hubert Juin

Texte présenté,
établi et annoté par
Jacques Petit

Gallimard

Édition dérivée de la Bibliothèque de la Pléiade.

PRÉFACE

« Je viens de relire ce livre qui m'a
paru encore plus chef-d'œuvre que la
première fois. »

(Baudelaire à Poulet-Malassis,
le 13 novembre 1858.)

*La stature véritable de Jules Barbey d'Aurevilly a mis
un long temps à se dégager d'une brume suspecte à
l'épaisseur de laquelle il est certain que par ses rages et ses
humeurs il contribua. Coincé entre un alexandrin de
Victor Hugo qui en faisait un formidable imbécile et la
méfiance de Sainte-Beuve, on l'avait réduit au pittoresque
de son « tournebride » de la rue Rousselet, aux vêtements
extravagants qu'il aimait et aux fards dont il usait. Il a
mis à gâcher sa vie et à troubler son image une sorte de
génie tatillon et sûr. Il persévère dans l'insuccès, avec
majesté. La pudeur furieuse, qui est la sienne, l'empêche,
semble-t-il, de soutenir tenacement ses amitiés. Sainte-
Beuve n'a pas tort : Barbey d'Aurevilly compromet.*

*Ses enthousiasmes valent ses haines : il y met un
emportement couleur d'injustice. Il soupçonne partout de
la tiédeur, et dès lors il pourfend, il crache, il déchire. C'est
un possédé qui a les coquetteries du dandysme, mais ce
n'est pas un dandy. Au mieux : un violent qui a le cœur
tendre. On rêve à ces rencontres avec Bloy, dont il ne reste
que des éclats de plumes, mais qui devaient être les
conciliabules de deux timides. De deux impatients, aussi.
Barbey veut tout, la grandeur, la gloire, et la justice de*

Dieu, mais dans l'instant. La vraie vie, aujourd'hui même...

Un de ses moteurs est de trouver fades le monde et son temps. Comme il se méfie au moins autant que Nodier de la « perfectibilité » de l'homme, il se désaccorde tôt des idées d'avenir et s'enchante amèrement d'un passé sans cesse entrevu par le biais de la rêverie et du songe. Léon Bloy disait de Barbey qu'il était « une sorte de prophète du désespoir qui affirme la solitaire grandeur du Seigneur Dieu sur le giron putrescent de la société chrétienne ». Oui, c'est vrai, ce catholique est un homme de colère. Ce prophète est un rêveur : il prophétise le passé. Ce furibond est impitoyable : il parle avec passion — et tendresse — des prêtres qui célébraient, en des époques troubles, la messe, les armes à la main.

Il connaît admirablement le plus luciférien des vices : l'orgueil. Il ignore, et méprise, la plus indolente et conforme des vertus : la modération. Le Ciel? Tant qu'on voudra. L'Enfer? Si l'on veut. Mais jamais le Purgatoire, jamais les limbes! Il faut sans fin tendre l' « être » comme on bande un arc : jusqu'à trembler dans le cœur de l'excès. Sa vie est percée d'éclairs : il y a du René dans ses premières amours, du Rastignac dans sa conquête (!) de Paris, du capitaine Fracasse dans ses poses, de l'Oberman (et pourtant il n'aimait pas cela) dans ses contemplations. Cet homme a tellement l'envie d'exister qu'il se compose des personnages. Barbey d'Aurevilly joue à guichets fermés, mais pour un public de choix.

Il n'est pas question de le réduire à deux ou trois idées essentielles. Sa machine est plus complexe, et son drame moins simple. Avec une intuition d'amoureuse, Eugénie de Guérin dira : « Vous êtes un beau palais dans lequel il y a un labyrinthe. » On pourrait loger ce mot dans la bouche de Jeanne Le Hardouey, héroïne de L'Ensorcelée, et inventer qu'elle l'adresse à l'abbé de La Croix-Jugan! Il serait — encore — possible de pousser plus avant le *parallèle, mais cela ne donnerait qu'une fausse clef, et donc inutile. L'homme aux masques nous suffit...*

C'est vrai qu'à son propos on a beaucoup et souvent parlé de « masques ». Les raisons qu'il avait d'écrire, nous les ignorons, à un cri près, qui est loin d'être une confidence, mais qui, au contraire, nous alerte : « Écrire est un apaisement de soi-même », — mais à la prendre au mot, cette phrase ouvre au sein de l'œuvre aurevillienne un gouffre vertigineux. Comment? S'apaiser dans le débordement du démoniaque, du lugubre, du funèbre! Trouver sa paix dans la délectation impie de la faute! Connaître le repos dessus les portes de l'Enfer! Un masque, vous dis-je!

Le donjuanisme? Un masque. Par-dessous, il y a le long rêve d'être fidèle, de tenir entre ses mains, et réchauffer, un bonheur quotidien et un peu humble. Le dandysme? Un masque. Ou bien encore : un miroir aux alouettes, un défi comme en ont les enfants, une contre-mode agressive qui dissimule l'être blessé. Il reste ce « désespoir » dont parlait Léon Bloy : mais c'est peut-être le masque des masques, un mot vide, et vain, dès lors que nous ignorons — justement — de quoi, par quoi Barbey était désespéré, et de quoi il désespérait. Si l'on passe outre aux romans pour s'emparer de la *Correspondance* et des *Memoranda*, il faut en venir tôt à la conclusion dite par Albert Béguin : « Ce qui y apparaît, c'est moins le visage à découvert du romancier qu'un second masque, aussi énigmatique, aussi artificiel que celui des romans. »

C'est qu'aux yeux de Barbey, la partie, toutes les parties se jouent sur deux plans : le visible et l'invisible. Il y a le silence, il y a le discours; le masque, et le secret. De Barbey d'Aurevilly, nous ne connaissons, il est vrai, que les « masques », mais qui sont d'une « qualité » fastueuse, servis par les prestiges d'un langage étrangement beau (j'allais écrire : audacieusement beau!), et sertis dans la splendeur même de l'expression par un orfèvre magicien.

Et aussi loin que nos regards peuvent porter dans l'intérieur du masque, il nous faut reconnaître qu'à mesure le secret se creuse et se dérobe. C'est, encore une fois, Albert Béguin qui a dit le vrai : « Rarement la beauté d'un langage somptueux et sonore a aussi nettement servi à protéger un monde intérieur maintenu dans l'ombre du secret. » Les livres de Barbey ressemblent à son Enfer qui était le Ciel en creux : ils sont la vérité en creux. C'est pour cela, sans doute, qu'ils exercent cette fascination irritante aux charmes et à l'aiguillon de laquelle les lecteurs de Barbey ne peuvent que succomber. C'est un maître cruel.

Dans la comédie intérieure de Barbey, il y a les cartes et le dessous des cartes, si bien que de nombreux contemporains, qui s'en trouvèrent bien sur le moment, confondirent sa fougue avec un abus de foucades, ce qui était réduire les choses graves mais incertaines qu'il disait au rang des balivernes. Certes! Barbey d'Aurevilly s'est jeté dans l'agitation avec les yeux brûlants d'un contemplatif. Il fustigeait, dans ses critiques, les bonnes consciences, mais il maniait le fer avec le regard vide des intoxiqués du rêve. Il affirmait que les hommes avaient une âme, et il exigeait — simplement, terriblement — qu'ils s'en servent, fût-ce pour injurier Dieu. Dans ses romans, la fièvre le brûle.

Pour situer L'Ensorcelée *dans l'œuvre de Barbey d'Aurevilly, il est inutile de retracer la vie entière de l'écrivain. Il suffit, je crois, de le prendre et de l'examiner dans les alentours de la révolution de 48. Les points de repère dont il faut se souvenir tiennent à une certaine « conversion » de Barbey (je n'ai pas tant dans l'esprit la « conversion » religieuse qu'une autre, plus radicale encore). En 1843, le « dandy » Barbey rencontre, probablement, celle qui sera la Vellini d'*Une vieille maîtresse, *et c'est en 1845 qu'il commence la rédaction de ce livre. Comme il fréquente chez M*me *de Maistre, et*

surtout qu'il lit avec une ardeur non suspecte les ouvrages
du théoricien, le catholicisme de son enfance lui revient. Il
se convertit, mais intellectuellement. Nous sommes en
1846, et c'est alors qu'il fonde, avec un groupe d'amis, la
Société catholique. *Il faut aussitôt remarquer que sa*
passion religieuse, si elle le tient en marge du culte — à tel
point qu'il ne passera le seuil de l'Église pratiquante que
dix ans plus tard —, le jette avec violence vers sa famille et
son passé : il se retrouve subitement, et non content de cela,
voici qu'il commence à s'inventer. C'est par ce mouvement
qu'est donné le ton de L'Ensorcelée.

Parmi ceux qu'alors Barbey fréquente, il y a le curieux
Raymond Brucker, qui s'était converti vers l'année 1838.
C'était un homme turbulent, qui avait donné dans le saint-
simonisme avant de se rallier avec fougue au fouriérisme.
Il avait fait des romans sur le modèle des livres d'Eugène
Sue. Mais à peine fut-il converti qu'il ne cessa de rêver de
convertir tout le monde. Il se mit à détruire ce qu'il avait
adoré, comme Collin de Plancy, mais avec plus de sérieux
et la farouche détermination d'un missionnaire. A l'Athé-
née, il fit, durant sept années, un « cours de catholicisme ».
Cette étrange manière qu'il avait de brûler, alors même
qu'il était desservi par un manque absolu de talent,
impressionna sans doute Barbey d'Aurevilly qui, à son
tour, embrassa la pensée la plus minutieusement orthodoxe
avec une ardeur incomparable. On s'en aperçut en 1847,
lorsqu'il devint rédacteur en chef de La Revue du Monde
catholique.

Quelle effervescence cependant! « Ah! Trebutien! Trebu-
tien! Tâchons de devenir quelque chose et de ne pas mourir
obscurs. »

C'est alors que survient la révolution de 1848. Quelle va
être l'attitude de ce si terrible réactionnaire? Eh bien! pas
du tout celle que l'on imagine. La Révolution, c'est quelque
chose, un mouvement, l'ébauche désordonnée d'un nouvel

*ordre. Oui, mais c'est plus encore : une possibilité donnée
à l'existence, l'occasion d'en finir avec l'obscurité. Ce que
cherche Barbey, il l'a dit, c'est à « devenir ». Quoi?
« Quelque chose », bien entendu. Pour le reste, Dieu y
pourvoira, « qui a toujours quelque grand dessein*
d'ordre ». *Il semble cependant que Dieu ne l'entende pas
ainsi, au moins sur ce plan particulier, car Barbey qui
préside un club d'ouvriers doit y céder le pas, et son projet
d'être porté à la députation s'effondre. Dernier coup du
sort .* La Revue du Monde catholique *cesse de paraître.*

*Dans les derniers mois de 1848 et les premiers mois de
1849, Barbey d'Aurevilly, littéralement, disparaît. Il
s'éloigne du monde, oublie le présent, se perd en lui-même.
Il lit, c'est important, puisqu'il y a là Balzac et des livres
de magie, les* Mémoires *apocryphes de M*me *de Créquy où
la Normandie est longuement évoquée, les* Chroniques de
la Canongate *également, et les Écossais de Walter Scott le
prennent au piège. Quel piège? Mais celui-là justement où
son exil vient de le faire choir : son enfance. Barbey,
durant quelque six mois, se forge une mémoire, s'approche
du souvenir par l'imagination, bascule vers une Normandie et une enfance légendaires, traversées, dirait Aristide
Marie, « de l'émoi du surnaturel ».*

Mais il travaille aussi : il reprend et achève Une vieille
maîtresse, *il écrit* Le Dessous de cartes d'une partie de
whist, *la première — ainsi — des* Diaboliques. *Mais
surtout, sous l'emprise de cette « conversion » essentielle,
projette une série d' « histoires » dont le thème serait à la
fois la chouannerie et la Normandie, et dont le titre unique
serait* Ouest. *Jacques Petit a nommé fort justement ce
projet « une nébuleuse ». Il est manifeste que Barbey, dans
ce projet, s'égare, et finalement il l'abandonnera. Chez les
Barbey, il n'y avait pas de « chouans ». Il n'y en avait que
dans les souvenirs évoqués, les contes de la veillée, les
propos du soir. J'incline à penser que cette idée de se*

dévouer aux chouans est venue à Barbey parce qu'il écrivait, dans ce même temps, sa série des Prophètes du passé. *Je sais bien qu'il aurait pu choisir d'autres sujets que celui-là précisément, et mieux s'y tenir, mais il avait deux raisons au moins d'élire la chouannerie : sur le plan romanesque, il n'aurait été embarrassé par aucune grande figure, trop connue, « historique »; sur le plan intérieur, il retrouvait enfin ce pays que l'on peut nommer indifféremment Normandie ou Conversion. Tant il est d'évidence que cette Normandie reflète surtout « la volupté de songerie », et que cette Conversion donne à Barbey ses traits définitifs.*

De cette « nébuleuse », il demeure des débris, des notes, des esquisses. Mais aussi trois romans, dont l'un, au moins, s'attache fidèlement au projet d'Ouest, c'est Le Chevalier des Touches, *qui est, en définitive, le livre de la chouannerie. Puis, de biais, il y a* L'Ensorcelée *et* Un prêtre marié, *par lesquels c'est la Normandie au fond de soi retrouvée qui s'inscrit et paraît. Pour l'instant, en 1849, c'est* L'Ensorcelée *qui requiert tous les soins de Barbey d'Aurevilly. Cette genèse, dont finalement nous savons peu de chose, est des plus enseignantes.*

En attendant, Barbey tente (me semble-t-il) de dépouiller le vieil homme. A Trebutien, il se dépeint comme « décrié pour les mœurs fougueuses de sa jeunesse; une espèce de fragment de foudre mêlé à de l'argile d'homme ». S'il entreprend, en 1850, de soumettre à Buloz de La Revue des Deux Mondes *le conte inaugural des* Diaboliques *futures :* Le Dessous de cartes d'une partie de whist, — *c'est pour essuyer un refus. A. de Pontmartin qui est encore — un peu de justesse — de ses amis intervient auprès du terrible directeur, mais c'est pour entendre ce propos de Buloz : « Barbey a un talent d'enragé, mais je ne veux pas qu'il foute le feu dans ma boutique. » L' « enragé » a d'autres soucis en tête.*

Dès qu'il songe à Ouest, mais bientôt, plus précisément, à L'Ensorcelée, il se documente, harcèle Trebutien, demande une bibliographie, des précisions géographiques. Puis, enfin, ne se fie qu'à lui. C'est ce double mouvement qui requiert, et qui, d'ailleurs, suffit à laver Barbey du soupçon de régionalisme que d'aucuns n'ont pas hésité, en bien ou en mal, à faire peser sur lui. Barbey veut simplement se conforter dans sa vision de « converti ». La lande de Lessay? Il ne la connaît pas. Il le confesse volontiers, et il accorde qu'il a changé Blanchelande de place. Là, il nous faut bien comprendre que la lande de Lessay autant que Blanchelande appartiennent à la littérature : la lande, c'est proprement l'espace romanesque de L'Ensorcelée, alors que Blanchelande témoigne pour l'importance capitale des mots : « le nom, ce dernier soupir qui reste des choses ».

Le parti que prend Barbey lors de sa « conversion », c'est d'avouer le pays fantastique qui est le sien. Il a quitté la Normandie dans les éclats d'une déchirure qui l'a blessé : dans cette contrée de l'oubli mais du rêve, du renoncement mais de l'espoir, reposent la gloire et la vérité. A Trebutien : « Je veux être Normand comme Scott et Burns furent Écossais. » Il n'hésite pas. Le patois? Il le revendique (mais on murmure qu'il y commet cent erreurs), et lorsque Baudelaire, pour une réédition, voudra le détourner de son usage, il refusera. Le patois? Mais c'est la façon que les souvenirs ont de parler au fond de l'âme. Une rumeur indécise, particulière, marginale, qui a pour grand mérite de toucher à ce qu'il y a de plus réel dans les profondeurs de la réalité : « La poésie pour moi n'existe qu'au fin fond de la réalité et la réalité parle patois. » Ce serait une erreur cependant de croire que Barbey se contente de la réalité immobile, un peu froide, lointaine, étale.

*Il l'avoue : son instrument, c'est la poésie. Il ne cache
pas son ambition : c'est l'épopée. Il se veut peuple, mais
c'est à la façon d'Homère. Vous remarquerez, lisant ce
livre, combien les événements relatés sont — par rapport à
la rédaction de l'ouvrage — relativement proches, mais
vous succomberez à ce singulier vertige d'un temps épaissi,
prodigieusement touffu, basculé des perspectives propres
au réalisme dans les perspectives étrangement charpentées
de la légende. On jurerait d'une sorte de monde à l'envers :
chez Barbey d'Aurevilly, plus les personnages ont de la vie
intérieure, c'est-à-dire : plus ils sont masqués, délégués
dans les épaisseurs du secret et de l'indéchiffrable, — plus
aussi l'espace qu'ils occupent est important : ils rejettent
dans la périphérie, la vanité et comme l'inutile, les gens
qui ont pour poids le tapage d'une existence vers l'extérieur, exposée.*

Voyez l'aveu! « J'ai tâché de faire du Shakespeare dans
un fossé du Cotentin. »

*Et c'est bien là, et à ce moment, que Barbey d'Aurevilly
s'en prend à l'Histoire. Il n'ignore pas — nous l'avons vu
lors des événements de 48 — qu'il y a, sous l'Histoire, un
dessein de Dieu, une opération cachée, mystérieuse, et sans
laquelle l'Histoire serait insensée. Cependant, je crois qu'il
est loin encore du symbolisme universel qu'illustrera Léon
Bloy. Pour Barbey, et c'est manisfeste en divers endroits,
l'Histoire véritable diffère de l'Histoire apparente. Et à un
tel point que cette semi-rupture constatée renforcera, dans
ses projets, le romancier. Il écrit, le 6 juin 1850 :* « Le
Roman! mais c'est de l'histoire, toujours, plus ou moins,
des faits souvenus, agrandis, modifiés, arrangés selon
l'imagination, mais en restant dans la Vérité de la Nature.
Il n'y a pas de romancier dans le monde qui ne se soit
inspiré de ce qu'il a vu et qui n'ait jeté ses inventions à
travers des souvenirs. »

Bien. Il y a, dans l'Histoire et dans le Roman, le vrai et le vraisemblable. Mais, plus encore : il y a les personnages que l'Histoire a figés, qu'elle a jetés hors du pouvoir romanesque, que l'imagination ne peut désormais agrandir ni réduire; puis il y a les autres, que l'Histoire néglige, dont elle n'a pas relevé les traces, et ceux-là deviennent, par spéciale vocation, les héros romanesques par l'entremise desquels l'imagination va s'affirmer et, ainsi, fonder l'Histoire sur et dans le « fin fond de la réalité ». Parmi ceux-ci, indiscutablement, il y a l'abbé de La Croix-Jugan « cet être taillé pour terrasser l'imagination des autres et compter parmi ces individualités exceptionnelles qui peuvent ne pas trouver leur cadre dans l'histoire écrite, mais qui le retrouvent dans l'histoire qui ne s'écrit pas, car l'Histoire a ses rhapsodes comme la Poésie ». Parmi les rhapsodes, nous pouvons compter les humbles, les simples, les poètes, et les romanciers « convertis » (ce mot, encore une fois, dans un autre sens que religieux).

Autre chose encore : Barbey ne croit pas au progrès, à la perfectibilité. Ce n'est pas, là, contrairement à une opinion reçue, un effet de sa « conversion ». C'est une idée qui lui est naturelle, qu'il ne cesse (par instants) d'exprimer. Son retour vers cette Normandie mémorisée par l'imaginaire va lui permettre d'avouer crûment sa conviction, ainsi : « Moi qui crois que les sociétés les plus fortes, sinon les plus brillantes, vivent d'imitation, de tradition, des choses reprises à la même place où le temps les interrompit »... Mais évitons de le prendre pour l'imbécile que Victor Hugo disait qu'il était. Imitation, tradition, pour ce conservateur halluciné, tiennent à l'Histoire secrète, sinon même au Secret de l'Histoire, « comme si l'envers, le dessous de toutes les choses humaines n'était pas du merveilleux tout aussi inexplicable que ce qu'on nie, faute de l'expliquer! » A cette lumière, la conception que se fait de l'Histoire le romancier (ou faiseur d'histoire) Barbey d'Aurevilly singulièrement s'éclaire.

« *Les commères — dit-il —, après tout, sont des poétesses au petit pied qui aiment les récits, les secrets dévoilés, les exagérations mensongères, aliment éternel de toute poésie; ce sont les matrones de l'invention humaine qui pétrissent, à leur manière, les réalités de l'histoire.* » *Mais lui-même, Barbey, que fait-il d'autre que pétrir, à sa manière,* « *les réalités de l'histoire* »? *Car c'est bien de cela dont, à mon sens, il s'agit : de pétrir plus que de déchiffrer. Léon Bloy, Paul Claudel, plus tard, verront dans l'Histoire l'écriture de Dieu. Barbey y voit, dans son entreprise romanesque, une occasion donnée à la poésie de paraître. Le roman, c'est l'écriture de l'homme, mais qui ne cesse d'engager l'Histoire, de la prendre à bras-le-corps, de la soulever au niveau de l'invention plus encore épique que simplement humaine. Je ne doute nullement que le goût de Barbey pour les « diseuses » de ses livres, ce chœur des matrones, les Nônon Cocouan (« cette mystique de village ») tient à la démesure et à l'incertitude qu'elles introduisent dans l'Histoire même. Elles ont une manière unique de la restituer au merveilleux, de la rendre digne de son Secret.*

Là, et là seul sans doute « *gît la véritable Histoire, non celle des cartons et des chancelleries, mais l'Histoire orale, le discours, la tradition vivante* ».

D'ailleurs, en ce qui concerne ce livre, L'Ensorcelée, *il ne fait aucun doute que la dimension délibérément accordée au fantastique forme une façon de clef. A bien l'examiner, ce roman est tissé par un ensemble de signes et d'inter-signes qui, paradoxalement, rapproche la Normandie de Barbey de sa voisine, la Bretagne,* « *la Pauvresse-aux-Genêts* », *où les folkloristes (ainsi Anatole Le Braz) ont recensé grand nombre d'intersignes lugubres et funèbres. C'est aussi que* L'Ensorcelée *est placée sous le gouvernement de la nuit : c'est elle, la nuit, qui devient proprement*

*l'espace du récit que fait Tainnebouy à notre auteur. Et,
tout aussitôt, le récit de Tainnebouy aura la couleur de la
nuit : c'est elle qui scande les apparitions de l'abbé de
La Croix-Jugan. C'est elle, dans cette aube ténébreuse
qu'est le crépuscule, qui décide de l'impossible amour de
Maîtresse Le Hardouey. C'est elle, encore, qui sert de
refuge et d'abri aux pâtres sorciers et jeteurs de sorts.
Elle, enfin, qui sera le premier linceul de la Clotte.*

*Ce qui prélude au récit de Tainnebouy, c'est le sabot
blessé de la Blanche, la jument ne pouvant céder qu'aux
maléfices des impies. Déjà nous sommes avertis, entraînés.
Nous sommes dans l'attente d'un fantastique imminent, et
qui bientôt, effectivement, se déchaîne : la cloche sonne la
messe de l'abbé fantôme. Mais il s'agit encore d'un signe,
car, dès lors que les sons retentissent dans la nuit
mauvaise, nous* attendons *le fantastique récit qui va
suivre. Et nous l'entendons en effet, ce récit, à mesure que
la nuit s'écoule, et l'aurore nous abandonne une énigme :
celle de* L'Ensorcelée.

*Comment ne pas évoquer cette lettre à Trebutien, du
22 novembre 1851, où nous lisons : « Il y a là-dedans,
encore, l'audacieuse tentative d'un fantastique nouveau,
sinistrement et crânement surnaturel, — car on voit que
l'auteur y croit sans petite bouche et sans fausse honte... »*

Divers commentateurs ont souligné l'intérêt porté par
Barbey d'Aurevilly aux phénomènes physiologiques et à ce
que les médecins nomment des symptômes. Je préfère m'en
tenir à un mot moins scientifique et plus étrange : celui de
« stigmates ». La faute de l'abbé de La Croix-Jugan, qui,
nous le verrons, est double, voilà qu'elle devient un
masque : il la porte sur son visage. Et pourtant, ce visage?
Il est masqué par sa mise à nu, par son arrachement
même. Lorsque les Bleus déchirent les étoffes qui couvrent
es plaies, n'a-t-on pas l'impression d'une main impi-

*toyable qui viendrait « démasquer » un convive dans une
orgie? Par cette blessure horrible, l'abbé devient à jamais
reconnaissable. Et Jeanne Le Hardouey, cette Ophélie
tragique? Dès que la coupable passion pour le prêtre
s'empare d'elle, ne voilà-t-il pas que son visage rougit? Le
sang lui monte à la tête, et la marque : sa figure, pour elle,
avoue.*

*L'abbé de La Croix-Jugan, bien sûr, s'est changé en
homme de guerre. Il a combattu parmi les chouans. Puis,
à la suite d'un engagement à l'issue duquel il a jugé que sa
cause était perdue, il tourne son arme contre lui et se la
décharge au visage. Par son orgueil de chef, il a renié son
humilité de prêtre; par sa tentative de suicide, il s'est
écarté de Dieu : il est rebelle deux fois, et deux fois par
orgueil. Ce visage labouré qui est le sien, et qui ne ment
plus, c'est le signe apparent, c'est le sceau de sa rébellion.
C'est un héros byronien, un insoumis. Il a, certes, accepté
la punition que l'Église lui inflige, mais il n'a en rien
renoncé à sa conviction profonde : il continue à lutter, à
comploter. A tel point même qu'il s'aidera de Jeanne Le
Hardouey, pour l'abandonner aussitôt que l'action n'est
plus possible. La comtesse Jacqueline de Montsurvent, qui
est de son parti, ne dira-t-elle pas : « N'étions-nous pas
fiancés aux mêmes choses mortes? »*

*Jeanne Le Hardouey est à l'inverse. Elle est d'une
lignée noble, mais elle a épousé un roturier, et, qui plus
est, un acquéreur de biens nationaux et qui donne dans la
Bande noire. Le secret de cette passion sacrilège qui la
porte vers l'abbé tient peut-être en un brusque réveil : c'est
une « fille noble qui avait emprisonné dans un corset de
bure une âme patricienne longtemps contenue, longtemps
surmontée, et qui tout à coup, éclatant à l'approche d'une
âme de sa race, avait tué son bonheur et brisé sa vie ». Oui,
mais de l'abbé de La Croix-Jugan, nous ne savons rien
que ses refus. Il ne parle pas. A peine l'entendons-nous,*

*un instant, monologuer. Et ce poids du silence marque le
livre entier. D'aucuns, peut-être, découvriront que c'est la
considérable épaisseur de ce silence qui donne à L'Ensorcelée ce sens énigmatique qu'on lui devine. C'est là, du
moins, ce que j'éprouve.*

*Mais ce disant, nous oublions le personnage principal
de ce conte : c'est la lande de Lessay. Elle est l'alliée de la
nuit. A elles deux, la ténèbre au-dessus et la terre morte
au-dessous, elles forment un univers clos où les passions se
déchaînent. Ce que Barbey entend nous montrer exactement
et constamment, c'est « le côté véritablement sinistre de la
lande », car, dit-il, « l'imagination continuera d'être, d'ici
longtemps, la plus puissante réalité qu'il y ait dans la vie
des hommes ». Et cela, qu'il écrit, vaut de la même manière
pour cette autre étendue, mais cette fois d'eau morte,
l'étang du Quesnay, dans Un prêtre marié. Cela ressemble
à des endroits que la foudre a désolés, et que la foudre a
désertés, faisant place nette non pour le cygne, « ce mol
oiseau de la terre qui n'a point sa place dans le ciel
chrétien », mais pour l'aigle de l'Évangéliste — « qui allait
s'élever vers les Cimes Éternelles, puisqu'il allait mourir »!*

*Jean Lorrain, dans un langage fabriqué, n'avait pas
mal vu lorsqu'il notait que « L'Ensorcelée, cette chronique
démoniaque de Blanchelande, a le satanique épouvante-
ment d'un grimoire ». C'est vrai que la lande de Lessay gît
au fond des temps, et que d'elle à nous il y a comme un
tourbillonnement de siècles. C'est un grimoire. Un miroir
magique aussi, — un peu à la semblance de celui que le
pâtre de la lande tend à Le Hardouey dont on dévore le
cœur...*

*Ainsi s'éclaire le propos tenu par Barbey à Trebutien :
« Je suis persuadé qu'avec des impressions comme celles
des récits de mon enfance et de l'imagination, on arrive à
une espèce de somnambulisme très lucide, mais je voudrais*

que la lucidité du mien me fût attestée par une expé-
rience. » Et dès lors, il s'informe, je l'ai dit. Il questionne,
dresse ses plans, puis les bouscule et n'en fait qu'à sa
guise. Il ne faut pas le prendre au mot : s'il a besoin d'une
« expérience » prosaïque, ce n'est que de biais, et pour
conforter sa vision poétique. Ce qu'il recueille sur Saint-
Sauveur et ses environs ne vaut pas par la précision
naturaliste (ou régionaliste), mais par le coup de fouet que
tant de détails retrouvés donnent au réveil de sa mémoire
enfantine.

En effet, c'est à Saint-Sauveur-le-Vicomte que Jules
Barbey est né, en 1808. C'est là qu'il va vivre, mis à part
des escapades à Carteret, jusqu'en 1816 où il séjourne chez
son oncle le docteur Pontas-Duméril, à Valognes. Or, il
n'est pas douteux que L'Ensorcelée *et* Un prêtre marié
appartiennent à Saint-Sauveur, qu'un personnage du
Dessous de cartes d'une partie de whist *décrit ainsi :*
« Une bourgade jetée nonchalamment les pieds dans l'eau,
au bas d'une montagne. » Ces deux romans sont aussi ceux
de la « conversion », c'est-à-dire : d'un univers ressaisi.

Cette enfance légendairement revécue, c'est elle qui va
permettre par éclairs « les divines ignorances de l'esprit,
cette poésie de l'âme ». D'Aurevilly ceint et brûlé par sa vie
comme par la tunique de Nessus découvre alors l'essentiel.
De cela, il n'a rien livré de plus que les pages que l'on va
lire.

Il semble que Barbey ait terminé la rédaction de
L'Ensorcelée *dans les premiers jours de 1851. C'est du*
moins ce que donnent à entendre les lettres à Trebutien.

L'écrit achevé, aussitôt il se met en quête d'un éditeur, et
se promet la gloire plus encore que le succès. Il s'agit de
n'être plus obscur, c'est pour cette fois. Hélas non!
L'Assemblée nationale, qui est un journal orléaniste bon
teint, acceptera de publier l'ouvrage en feuilleton (il se

nomme encore La Messe de l'abbé de La Croix-Jugan) *du
7 janvier au 11 février 1852, non sans procéder à des
coupures légères mais qui émeuvent Barbey. Puis il faut
attendre encore, et c'est enfin la publication de* L'Ensorcelée, *en deux volumes, chez Cadot, en octobre 1854 (la
justification porte : 1855). Le roman était suivi de la
première des* Diaboliques, *ce* Dessous de cartes d'une
partie de whist *qu'en 1850* La Mode *avait donné en
plusieurs livraisons.*

*Le roman était dès lors dédicacé au marquis de Custine,
qui avait évolué — un peu — comme Barbey. La société
du temps se partageait devant Custine. Ses goûts sexuels
en faisaient, au choix, un rebelle ou un paria. Sa fortune
tentait les gens de peu. Barbey et Custine étaient des
mêmes opinions, mais Custine parlait à voix plus basse.
Ils avaient appris, à Saint-Gratien, ou dans les salons de
la rue Blanche, à s'estimer. J'incline à croire qu'il y avait
entre eux de la complicité (religieuse et politique) plus que
de la compréhension véritable.*

*Il est vrai qu'au moment — ou presque — où Cadot
livre les premiers exemplaires de* L'Ensorcelée, *Baudelaire et Barbey d'Aurevilly se rencontrent : cette amitié,
qui connaîtra ses intermittences, est d'une qualité beaucoup plus « significative », on s'en doute.*

                                          Hubert Juin.

INTRODUCTION

Baudelaire avait raison : on apprécie mieux *L'Ensor-celée* à la seconde lecture, lorsque, évanoui, atténué du moins, le « charme » premier, apparaissent, d'abord masquées, les vraies qualités de l'œuvre; l'art, les subtilités techniques, le jeu poétique en suggèrent alors une lecture nouvelle, plus riche, semble-t-il. Car le « récit », fait par l'herbager normand et rapporté par le romancier, n'est qu'un masque, une apparence à laquelle d'Aurevilly tente à peine de nous faire croire; rarement il fut moins soucieux de justifier sa « mise en scène », puisqu'il intervient à tout instant pour la dénoncer. Ce roman est un « rêve » du romancier.

Une lente méditation lui sert de prélude et nous en donne les clefs. Je songe moins à cette rêverie sur le paysage, sinistre et envoûtant, de la lande, qu'aux réflexions sur le « monde moderne ». La déception, le désespoir de Barbey devant son époque, qui se muent en colère dans la polémique, nourrissent encore l'œuvre d'imagination; rarement, la rigoureuse équivalence, chez cet écrivain, de l'activité critique et de la création romanesque fut plus nettement marquée et ressentie. Que Barbey d'Aurevilly ait cherché un refuge dans l'écriture, nul de ses lecteurs n'hésitait à le croire.

Jamais toutefois il ne l'a avoué ainsi, jamais il n'a ainsi laissé apparaître, presque claire, l'opposition à son époque qui fait surgir les personnages et les soutient au long du roman. Dans *L'Ensorcelée*, sans cesse il revient à ce thème, moins pour se justifier que pour retrouver la colère inspiratrice. Tout lui est prétexte à reprendre ses attaques : les landes que la civilisation fera disparaître, les grands sentiments que l'on ne comprend plus, l'éducation qui fausse les êtres, la démocratie qui détruit toute grandeur... Ces retours à la polémique paraissent presque choquants, si l'on ne voit que sur ce mouvement de ressentiment et de refus, par contraste, se construit l'œuvre.

Du rêve, elle garde quelque indécision ; toute explication refusée des vrais mouvements qui agitent les êtres et provoquent leurs actions, restent des figures qu'il nous appartient d'achever. Car rien de l'essentiel n'est dit ; quelques épisodes seulement racontés : le suicide manqué du prêtre chouan, la première rencontre de Jeanne Le Hardouey et de La Croix-Jugan, la mort de Jeanne, l'assassinat du prêtre... Entre ces épisodes se déroule, deviné, le drame véritable.

Si l'on considère en effet le récit un peu attentivement, ce qui apparaissait comme une suite narrative se révèle tout différent. Seules sont évoquées la séduction et la mort... Jeanne Le Hardouey aperçoit à un office Jéhoël de La Croix-Jugan, elle rentre chez elle, croise le berger qui la menace, apprend du curé qui est ce prêtre étrangement défiguré, et va confier son trouble à sa vieille amie, la Clotte. Jéhoël reparaît. Nous sommes à la moitié du roman, et tous ces événements se sont déroulés en vingt-quatre heures. Une année se passe, que la conversation de deux commères suffit à résumer en quelques pages, nous en donnant une vue tout extérieure ; le romancier intervient et, sous prétexte de l'éclairer, masque le drame en suggérant plusieurs explications inconciliables.

La seconde partie du récit ne couvre que deux ou trois jours : Jeanne avoue à la Clotte le sombre amour repoussé qui la ronge; le même soir, à son mari errant dans la lande, les bergers révèlent cet amour; au matin, on découvre dans l'étang le cadavre de la jeune femme; après les obsèques, qui ont lieu le lendemain, les paysans furieux insultent, lapident et tuent la Clotte.

Une année encore s'écoule : Le Hardouey revient pour se venger, demande conseil aux pâtres et tue à l'autel l'abbé de La Croix-Jugan, qui, en ce jour de Pâques, pour la première fois, célèbre à nouveau la messe. Deux témoignages, l'un réaliste, celui d'une vieille amie du prêtre, l'autre fantastique, terminent le roman.

De ce qui, psychologiquement, nous intéresserait, nous ne saurons rien : Jeanne s'est-elle suicidée? La Croix-Jugan s'est-il repenti? Le Hardouey fut-il vraiment l'assassin?... Au lecteur de répondre, guidé sans doute par certaines suggestions, mais libre malgré tout de choisir, conduit à rêver. Barbey vient d'écrire, dans *Le Dessous de cartes d'une partie de whist*, qui sera l'une des *Diaboliques* : « Ce qu'on ne sait pas centuple l'impression de ce qu'on sait. Me trompé-je? Mais je me figure que l'enfer, vu par un soupirail, devrait être plus effrayant que si, d'un seul et planant regard, on pouvait l'embrasser tout entier. » C'est de bribes que se fait, à son gré et à son goût, un roman, de lambeaux arrachés à une histoire dont nous ne saurons jamais tout. Ainsi seulement pourrons-nous retrouver, comme il le souhaite, « la volupté de songerie » qu'il connut à l'écrire.

Cette justification des particularités de l'œuvre par une esthétique romanesque de la surprise apparaît bien insuffisante. Et peut-être, en l'imaginant, d'Aurevilly se

leurre-t-il? Car d'autres problèmes se posent à qui tente
de « comprendre » ce récit. Est-ce un « roman », au sens
traditionnel, au sens où l'entendaient les contemporains
de Barbey? Il ne semble pas.

Rien n'est, à cet égard, plus curieux que la chronolo-
gie où les dates précises se mêlent à des indications
vagues et contradictoires. Tentons de la reconstituer.
Jeanne aperçoit l'abbé de La Croix-Jugan aux vêpres
du deuxième dimanche de l'Avent; ce doit être en 1801,
puisque le Concordat a été signé et le culte récemment
rétabli. « Un peu plus d'un an s'écoule » avant la
conversation des deux vieilles filles, que Barbey date
d'un Vendredi Saint. Nous serions donc en 1803. La
seconde série d'événements : la mort de Jeanne, l'assassinat de la Clotte... se produisent en été, la même année,
semble-t-il. Mais Le Hardouey, qui a disparu treize mois
(les bergers donnent cette précision) revient « à la fin du
carême » et, le jour de Pâques, 16 avril, La Croix-Jugan
est assassiné à l'autel. Si l'on admet une inadvertance
du romancier, on hésite entre avril 1804 et avril 1805
(donc huit mois ou vingt mois après la mort de Jeanne).
La seconde date s'impose, puisque l'Église a exigé
« trois ans de pénitence » du prêtre chouan. La comtesse
de Montsurvent n'en affirme pas moins que celui-ci a
vécu seulement deux ans à Blanchelande... Ces contradictions étonnent. Une autre « erreur » suggère l'explication : La Croix-Jugan tente de se suicider par un beau
soir d'été, « en pleine canicule »; c'est le jour même (ou
peu après) du combat de la Fosse qui eut lieu — Barbey
ne peut l'ignorer — le 3 novembre 1799!

Comment avouer plus clairement que les précisions de
cet ordre ne l'intéressent pas? Importe seule leur
signification qui n'a rien de chronologique : les nota-
tions de durée ont une importance psychologique, les
dates une valeur poétique. L'été, par contraste,

convient pour situer les deux suicides, celui de Jéhoël et celui de Jeanne. Pâques s'accorde à la réhabilitation grandiose (et impossible) du « grand abbé »; l'atmosphère de l'Avent à cette rencontre où se jouent obscurément dans l'âme de la jeune femme l'effroi et l'amour. Barbey ne cherche même pas à faire coïncider, ce qui serait fort simple, ces dates et ces durées; il se contredit sans raison d'un chapitre à l'autre, affichant pour ces détails un dédain révélateur.

On dirait que le temps, élément essentiel de toute création romanesque, n'existe pas ici. Celui même de la narration est comme nié. « Étaient-ce, écrit Barbey aux dernières lignes, les neuf coups entendus et dont les ondes sonores frappaient encore à nos oreilles? » Ces neuf coups ont été le prétexte et le point de départ du récit qui, selon le manuscrit, a duré de minuit à trois heures... Barbey supprime cette indication, comme s'il refusait l'écoulement temporel. Le roman est résurrection dans l'instant, dans un instant qui échappe à toute durée.

Certes, il y a une « histoire »; elle intéresse moins l'écrivain dans son déroulement, que par ses temps forts. On voit vite, à lire *L'Ensorcelée*, que le rêve de Barbey s'organise autour de quelques personnages, de quelques épisodes qui l'attirent particulièrement : le suicide de Jéhoël et la cruauté des Bleus, la rencontre muette de Jeanne et de l'abbé, l'héroïsme de Louisine-à-la-hache, les amours tragiques de Dlaïde Malgy, la mort de Jeanne, le supplice de la Clotte, le meurtre... et, tout au long du roman, les interventions des bergers, qu'ils jettent un sort à Jeanne, révèlent à Le Hardouey son infortune ou prédisent la mort de l'abbé... Aventures héroïques, cruelles ou mystérieuses, que la lande marque de sa tristesse étrange!

Car le lieu, comme le temps, est ici symbolique.

« Était-ce, note Barbey pour expliquer la profondeur de ses impressions, le théâtre de cette dramatique histoire, que nous foulions alors sous nos pieds? » Tout paraît renaître — ou vivre encore, — de ce qu'il raconte, dans cette brume où cheminent le romancier et le conteur, « ombres », « comme le Dante en dut voir errer dans les limbes de son Purgatoire ». Tout converge dans cette lande : les bergers y règnent, encore présents, ou ressuscités par les craintes de Tainnebouy; La Croix-Jugan y chevauche à l'aventure, comme un damné; Le Hardouey s'y prépare à la vengeance et la Clotte y meurt. Seule Jeanne n'appartient pas à ce lieu malé-fique; à peine vient-elle à sa lisière voir et supplier les bergers; ne serait-ce pas son « innocence » que ce symbole indique?

Tout le roman peut se comprendre ainsi. Rien n'y est, d'une certaine manière, romanesque; tout y prend signification sur un autre plan, thématique et symbo-lique. Signes et intersignes, dit Hubert Juin. Certaine-ment et dans un double sens, fantastique et esthétique. Par ces jeux de reflets se définit l'art aurevillien.

On a très vite remarqué certains effets calculés, volontairement grossis : l'intervention des pâtres dans le prélude et dans l'action, l'omniprésence de la lande, les neuf coups de la messe entendus aux premiers instants et dont on dirait au finale qu'ils résonnent encore... A l'intérieur même du récit, tout un jeu de miroirs, plus subtil, plus secret, requiert de même l'attention. Racontée très tôt, l'aventure de Dlaïde Malgy, par exemple (autrefois amoureuse de Jéhoël et qui en mourut), nous avertit et révèle à l'avance le destin de Jeanne Le Hardouey; consciemment, le romancier met ici son roman « en abyme », comme disait Gide : « Ainsi dans un tableau de Memling ou de

Quentin Metsys, un petit miroir convexe et sombre reflète, à son tour, l'intérieur de la pièce où se joue la scène peinte. » Jeanne imitera sans le vouloir cette autre mal-aimée. Il faudrait à son propos relever un autre détail : au mur de la chaumière qu'habite la Clotte est pendue une gravure représentant Judith qui tue Holopherne; la vieille femme compare à Judith Jeanne Le Hardouey et, celle-ci morte, verra la gravure comme ensanglantée. La comparaison rappelle que la mère de Jeanne, Louisine-à-la-hache, fut, comme Judith, meurtrière. La jeune femme ne pourrait-elle agir ainsi? A quoi pense-t-elle lorsqu'elle quitte brusquement la Clotte en lui reprochant sa lâcheté? Sans doute pas à se tuer. Le lecteur attendrait plutôt un meurtre qu'un suicide. Les deux images suggèrent bien un état psychologique dont nous ne saurons rien : Jeanne suivra-t-elle l'exemple de sa mère, de Judith, ou celui de Dlaïde Malgy? Deux destins se présentent. Elle choisit l'abandon. Rien ne nous le dit que ces comparaisons insistantes.

D'autres images reparaissent ainsi. Jéhoël, quelques instants avant sa tentative de suicide, regarde les fleurs de lys du cachet royal et, à cet autre instant décisif, au chevet de la vieille femme agonisante, est rappelé à lui par « la croix ancrée de fleurs de lys » gravée sur ses pistolets; le conflit intérieur n'est pas autrement traduit. La coiffe normande, cette « coiffe de la conquête » complaisamment décrite, Barbey la fait porter à Jeanne et à sa mère; un coup de feu enlève celle de Louisine, et celle de sa fille flottant sur l'étang avertit de son suicide... On pourrait suivre certaines images, celle du feu et celle du sang, par exemple : le feu dans la chaumière de Marie Hecquet dont les Bleus jettent les braises sur le visage sanglant de Jéhoël, celui sur lequel Le Hardouey voit symboliquement « griller » son propre

cœur; celui des bergers, celui qui « incendie » le visage
de Jeanne... L'image domine encore la description de la
messe que va célébrer La Croix-Jugan « réconcilié » ou
de la messe maudite qu'il tente de dire dans la nuit...
Feu infernal que portent en eux Jéhoël et Jeanne et qui
paraît dans les cicatrices sanguinolentes, « semblables
aux paupières à vif d'un lion qui a traversé un
incendie », qui marquent le visage du prêtre, ou dans
« la pourpre du visage incendié » de Jeanne. « Le sang
faufilait, comme un ruban de flammes, ses paupières
brûlées », note Barbey qui établit clairement le lien
d'une image à l'autre. L'étude thématique de ce roman
nous renseignerait mieux qu'une illusoire et impossible
analyse psychologique.

　　Le même refus de toute vraisemblance romanesque
est sensible dans le détail de la composition. On
montrerait aisément, par exemple, que les rencontres de
personnages prennent une évidente valeur symbolique.
L'abbé apparaît dans la chaumière de la Clotte comme
un fantôme évoqué par le cri de la vieille femme : « Ah!
tu es donc ici, ô Jéhoël de La Croix-Jugan! » C'est le
berger, jeteur de sort, qui découvre le cadavre de
Jeanne (il ne peut pourtant être le meurtrier). Lorsque
Le Hardouey demande aux bergers comment se venger
du prêtre, celui-ci, à cet instant précis, traverse la lande
au galop. Il fallait encore qu'il passât au moment où la
Clotte allait mourir... Et que dire de cette mort qui se
produit à l'instant où disparaît Jeanne dont la Clotte
incarnait le destin? Dans *Un prêtre marié*, la Malgaigne
mourra de même lorsque disparaît Sombreval. Barbey,
par ces rapprochements, donne aux deux vieilles
femmes leur importance véritable et leur valeur symbolique.

　　A l'analyse, tous les éléments romanesques semblent

ainsi, les uns après les autres, disparaître. On noterait encore le jeu sur les vêtements : l'habit blanc qui fut celui du moine, la « capuche » noire du pénitent, et la « blancheur flamboyante de la chasuble » que le prêtre a revêtue pour mourir; ou ces vêpres poétiquement tristes de l'Avent sur lesquelles s'ouvre le récit répliquant à la messe sanglante de Pâques qui l'achève... Chaque élément, personnage, épisode, événement... s'intègre dans un ensemble qui n'a du roman, tel que l'écrivent les contemporains de Barbey, que l'apparence extérieure.

Le dessein profond — peut-être inconscient — de l'écrivain me paraît autre que de raconter une histoire, si émouvante lui parût-elle. Du moins ne se fait-il aucune illusion sur la créance que nous pourrions lui accorder. Et il s'en moque. Il raille volontiers : « Dieu merci, toute cette psychologie est inutile. Je ne suis qu'un simple conteur. » Il insiste : si « ceci avait le malheur d'être un roman, je serais forcé de sacrifier un peu de la vérité à la vraisemblance ». La dénonciation de l'illusion romanesque est constante, comme celle du récit. Barbey intervient, commente, ajoute, dit-il, aux faits rapportés par Tainnebouy, d'autres renseignements qu'il a recueillis. En dépit de certaines prétentions, il ne tente pas de nous convaincre. Il sait qu'il poursuit son propre rêve, et il ne s'agit pour lui que de nous y associer : un rêve sur des personnages, ou plus profondément, à travers eux, sur ces grandes images qui traversent l'œuvre, sur l'inquiétude, la violence, le mal, l'amour, la mort... Entreprise poétique plus que romanesque; ou romanesque dans un sens très moderne : le roman y apparaît en effet création, avouée telle, d'un univers illusoire, dont la cohérence est purement esthétique. Entreprise parfaitement réussie : comment croire à cette aventure? Mais comment résister à sa puissance d'envoûtement?

Jacques Petit.

L'Ensorcelée

I

La lande de Lessay est une des plus considérables de
cette portion de la Normandie qu'on appelle la presqu'île du Cotentin [1]. Pays de culture, de vallées fertiles,
d'herbages verdoyants, de rivières poissonneuses, le
Cotentin, cette Tempé de la France, cette terre grasse et
remuée, a pourtant, comme la Bretagne, sa voisine, la
Pauvresse-aux-Genêts, de ces parties stériles et nues où
l'homme passe et où rien ne vient, sinon une herbe rare
et quelques bruyères bientôt desséchées. Ces lacunes de
culture, ces places vides de végétation, ces terres
chauves pour ainsi dire, forment d'ordinaire un frappant contraste avec les terrains qui les environnent.
Elles sont à ces pays cultivés des oasis arides, comme il
y a dans les sables du désert des oasis de verdure. Elles
jettent dans ces paysages frais, riants et féconds, de
soudaines interruptions de mélancolie, des airs soucieux
des aspects sévères. Elles les ombrent d'une estompe
plus noire... Généralement, ces landes ont un horizon
assez borné. Le voyageur, en y entrant, les parcourt
d'un regard et en aperçoit la limite. De partout, les
haies des champs labourés les circonscrivent. Mais, si,
par exception, on en trouve d'une vaste largeur de
circuit, on ne saurait dire l'effet qu'elles produisent sur

l'imagination de ceux qui les traversent, de quel charme bizarre et profond elles saisissent les yeux et le cœur. Qui ne sait le charme des landes?... Il n'y a peut-être que les paysages maritimes, la mer et ses grèves, qui aient un caractère aussi expressif et qui vous émeuvent davantage. Elles sont comme les lambeaux, laissés sur le sol, d'une poésie primitive et sauvage que la main et la herse de l'homme ont déchirée. Haillons sacrés qui disparaîtront au premier jour sous le souffle de l'industrialisme moderne; car notre époque, grossièrement matérialiste et utilitaire, a pour prétention de faire disparaître toute espèce de friche et de broussailles aussi bien du globe que de l'âme humaine. Asservie aux idées de rapport, la société, cette vieille ménagère qui n'a plus de jeune que ses besoins et qui radote de ses lumières, ne comprend pas plus les divines ignorances de l'esprit, cette poésie de l'âme qu'elle veut échanger contre de malheureuses connaissances toujours incomplètes, qu'elle n'admet la poésie des yeux, cachée et visible sous l'apparente inutilité des choses. Pour peu que cet effroyable mouvement de la pensée moderne continue, nous n'aurons plus, dans quelques années, un pauvre bout de lande où l'imagination puisse poser son pied pour rêver, comme le héron sur une de ses pattes. Alors, sous ce règne de l'épais génie des aises physiques qu'on prend pour de la Civilisation et du Progrès, il n'y aura ni ruines, ni mendiants, ni terres vagues, ni superstitions comme celles qui vont faire le sujet de cette histoire, si la sagesse de notre temps veut bien nous permettre de la raconter[2].

C'était cette double poésie de l'inculture du sol et de l'ignorance de ceux qui la hantaient qu'on retrouvait encore, il y a quelques années, dans la sauvage et fameuse lande de Lessay. Ceux qui y sont passés alors pourraient l'attester. Placé entre la Haie-du-Puits et

Coutances, ce désert normand, où l'on ne rencontrait ni
arbres, ni maisons, ni haies, ni traces d'homme ou de
bêtes que celles du passant ou du troupeau du matin
dans la poussière, s'il faisait sec, ou dans l'argile
détrempée du sentier, s'il avait plu, déployait une
grandeur de solitude et de tristesse désolée qu'il n'était
pas facile d'oublier[3]. La lande, disait-on, avait sept
lieues de tour. Ce qui est certain, c'est que, pour la
traverser en droite ligne, il fallait à un homme à cheval
et bien monté plus d'une couple d'heures. Dans l'opinion de tout le pays, c'était un passage redoutable.
Quand de Saint-Sauveur-le-Vicomte, cette bourgade
jolie comme un village d'Écosse et qui a vu Du Guesclin
défendre son donjon contre les Anglais, ou du littoral de
la presqu'île, on avait affaire à Coutances et que, pour
arriver plus vite, on voulait prendre la traverse, car la
route départementale et les voitures publiques n'étaient
pas de ce côté, on s'associait plusieurs pour passer la
terrible lande ; et c'était si bien en usage qu'on citait
longtemps comme des téméraires, dans les paroisses, les
hommes, en très petit nombre, il est vrai, qui avaient
passé seuls à Lessay de nuit ou de jour.

On parlait vaguement d'assassinats qui s'y étaient
commis à d'autres époques. Et vraiment, un tel lieu
prêtait à de telles traditions. Il aurait été difficile de
choisir une place plus commode pour détrousser un
voyageur ou pour dépêcher un ennemi. L'étendue,
devant et autour de soi, était si considérable et si claire
qu'on pouvait découvrir de très loin, pour les éviter ou
les fuir, les personnes qui auraient pu venir au secours
des gens attaqués par les bandits de ces parages, et,
dans la nuit, un si vaste silence aurait dévoré tous les
cris qu'on aurait poussés dans son sein. Mais ce n'était
pas tout.

Si l'on en croyait les récits des charretiers qui s'y

attardaient, la lande de Lessay était le théâtre des plus
singulières apparitions. Dans le langage du pays, *il y
revenait*. Pour ces populations musculaires, braves et
prudentes, qui s'arment de précautions et de courage
contre un danger tangible et certain, c'était là le côté
véritablement sinistre et menaçant de la lande, car
l'imagination continuera d'être, d'ici longtemps, la plus
puissante réalité qu'il y ait dans la vie des hommes.
Aussi cela seul, bien plus que l'idée d'une attaque
nocturne, faisait trembler le *pied de frêne* dans la main
du plus vigoureux gaillard qui se hasardait à passer
Lessay à la tombée. Pour peu surtout qu'il se fût *amusé*
autour d'une chopine ou d'un pot, au *Taureau rouge*, un
cabaret d'assez mauvaise mine qui se dressait, sans
voisinage, sur le nu de l'horizon, du côté de Coutances[4],
il n'était pas douteux que le compère ne vît dans le
brouillard de son cerveau et les tremblantes lignes de
ces espaces solitaires, nués des vapeurs du soir ou blancs
de rosée, de ces choses qui, le lendemain, dans ses récits,
devaient ajouter à l'effrayante renommée de ces lieux
déserts[5]. L'une des sources, du reste, les plus intaris-
sables des *mauvais bruits*, comme on disait, qui couraient sur Lessay et les environs, c'était une ancienne
abbaye que la Révolution de 1789 avait détruite et qui,
riche et célèbre, était connue à trente lieues à la ronde
sous le nom de l'abbaye de Blanchelande[6]. Fondée au
douzième siècle par le favori d'Henri II, roi d'Angleterre, le Normand Richard de la Haye, et par sa femme,
Mathilde de Vernon, cette abbaye, voisine de Lessay et
dont on voyait encore les ruines il y a quelques années,
s'élevait autrefois dans une vallée spacieuse, peu profonde, close de bois, entre les paroisses de Varenguebec,
de Lithaire et de Neufmesnil. Les moines qui l'avaient
toujours habitée étaient de ces puissants chanoines de
l'ordre de Saint-Norbert qu'on appelait plus communé-

ment Prémontrés[7]. Quant au nom si pittoresque, si
poétique et presque virginal de l'abbaye de Blanchelande — le nom, ce dernier soupir qui reste des
choses! —, les antiquaires ne lui donnent, hélas! que les
plus incertaines étymologies. Venait-il de ce que les terres
qui entouraient l'abbaye avaient pour fond une pâle
glaise, ou des vêtements blancs des chanoines, ou des
toiles qui devaient devenir le linge de la communauté et
qu'on étendait autour de l'abbaye, sur les terrains qui
en étaient les dépendances, pour les blanchir à la rosée
des nuits? Quoi qu'il en fût à cet égard, si on en croyait
les irrévérencieuses chroniques de la contrée, le monastère de Blanchelande n'avait jamais eu de virginal que
son nom. On racontait tout bas qu'il s'y était passé
d'effroyables scènes quelques années avant que la
Révolution éclatât. Quelle créance pouvait-on donner à
de tels récits? Pourquoi les ennemis de l'Église, qui
avaient besoin de motifs pour détruire les monuments
religieux d'un autre âge, n'auraient-ils pas commencé à
démolir par la calomnie ce qu'ils devaient achever avec
la hache et le marteau? Ou bien, en effet, en ces temps
où la foi fléchissait dans le cœur vieilli des peuples,
l'incrédulité avait-elle fait réellement germer la corruption dans ces asiles consacrés aux plus saintes vertus?
Qui le savait? Personne. Mais toujours est-il que, faux
ou vrais, ces prétendus scandales aux pieds des autels,
ces débordements cachés par le cloître, ces sacrilèges
que Dieu avait enfin punis par un foudroiement social
plus terrible que la foudre de ses nuées, avaient laissé, à
tort ou à raison, une traînée d'histoires dans la mémoire
des populations, empressées d'accueillir également, par
un double instinct de la nature humaine, tout ce qui est
criminel, dépravé, funeste, et tout ce qui est merveilleux[8].

Il y a déjà quelques années, je voyageais dans ces

parages, dont j'aurais tant voulu faire comprendre le
saisissant aspect au lecteur. Je revenais de Coutances,
une ville morne, quoique épiscopale, aux rues humides
et étroites, où i'avais été obligé de passer plusieurs
jours, et qui m'avait prédisposé peut-être aux profondes
impressions du paysage que je parcourais[9]. Mon âme
s'harmonisait parfaitement alors avec tout ce qui
sentait l'isolement et la tristesse. On était en octobre,
cette saison mûre qui tombe dans la corbeille du temps
comme une grappe d'or meurtrie par sa chute, et,
quoique je sois d'un tempérament peu rêveur, je
jouissais pleinement de ces derniers et touchants beaux
jours de l'année où la mélancolie a ses ivresses. Je
m'intéressais à tous les accidents de la route que je
suivais. Je voyageais à cheval, à la manière des coureurs
de chemins de traverse. Comme je ne haïssais pas le
clair de lune et l'aventure, en digne fils des Chouans,
mes ancêtres, j'étais armé autant que Surcouf le
Corsaire, dont je venais de quitter la ville, et peu me
chalait de voir tomber la nuit sur mon manteau! Or,
justement quelques minutes avant le chien-et-loup, qui
vient bien vite, comme chacun sait, dans la saison
d'automne, je me trouvai vis-à-vis du cabaret du
Taureau rouge, qui n'avait de rouge que la couleur
d'ocre de ses volets, et, qui, placé à l'orée de la lande de
Lessay, semblait, de ce côté, en garder l'entrée. Étranger, quoique du pays, que j'avais abandonné depuis
longtemps, mais passant pour la première fois dans ces
landes, planes comme une mer de terre, où parfois les
hommes qui les parcourent d'habitude s'égarent quand
la nuit est venue, ou, du moins, ont grand-peine à se
maintenir dans leur chemin, je crus prudent de m'orienter avant de m'engager dans la perfide étendue et de
demander quelques renseignements sur le sentier que je
devais suivre. Je dirigeai donc mon cheval sur la maison

de chétive apparence que je venais d'atteindre et dont
la porte, surmontée d'un gros bouchon d'épines flétries,
laissait passer le bruit de quelques rudes voix appartenant sans doute aux personnes qui buvaient et devi-
saient dans l'intérieur de la maison. Le soleil oblique du
couchant, deux fois plus triste qu'à l'ordinaire, car il
marquait deux déclins, — celui du jour et celui de
l'année —, teignait d'un jaune soucieux cette chaumière, brune comme une sépia, et dont la cheminée à
moitié croulée envoyait rêveusement vers le ciel tranquille la maigre et petite fumée bleue de ces feux de
tourbe que les pauvres gens recouvrent avec des feuilles
de chou pour en ralentir la consomption trop rapide [10].
J'avais, de loin, aperçu une petite fille en haillons, qui
jetait de la luzerne à une vache attachée par une corde
de paille tressée au contrevent du cabaret, et je lui
demandai, en m'approchant d'elle, ce que je désirais
savoir. Mais l'aimable enfant ne jugea point à propos de
me répondre, ou peut-être ne me comprit-elle pas, car
elle me regarda avec deux grands yeux gris, calmes et
muets comme deux disques d'acier, et, me montrant le
talon de ses pieds nus, elle rentra dans la maison en
tordant son chignon couleur de filasse sur sa tête, d'où il
s'était détaché pendant que je lui parlais. Prévenue sans
doute par la sauvage petite créature, une vieille femme,
verte et rugueuse comme un bâton de houx durci au feu
(et pour elle ç'avait été peut-être le feu de l'adversité),
vint au seuil et me demanda *qué que j'voulais*, d'une
voix traînante et hargneuse.

Et moi, comme je me savais en Normandie, le pays
de la terre où l'on entend le mieux les choses de la vie
pratique et où la politique des intérêts domine tout à
tous les niveaux, je lui dis de donner une bonne mesure
d'avoine à mon cheval et de l'arroser d'une chopine de
cidre, et qu'après je lui expliquerais mieux ce que

j'avais à lui demander. La vieille femme obéit avec la
vitesse de l'intérêt excité. Sa figure rechignée et morne
se mit à reluire comme un des gros sous qu'elle allait
gagner. Elle apporta l'avoine dans une espèce d'auge en
bois, montée sur trois pieds boiteux; mais elle ne
comprit pas que le cidre, fait pour un *chrétian*, fût la
bâisson d'oune animâ. Aussi fus-je obligé de lui répéter
l'ordre de m'apporter la chopine que j'avais demandée,
et je la versai sur l'avoine qui remplissait la mangeoire,
à son grand scandale apparemment, car elle fit claquer
l'une contre l'autre ses deux mains larges et brunes,
comme deux battoirs qui auraient longtemps séjourné
dans l'eau d'un fossé, et murmura je ne sais quoi dans
un patois dont l'obscurité cachait peut-être l'insolence.

« Eh bien ! la mère, — lui dis-je en regardant manger
mon cheval, — vous allez me dire à présent quel chemin
je dois suivre pour arriver à la Haie-du-Puits dans la
nuit et sans m'égarer. »

Alors, elle allongea son bras sec, et, m'indiquant la
ligne qu'il fallait suivre, elle me donna une de ces
explications compliquées, inintelligibles, où la malice
narquoise du paysan, qui prévoit les embarras d'autrui
et qui s'en gausse par avance, se mêle à l'absence de
clarté qui distingue les esprits grossiers et naturellement
enveloppés des gens de basse classe.

Je n'avais rien compris à ce qu'elle me disait. Aussi,
je me préparais, tout en rebridant mon cheval, à lui
faire répéter et éclaircir son explication malencontreuse,
quand, s'avisant d'un expédient qui anima sa figure
comme une découverte, elle tourna sur le talon de ses
sabots ferrés et s'écria d'une voix aiguë en rentrant à
moitié dans le cabaret :

« Hé, maître Tainnebouy, v'là un mônsieu qui
demande le quemin de la Haie-du-Puits, et qui, si vous
v'lez, va s'en aller *quant et vous!* »

Sur ma parole, je ne me souciais pas trop du compagnon qu'elle me donnait de son autorité privée. Le *Taureau rouge* était mal famé, et l'air de la vieille n'avait rien de très rassurant. Si c'était, comme on le disait, un asile pour des drôles de toute espèce, pour tous les vagabonds sans aveu, que ce cabaret isolé, qui semblait bâti par le diable devenu maçon pour l'accomplissement de quelque dessein funeste, on trouvera naturel que je n'inclinasse guère à recevoir de la main de la reine de ce bouge un guide ou un compagnon pour ma route dans cette dangereuse lande qu'il fallait traverser et que la nuit allait bientôt couvrir.

Mais ces réflexions, qui passèrent en moins de temps dans mon cerveau que je n'en mets à les exprimer, ne tinrent pas, malgré l'heure qui noircissait, la misérable réputation du *Taureau rouge* et l'air sinistre de son hôtesse, contre la présence de l'homme qu'elle avait appelé et qui vint à moi du fond de l'intérieur de la maison, montrant à ma vue agréablement surprise un de ces gaillards de riche mine, lesquels n'ont pas besoin d'un certificat de bonne vie et mœurs délivré par un curé ou par un maire, car Dieu leur en a écrit un magnifique et lisible dans toutes les lignes de leur personne. Dès que je l'eus toisé du regard, mes défiantes idées s'envolèrent comme une nuée de corneilles dénichées tout à coup d'un vieux château par un joyeux coup de fusil tiré au loin dans la plaine. Je vis tout de suite à quelle espèce d'homme j'avais affaire. Il semblait avoir toutes les qualités nécessaires au passage de la lande, c'est-à-dire, en deux mots, la figure la plus rassurante pour un honnête homme et les épaules les plus effrayantes pour un coquin.

C'était un homme de quarante-cinq ans environ, bâti en force, comme on dit énergiquement dans le pays, car de tels hommes sont des bâtisses, un de ces êtres virils,

à la contenance hardie, au regard franc et ferme, qui
font penser qu'après tout, le mâle de la femme a aussi
son genre de beauté. Il avait à peu près cinq pieds
quatre pouces de stature, mais jamais le refrain de la
vieille chanson normande :

*C'est dans la Manche
Qu'on trouve le bon bras*

n'avait trouvé d'application plus heureuse et plus
complète. Il me fit l'effet, au premier coup d'œil, et la
suite me prouva que je ne m'étais pas trompé, d'un
fermier aisé de la presqu'île, qui s'en revenait de
quelque marché d'alentour. Excepté le chapeau à
couverture de cuve, qu'il avait remplacé par un chapeau
à bords plus étroits et plus commode pour trotter à
cheval contre le vent, il avait le costume que portaient
encore les paysans du Cotentin dans ma jeunesse : la
veste ronde de droguet bleu, taillée comme celle d'un
majo espagnol, mais moins élégante et plus ample, et la
culotte courte, de la couleur de la laine de la brebis,
aussi serrée qu'une culotte de daim, et fixée au genou
avec trois boutons en cuivre. Et il faut le dire, puisqu'il
n'y pensait pas, cette sorte de vêtement lui allait
vraiment bien, et dessinait une musculature dont
l'homme le moins soucieux de ses avantages aurait eu le
droit d'être fier. Il avait passé, par-dessus ses bas de
laine bleue à côtes, bien tendus sur des mollets en cœur,
ces anciennes bottes sans pied qui descendaient du
genou jusqu'à la cheville et dans lesquelles on entrait
avec ses souliers. Ces anciennes bottes, qui n'avaient
qu'un éperon, et qu'on laissait dans l'écurie avec son
cheval quand on était arrivé, étaient, aux jambes de
notre Cotentinais, couvertes d'une boue séchée qu'y
constellait une boue fraîche, et elles disaient suffisam-

ment qu'elles avaient vu du chemin, et du mauvais chemin, ce jour-là. La boue souillait aussi à une grande hauteur la massue du *pied de frêne* qu'il tenait à la main, et qu'une lanière de cuir, formant fouet, fixait à son solide poignet, dans des enroulements multipliés.

« J' n'ai jamais — me dit-il avec l'accent de son pays et une politesse simple et cordiale — refusé un bon compagnon quand Dieu l'a envoyé sur ma route. » — Il souleva légèrement son chapeau et le remit sur sa forte tête brune, dont les cheveux épais, droits, coupés carrément et marqués des coups de ciseaux du *frater* qui les avait hachés d'une main inhabile, tombaient jusque sur ses épaules, autour d'un cou herculéen, lié à peine par une cravate qui ne faisait qu'un tour, à la manière des matelots. — « La vieille mère Giguet dit, Monsieur, que vous allez à la Haie-du-Puits, où je vais aussi pour la foire de demain. Comme j' n'ai pas de bœufs à conduire, car vous avez un cheval trop ardent pour bien suivre tranquillement un troupeau de bœufs, j' pouvons, si vous le trouvez bon, faire route ensemble et nous en aller jasant, botte à botte, comme d'honnêtes gens, et, sauf votre respect, une paire d'amis. La *Blanche* n'est pas tellement lassée, la pauvre bête, qu'elle ne puisse bien faire la partie de votre cheval. J' la connais. Elle a de l'amour-propre comme une personne. Auprès de votre cheval, elle va joliment renifler! La lande est mauvaise, et, si c'est comme hier soir, dans les landes de Muneville et de Montsurvent, le brouillard nous prendra bien avant que nous n'en soyons sortis. M'est avis qu'un étranger, comme vous paraissez l'être, ne serait point capable de se tirer tout seul d'un tel pas et pourrait bien chercher sa route encore demain matin au lever du soleil, c'est-à-dire en pleine matinée, car le soleil commence d'être tardif dans cette arrière-saison. »

Je le remerciai de sa politesse et j'acceptai sa pro-
position de grand cœur. Il y avait dans les manières,
la voix, le regard de cet homme quelque chose qui
attirait et qui eût forcé la confiance. Quoiqu'il fût
Normand, son visage avisé n'était pas rusé. Il était
presque aussi noir qu'un morceau de pain de sarrasin;
mais, si tanné qu'il fût par le soleil et les fatigues, il
avait aussi les couleurs de la santé et de la force. Il
respirait la sécurité audacieuse d'un homme toujours
par monts et par vaux, comme il l'était par le fait de ses
occupations et de son commerce, et qui, comme les
chevaliers d'autrefois, ne devait compter, pour sortir de
bien des embarras et de bien des difficultés, que sur sa
vigueur et sur sa bravoure personnelle.

L'accent de son pays, que j'ai dit qu'il avait, n'était
pas prononcé et presque barbare comme celui de la
vieille hôtesse du *Taureau rouge*. Il était ce qu'il devait
être dans la bouche d'un homme qui, comme lui,
voyageait et hantait les villes... Seulement, cet accent
donnait à ce qu'il disait un goût relevé de terroir, et il
allait si bien à tout l'ensemble de sa vie et de sa
personne que, s'il ne l'avait pas eu, il lui aurait manqué
quelque chose. Je lui dis franchement combien je
m'estimais heureux de l'avoir pour compagnon de
route [11].

« Et, — ajoutai-je, — puisque vous parlez de brouillard, c'est assez l'heure où il commence; — je lui
montrai du doigt un cercle de vapeurs bleuâtres qui
dansaient à l'horizon depuis que le soleil couché avait
emporté les derniers reflets incarnats qu'il laisse après
lui dans le ciel. — Il serait prudent peut-être de nous
mettre en marche et de ne pas nous attarder plus
longtemps.

— C'est la vérité, — fit-il. — Il est temps de filer
notre nœud, comme disent les matelots. La *Blanche* a

mangé sa trémaine [12], et je serai à vous dans une *petite minute de temps*. Mère Giguet, — reprit-il de sa voix impérieuse et forte, — combien la *Blanche* et moi vous devons-nous? »

Je le vis plonger la main dans une ceinture de cuir à poches, comme en portent les herbagers de la vallée d'Auge, et il paya ce qu'il devait à l'hôtesse, plantée sur le seuil à nous regarder. Il alla chercher sa *Blanche*, comme il l'appelait, et qui était digne de son nom, car c'était une belle jument blanche comme une jatte de lait, à naseaux roses, et qui, crottée jusqu'à la sous-ventrière, n'en était que plus digne de son très crotté cavalier. Elle mangeait sa *trémaine*, comme il avait dit, attachée à un anneau de fer incrusté dans le pignon du cabaret. Cachée par un angle du mur, je ne l'avais pas remarquée. A peine eut-elle entendu la voix de son maître, qu'elle se mit à hennir et à frapper la terre de son sabot avec une gaieté qui ressemblait à une violence [13].

Maître Tainnebouy, puisque tel était le nom de mon compagnon de voyage, raffermit un énorme manteau bleu, posé en valise sur sa selle, brida sa jument et lui grimpa lestement sur le dos avec l'aisance de l'habitude et un aplomb qui eût fait honneur à un écuyer consommé. J'ai vu bien des casse-cou dans ma vie, mais, de ma vie, je n'en ai vu un qui ressemblât à celui-là! Une fois tombé en selle, il serra entre ses cuisses l'animal qu'il montait, et le fit crier.

« Voilà qui vous prouvera — me dit-il avec l'orgueil un peu sauvage d'un fils des Normands de Rollon — que, si nous sommes attaqués dans notre traversée, je suis homme à vous donner, *tant seulement* avec mon *pied de frêne*, un bon coup de main! »

J'avais payé comme lui l'hôtesse du *Taureau rouge*, et j'étais remonté sur mon cheval. Nous nous plaçâmes,

comme il l'avait dit, botte à botte, et nous entrâmes
dans cette lande de Lessay à la sombre renommée, et
qui, dès les premiers pas qu'on y faisait, surtout comme
nous les faisions, à la chute d'un jour d'automne,
semblait plus sombre que son nom.

I I

Quand on avait tourné le dos au *Taureau rouge* et
dépassé l'espèce de plateau où venait expirer le chemin
et où commençait la lande de Lessay, on trouvait
devant soi plusieurs sentiers parallèles qui zébraient la
lande et se séparaient les uns des autres à mesure qu'on
avançait en plaine, car ils aboutissaient tous, dans des
directions différentes, à des points extrêmement éloignés. Visibles d'abord sur le sol et sur la limite du
landage, ils s'effaçaient à mesure qu'on plongeait dans
l'étendue, et on n'avait pas beaucoup marché qu'on
n'en voyait plus aucune trace, même le jour. Tout était
lande. Le sentier avait disparu. C'était là pour le
voyageur un danger toujours subsistant. Quelques pas
le rejetaient hors de sa voie, sans qu'il pût s'en
apercevoir, dans ces espaces où dériver involontairement de la ligne qu'on suit est presque fatal, et il allait
alors comme un vaisseau sans boussole, après mille
tours et retours sur lui-même, aborder de l'autre côté de
la lande, à un point fort distant du but de sa
destination. Cet accident, fort commun en plaine,
quand on n'a rien sous les yeux, dans le vide, ni arbre,
ni buisson, ni butte, pour s'orienter et se diriger, les
paysans du Cotentin l'expriment par un mot superstitieux et pittoresque. Ils disent du voyageur ainsi

dévoyé qu'il a *marché sur male herbe*, et par là ils
entendent quelque *charme* méchant et caché, dont l'idée
les contente par le vague même de son mystère.

« Voilà le sentier que nous devons suivre, — me dit
mon compagnon en me désignant, du bout de son *pied
de frêne*, une des lignes blanches qui s'enfonçaient dans
la lande. — Tenez votre cheval plus à droite, Monsieur,
et ne craignez pas de peser sur moi! Le chemin va
bientôt s'effacer, et il forme ici une traîtresse de courbe
presque insensible. Dans quelques minutes, il sera nuit,
et nous n'aurons pas la possibilité de nous orienter en
nous retournant pour regarder le *Taureau rouge*. Heureusement que la *Blanche* connaît le chemin par où elle
a passé comme un chien de chasse connaît sa voie. Bien
des fois, en m'en revenant des foires et des marchés, le
sommeil m'a pris sur ma selle, et je n'en suis pas moins
pour ça bien arrivé, comme si j'avais sifflé tout le
temps, pour me distraire, la chanson de M. de Matignon [14], l'esprit alerte et les yeux ouverts.

— N'était-ce pas là un peu imprudent? — lui dis-je.
— Car, voyageant de nuit dans des routes peu
fréquentées, comme celle-ci, par exemple, ne vous
exposiez-vous pas à être attaqué à l'improviste par
quelques misérables vauriens, comme il en rôde souvent
le soir dans les campagnes isolées; surtout si vous avez
l'habitude de porter une ceinture de cuir aussi enflée
que celle que je vous vois autour des reins?

— Je ne dis pas que non, Monsieur, — répondit-il. —
Mais à la grâce de Dieu, après tout! Il est des moments
où, si solide qu'on soit, après avoir bu sous dix tentes
différentes dans une foire et s'être égosillé pour faire le
marché d'une dizaine de bœufs, la fatigue vous prend
et vous assomme, et on dormirait sur le clocher de
Colomby, par une ventée Saint-François [15]; à plus forte
raison sur la *Blanche*, qui a l'allure moelleuse comme le

mouvement d'un *ber** et le pied sûr. Mais pour ce qui
est des mauvais gars dont vous parlez, c'est bien certain
qu'ils eussent pu me jouer quelque vilain tour s'ils
m'avaient surpris ronflant sur ma selle comme au
sermon de notre curé. Heureusement que la *Blanche* n'a
jamais avisé de mine suspecte, dans le clair de lune ou
dans l'ombre, qu'elle n'ait henni à couvrir le bruit d'un
moulin! Allez! j'étais toujours à temps sur la défensive
et prêt à donner le compte aux plus malins qui seraient
venus me tarabuster!

— Et vous l'avez donné quelquefois, — lui demandai-je, — car j'ai ouï dire que les routes étaient bien loin
d'être sûres dans ce pays?

— Oh! deux ou trois petites fois, Monsieur, —
répondit-il, — des bagatelles qui ne valent pas la peine
qu'on en parle; un ou deux coups de bâton par-ci, par-
là, qui faisaient piauler mes coquins comme un chien
qu'on fouette dans un carrefour. Mais jamais de raclée
complète! Ils ne l'attendaient pas; ou ils décampaient,
ou ils tombaient à terre comme un paquet de linge sale,
et c'était le meilleur parti qu'ils avaient à prendre, car
je n'ai jamais pu frapper un homme à terre... et la
Blanche sautait par-dessus! Mais de cela il y a maintenant des années; c'était dans le temps de la bande du
fameux Lemaire, qui a été guillotiné à Caen, de ces soi-
disant marchands de cuillers d'étain qui ont bouté le feu
à plus d'une ferme... A présent, les routes sont
tranquilles, et peut-être, hors celle-ci, à cause de la
lande, n'y en a-t-il pas une seule dans toute la Manche
où il faille, comme j'ai vu, dans un temps, quand on y
passait, se hausser sur les étriers pour regarder par-
dessus les haies et faire un nœud de plus à la lanière de
son bâton autour de son bras.

* Berceau.

— Et voyagez-vous souvent dans ces parages? — lui demandai-je encore, ayant bien soin de régler le pas de mon cheval sur le pas du sien.

— Cinq à six fois par an, Monsieur, — dit-il. — J'y fais ma tournée. J'y viens, de fondation, à la foire Saint-Michel de Coutances, à la Crottée [16], aux gros marchés de Créance [17], et il y en a deux en été et deux en hiver. Voilà à peu près tout, sauf erreur. Comme vous voyez, je ne suis pas bien grand *coutumier* de cette route-ci. Mes affaires sont de l'autre côté, du côté de Caen et de Bayeux, où je vais vendre aux Augerons de ce haut pays des bœufs qu'ils conduisent à Poissy, et qui sortent, comme tous ceux qu'ils y mènent, de nos herbages du bas Cotentin, et non pas de leur vallée d'Auge, dont ils sont si fiers.

— Je vois que vous êtes — lui dis-je, souriant de son patriotisme d'éleveur — un herbager de la pointe de notre presqu'île; car, quoique vous m'ayez pris pour étranger et que j'aie perdu l'accent qui dit à l'oreille d'un autre qu'on est son compatriote, je suis cependant du pays, et, si mon oreille n'a pas oublié autant que ma langue les sons qui me furent familiers autrefois, vous devez être, à votre manière de parler, du côté de Saint-Sauveur-le-Vicomte ou de Briquebec.

— Juste comme bon poids! — s'écria-t-il avec une explosion de gaieté causée par l'idée que j'étais son compatriote, — vous avez mis la main sur le pot aux roses, mon cher monsieur! Vère! je suis du côté de Saint-Sauveur-le-Vicomte, car je tiens à bail la grosse ferme du Mont-de-Rauville [18], qui, comme vous le savez, puisque vous êtes du pays, est entre Saint-Sauveur et Valognes. Je suis herbager et fermier, comme l'ont été tous les miens, honnêtes vestes rousses de père en fils, et comme le seront mes sept garçons, que Dieu les protège! La race des Tainnebouy doit tout à la terre, et ne s'occupera jamais que de la terre, du moins du vivant de maître Louis, car les enfants ont leurs lubies. Qui peut répondre de ce qui doit survenir après que nous sommes tombés?... »

Il dit ces derniers mots presque avec mélancolie. Je louai beaucoup l'honnète Cotentinais de cette résolution intelligente et courageuse, que malheureusement on ne trouve plus guère parmi les fermiers de nos provinces enrichis par l'agriculture. Moi qui crois que les sociétés les plus fortes, sinon les plus brillantes, vivent d'imita- tion, de tradition, de choses reprises à la même place où le temps les interrompit; moi, enfin, qui me sens plus de goût pour le système des castes, malgré sa dureté, que pour le système de développement à fond de train de toutes les facultés humaines, et qui, d'un autre côté, admirais l'aisance, la franchise, l'attitude du corps et de l'âme, cet aplomb, cette simplicité, toutes ces virilités qui circulaient noblement et paisiblement en cet homme, je trouvais qu'il avait doublement raison de vouloir que ses enfants ne fussent que ce qu'il était et rien de plus [19].

Je vis bien que cette grosse tète, placée sur de si robustes épaules et solide comme le créneau qui couronne une tour, ne s'était pas laissé lézarder par ces fausses idées qui courent le monde et qu'il avait dù entendre souvent exprimer dans les foires et les marchés où il allait. C'était un homme de l'ancien temps. Quand il avait parlé de Dieu, il avait mis la main sans affectation à son chapeau et l'avait soulevé. La nuit n'était pas si bien venue que je n'eusse très bien discerné ce geste muet. Tout en nous avançant dans la lande, cerclée d'une brume mobile qui venait vers nous peu à peu sous une lune froide et voilée, je repris la conversation, que mes réflexions sur le sens droit de mon compagnon avaient un instant suspendue.

« Ma foi! — lui dis-je en regardant autour de moi, car
le brouillard n'était pas encore assez épais pour que
nous n'aperçussions pas devant et à côté de nous à de
grandes distances, — je suis fort disposé à vous croire,
maître Louis Tainnebouy, quand vous exceptez des
routes sûres de votre département cette lande de
Lessay. Je suis, comme vous, un voyageur de nuit ; j'ai
déjà bien couru, et en plus d'un pays, dans ma vie ; mais
je n'ai jamais vu, que je me rappelle, d'endroit qui se
prêtât mieux à une attaque nocturne que celui-ci. Il n'y
a pas d'arbres, il est vrai, derrière lesquels on puisse se
cacher pour ajuster ou surprendre le voyageur, mais
voilà des replis de terrain, des espèces de buttes derrière
lesquelles un coquin peut se coucher à plat ventre pour
éviter le regard de l'homme qui passe et lui envoyer un
bon coup de fusil quand il est passé.

— Par l'oiseau de saint Luc, qui est le patron des
bouviers, — dit l'honnête fermier, — vous seriez fort en
devinailles, Monsieur, comme on dit chez nous. Vous
avez deviné tout à l'heure, en m'entendant *causer*, que
j'étais de Saint-Sauveur-le-Vicomte, et v'là que vous
devinez maintenant ce que les sacrés bandits étaient
usagés de faire, quand il y en avait dans ces parages.
Vère, Monsieur, comme vous dites, ils se blottissaient
derrière ces buttes, à la façon d'un lièvre au gîte, car il y
a bien des places comme celle-ci dans la lande, qui est
bossuée comme la vieille casserole de cuivre d'un
*magnan**. Le plus souvent, s'ils étaient deux, ils se
mettaient comme qui dirait l'un ici, l'autre là, et, au
moment où vous passiez, l'un se levait tout droit de sa
butte et sautait à la bride de votre cheval, tandis que
l'autre, qui sortait aussi de sa cachette, vous empoignait
la cuisse, et à eux deux ils vous avaient bientôt

* Revendeur ambulant.

démonté. Quelquefois, ils ne faisaient pas tant de
cérémonies : ils se contentaient de vous envoyer une
charge de plomb en guise de coup de chapeau. Qui
diable entendait le coup de fusil dans ces espaces? Tout
au plus, de ce côté de la lande, la mère Giguet du
Tauret rouge, qui se gardait bien d'en souffler un mot,
de peur de discréditer sa maison.

— Et une maison qui ne flaire pas comme baume!
l'ami, — repris-je. — On m'a dit à Coutances qu'il ne
fallait pas trop s'y arrêter.

— Ce sont là des mauvais propos et des commérages,
— repartit maître Louis Tainnebouy, — une espèce de
méchant renom qui tient au voisinage de la lande et à la
mine de l'auberge plus qu'à autre chose. Je connais la
mère Giguet depuis plus de vingt ans, Monsieur. Son
mari était boucher à Sainte-Mère-Église. Je lui ai vendu
plus d'une couple de bœufs qu'il m'a toujours bien
payés, rubis sur l'ongle, comme on dit. Mais le malheur
est entré dans sa maison à la mort de sa fille, un beau
brin de blonde, aux joues comme son tablier d'incarnat
des dimanches, morte à l'âge des noces. Elle n'avait pas
dix-huit ans quand Dieu la prit. Pauvre jeunesse! De ce
moment-là, la chance a tourné pour les Giguet. Le père
n'a plus eu le cœur à l'ouvrage. Il était toujours si
hargagne [20], qu'on disait partout qu'il avait une maladie
noire. Pour noyer son chagrin, il *s'adonna* à l'eau-de-vie,
et il a été promptement tourné. Quant à la mère, elle
sécha sur pied comme un arbre frappé aux racines. Elle
n'avait pas de garçon, et saigner des bœufs et en laver
les *courées* [21] n'est pas un métier qui convienne aux
ciseaux ni aux mains d'une femme. Aussi bien ferma-
t-elle son étal et s'en vint-elle s'établir à vendre du cidre
au *Tauret rouge.* De sorte — ajouta-t-il avec un gros
rire — qu'elle aura passé la moitié de sa vie à nourrir
le monde, et l'autre moitié à l'abreuver. Pour ce qui

est des gens qui hantent sa maison, Monsieur, ils ressemblent à ceux qui fréquentent les cabarets et les
auberges. Ils ne sont ni mieux ni pis; c'est comme
partout : cinq mauvaises figures pour une bonne!
Quand on a un bouchon sur sa porte, ce n'est pas pour
la fermer. Et d'ailleurs, quand il est gagné honnête-
ment, le sou du coquin n'a pas plus de vert-de-gris que
celui de l'honnête homme, n'est-il pas vrai, Monsieur?... »

C'est ainsi que nous allions en devisant. Il y avait à
peu près une heure que nous chevauchions dans la
lande, et le brouillard avait fini par nous envelopper
complètement de son réseau diaphane. La lune filtrait
dans la vapeur une lumière pâle et incertaine. Tout en
trottant, maître Louis Tainnebouy avait détaché les
longes de cuir qui retenaient son manteau sur la croupe de
son cheval et l'avait étendu de toute sa vaste ampleur
autant sur sa monture que sur lui, si bien qu'on eût dit,
dans cette brume, que le cavalier et le cheval ne
faisaient plus qu'un seul être, bizarre et monstrueux.
Moi-même, j'avais resserré le mien autour de mon corps
pour l'opposer à l'humidité qui pénétrait. Si nous avions
gardé le silence, nous eussions ressemblé à deux ombres
comme le Dante en dut voir errer dans les limbes de son
Purgatoire. Les pas de nos chevaux s'entendaient à
peine sur cette lande qui en amortissait le bruit. Nous
allions, et plus nous allions, plus nous devenions
communicatifs, plus aussi j'avais occasion de remarquer
combien sur toutes les questions mon compagnon
l'herbager montrait de justesse et *d'information*, comme
disent les Anglais... L'intelligence de cet homme fruste
était aussi saine que son corps. Ses connaissances
étaient bornées, mais exactes. Ce qui s'était établi dans
cette excellente judiciaire y était entré sans l'aide des
écoles, par les yeux, par la main, par l'expérience. Si

donc il y avait parfois en lui ces originelles manières de
sentir qu'on appelle arriérées dans ce pauvre siècle de
mouvement perpétuel et de gesticulation cérébrale, il ne
les avait point, comme on eût pu le croire, en raison de
son infériorité relative de paysan. Sur tous les terrains
de la vie réelle, il aurait battu les plus madrés, quand
même on eût extrèmement élevé le terrain. Mélange de
Normand et de Celte, car le voisinage de la Bretagne et
de la Normandie a souvent versé des familles d'une
province dans l'autre, il était le type le plus expressif
que j'eusse vu de sa double race. A travers les formes un
peu agrestes — qu'on me passe le mot : « un peu
brunes » — de son langage, il transperçait de sagacité
fine et il éclatait de bon sens. Et puis, ce qui lui allait
surtout, c'est qu'il était et restait toujours à sa place,
qu'il faisait corps avec sa vie; c'est qu'il s'ajustait,
comme un gant à la main, à sa destinée. Toute chose
doit sentir son fruit, disait Henri IV. Lui sentait le sien
à pleines narines; il se conformait sans le savoir aux
préceptes de l'ami de Michaud [22]. Ce n'était qu'un
morceau de pain d'orge, mais il était bon.

Tout à coup, à un de ces replis de terrain que nous
nous étions signalés, la jument de maître Louis Tainnebouy trébucha, et peut-être serait-elle tombée s'il ne
l'eût soutenue de sa main vigoureuse et d'une bride
épaisse. Mais quand elle se releva elle boitait.

« Sacre...! » — dit-il, et le juron que je n'ose écrire, il
le lâcha tout au long avec une rondeur d'intonation qui
ressembla à un coup de grosse caisse, — voilà la *Blanche*
qui boite, maintenant! Que le diable emporte la damnée
lande! A quoi a-t-elle pu se blesser sur ce sol uni sans
cailloux? Il faut que je *voie à cela*, et tout à l'heure!
Bien des excuses, Monsieur! — ajouta-t-il en dégringo-
lant plus qu'il ne descendit de son cheval. — Je méprise
l'homme qui n'a pas soin de sa monture. Qu'est-ce que

je deviendrais sans la *Blanche*, la meilleure jument de la presqu'île, sur laquelle je crève depuis sept ans tous les bouillons du Cotentin [23]?... »

Je m'étais arrêté, le voyant s'arrêter. Mais, quand je le vis vider l'étrier d'une jambe si leste, je crus que l'amour de la *Blanche* lui tournait complètement la tête. En effet, quoique la nuit ne fût pas noire et que la lune noyât sa blafarde clarté dans le brouillard, il aurait fallu pourtant être plus nyctalope que tous les chats qui aient jamais miaulé à la porte d'une ferme à minuit pour distinguer ce qui se trouvait sous le sabot d'un cheval à une pareille heure. Mais, comme il avait causé mon étonnement, il le dissipa aussi vite qu'il l'avait fait naître. Je le vis battre le briquet une seconde et tirer de la poche de son manteau à manches une petite lanterne d'écurie qu'il alluma. Aidé de la lueur de cette lanterne, il souleva, l'un après l'autre, les pieds de son cheval, et il s'écria que le pied de devant était déferré!

« Et peut-être depuis longtemps — ajouta-t-il, en répétant l'observation qu'il avait déjà faite; — car sur ce sol poussiéreux on perdrait les quatre fers de son cheval qu'on ne s'en apercevrait pas! Il est probable que c'est de ce pied-là que la bête se sera piquée. Seulement, — fit-il inquiet, — je ne vois rien. »

Et il approchait sa lanterne, et il regardait la corne du cheval, comme un maréchal-ferrant l'aurait fait :

« Je ne vois rien, ni sang ni enflure, et cependant la pauvre bête pose à peine le pied à terre et paraît diantrement souffrir! »

Il la prit au défaut du mors et la fit marcher en l'attirant à lui. Mais la jument, si fringante il n'y avait qu'un moment, boitait d'une façon lamentable, et vraiment il y avait raison de craindre qu'elle ne pût continuer son chemin.

« Nous voilà bien! — dit-il encore, mais avec l'accent

d'une contrariété que je comprenais, et que même je
commençais à partager, — nous voilà bien, à *mittan* de
la lande, avec un cheval qui boite, et sans âme qui vive,
ni maison ni rien, à deux lieues à la ronde, et un fier
bout de route à faire encore! La première forge que
nous trouverons est à un quart de lieue de la Haie-du-
Puits. C'est amusant! Qu'allons-nous devenir? Le diable
m'emporte si je le sais! Je n'ai pas d'envie de mettre la
Blanche sur la litière pour une quinzaine, car c'est le 1er
du mois prochain la Toussaint, à Bayeux, une fameuse
foire qui dure trois jours et qui n'a pas sa pareille d'ici
la Chandeleur [24]! »

Et, toujours armé de sa lanterne, il tira à lui la
jument, objet de ses plaintes; mais la bête éclopée
pouvait à peine se traîner.

« Ma fingue! Monsieur, — finit-il par me dire, comme
un homme qui prend une résolution, — m'est avis qu'à
présent nos caravanes sont terminées et qu'il serait sage
à vous de me quitter et de vous en aller tout seul, car le
temps n'est pas beau et la nuit est froide, comme si l'air
était plein d'aiguilles. Vous êtes p't-être pressé d'arriver... Chacun a ses affaires. Vous ne devez pas souffrir
du retardement des miennes. Moi, j'ai mis dans ma tête
d'aller à pied jusqu'à la Haie-du-Puits. J'arriverai, Dieu
sait quand, c'est vrai!... demain matin. Mais je suis
accoutumé à la peine. J'en ai vu de *grises* dans ma vie.
J'ai passé souvent la nuit sous Garnetot ou sous
Aureville [25], enfoncé dans la vase du marais jusqu'à la
ceinture, pour avoir le plaisir de tuer les canards
sauvages et les sarcelles. Ce n'est donc pas une ou deux
lieues dans le *buhan* [26] qui me font bien peur... d'autant
que Jeannine a doublé la houppelande de son homme
comme une ménagère qui aime mieux lui mettre une
tranche de jambon sur le gril et lui verser un bon pot de

cidre que de lui faire de la tisane, quand il revient de
toutes ses courses à la maison. »

Mais je l'assurai que je ne le laisserais pas ainsi tout
seul dans l'embarras après avoir voyagé de si bonne
amitié avec lui; que mes affaires, en fin de compte,
n'étaient pas plus pressées que les siennes, peut-être
moins... et qu'un peu de brouillard ne m'avait jamais
non plus épouvanté.

« Tenez, — lui dis-je, — maître Louis Tainnebouy,
arrêtons-nous un moment. Nous sifflerons nos chevaux
et nous fumerons un peu pour conjurer les âcres vapeurs
de la nuit. Peut-être qu'après un temps de repos vous
pourrez remonter sur votre bête, puisque vous ne
voyez, dites-vous, ni plaie ni enflure à son pied.

— Je crains bien, — dit-il d'un air songeur et en
hochant la tête — que je ne puisse remonter c'te nuit
sur la *Blanche*, si c'est ce que je *crais* qui la tient.

— Et que croyez-vous donc, maître Louis? — lui
demandai-je en voyant, à la clarté de la lanterne, un
nuage couvrir ses traits francs et hardis où la gaieté
brillait d'ordinaire.

— Ma finguette! — fit-il en se grattant l'oreille
comme un homme qui éprouve une petite anxiété, —
« j' ne suis pas très enclin à vous le dire, Monsieur, car
vous allez p't-être vous moquer de moi. Mais si c'est la
vérité, pourquoi la tairais-je? Une risée n'est qu'une
risée, après tout! Notre curé répète sans cesse que ça
fait toujours du bien de se confesser, et, pour mon
propre compte, j'ai r'marqué que, quand j'ai eu quéque
poids sur l'esprit et que je l'ai dit à Jeannine, la tête sur
la taie de l'oreiller, j'ai eu l'esprit plus soulagé le
lendemain. D'ailleurs, vous êtes du pays et v' n'êtes pas
sans avoir entendu parler de certaines choses avérées
parmi nous autres herbagers et fermiers... comme, par

exemple, des secrets qu'ont d'aucunes personnes et qu'on appelle des *sorts* parmi nous.

— Certes! oui, j'en ai entendu parler, — lui dis-je, — et même beaucoup dans mon enfance. J'ai été bercé avec ces histoires... Mais je croyais que tous ces secrets-là étaient perdus.

— Perdus, Monsieur! — fit-il rassuré en voyant que je ne contestais pas la possibilité du fait, mais son existence actuelle, — non, Monsieur, ces secrets-là n'ont jamais été perdus, et probablement ils ne se perdront jamais, tant que j'aurons dans le pays de ces garne- ments de bergers qui viennent on ne sait d'où et qui s'en vont un beau jour comme ils sont venus, et à qui il faut donner du pain à manger et des troupeaux à conduire si on ne veut pas voir toutes les bêtes de ses pâturages crever comme des rats bourrés d'arsenic [27]. »

Maître Tainnebouy ne m'apprenait là que ce que je savais. Il y a dans la presqu'île du Cotentin (depuis combien de temps? on l'ignore) de ces bergers errants qui se taisent sur leur origine et qui se louent pour un mois ou deux dans les fermes, tantôt plus, tantôt moins. Espèces de pâtres bohémiens, auxquels la voix du peuple des campagnes attribue des pouvoirs occultes et la connaissance des secrets et des sortilèges. D'où viennent-ils? Où vont-ils? Ils passent. Sont-ils les descendants de ces populations de Bohème qui se sont dispersés sur l'Europe dans toutes les directions, au moyen âge? Rien ne l'annonce dans leur physionomie ni dans la conformation de leurs traits. C'est une popula- tion blonde aux cheveux presque jaunes, aux yeux gris clair ou verts, de haute taille, et qui a gardé tous les caractères des hommes venus autrefois du Nord sur leurs barques d'osier. Par une singulière anomalie, ces hommes, qui selon mes incertaines et tremblantes lumières, doivent être une branche de Normands

modifiés avec des éléments inconnus, n'ont ni l'âpre
goût au travail, ni la prévoyance profonde, ni le génie
pratique de leur race. Ils sont fainéants, contemplatifs,
mous à la besogne, comme s'ils étaient les fils d'un
brûlant soleil qui leur coula la dissolvante paresse dans
les membres avec la chaleur de ses rayons. Mais d'où
qu'ils soient issus, du reste, ils ont en eux ce qui agit le
plus puissamment sur l'imagination des populations
ignorantes et sédentaires : ils sont vagabonds et mystérieux. Bien des fois on a essayé de les bannir des
paroisses. Ils s'en sont allés, puis sont revenus. Tantôt
solitaires, tantôt en troupe de cinq à six, ils rôdent çà et
là, en proie à une oisiveté qu'ils n'occupent jamais que
d'une manière, c'est-à-dire en conduisant quelques
troupeaux de moutons le long du revers des fossés, ou
les bœufs de quelque herbager d'une foire à une autre.
Si par hasard un fermier les expulse durement de son
service ou ne veut plus les employer, ils ne disent mot,
courbent la tête et s'éloignent; mais un doigt levé, en se
retournant, est leur seule et sombre menace; et presque
toujours un malheur, soit une mortalité parmi les
bestiaux, soit les fleurs de tout un plant de pommiers
brûlées dans une nuit, soit la corruption de l'eau des
fontaines, vient bientôt suivre la menace du terrible et
silencieux doigt levé.

« Et vous pensez donc — dis-je à mon Cotentinais
— qu'on aurait bien pu jeter un sort sur votre jument,
maître Louis Tainnebouy?

— J'en ai l'idée — fit-il en réfléchissant et en
donnant un revers de la main à son chapeau, qu'il
poussa par là sur son oreille, — j'en ai l'idée, Monsieur.
C'est la vérité, et voici pourquoi. Il y avait hier au
marché de Créance, dans le cabaret où j'étais, justement
un de ces misérables bergers, la teigne du pays, qui s'en
vont en se louant à tous les maîtres. Il était accroupi

dans les cendres de l'âtre et faisait chauffer un godet de
cidre doux pendant que je finissais un marché avec un
herbager de Carente (Carentan). Je venions de nous
taper dans la main, quand mon acheteur me dit qu'il
avait besoin de quelqu'un pour conduire ses bœufs à
Coutances (il allait voir, lui, un de ses oncles malade à
Muneville-le-Bengar), et c'est alors que le berger, qui
s'acagnardait et buvait au bord de l'âtre, se proposa.
« Qui es-tu, toi, pour que je te confie mes bêtes? ⁓ fit
l'herbager. ⁓ Si maître Tainnebouy te connaît et
répond pour toi, je ne demande pas mieux que de te
prendre. Répondez-vous du gars, maître Louis? » « ⁓
Ma fé, dis-je à l'herbager, prenez-le si vous v'lez, mais
j' m'en lave les mains comme Ponce Pilate; j' me soucie
pas d'encourir des reproches s'il arrivait quéque malen-
contre à vos bestiaux. Qui cautionne paye, dit le
proverbe, et je ne cautionne point qui je ne connais
pas. » « Alors, va trouver un autre maître ! » a dit le
Carentinais, et ça a été tout. Eh bien, à présent, je me
rappelle que le berger m'a jeté, de dessous le manteau
de la cheminée, un diable de regard, noir comme le
péché, et que je l'ai trouvé qui rôdait du côté de l'écurie
quand j'ai été pour prendre la *Blanche* et partir! »

Rien, au fond, n'était plus admissible que ce récit de
maître Tainnebouy. Pour expliquer l'accident arrivé à
son cheval, il n'était pas besoin de creuser jusqu'à l'idée
d'un maléfice [28]. Le berger, poussé par le ressentiment,
avait pu introduire quelque corps blessant dans le sabot
du cheval pour se venger de son maître, comme ce cruel
enfant corse (on dit Napoléon) qui enfonça avec son
doigt une balle de carabine dans l'oreille du cheval
favori de son père, parce que son père lui avait infligé
une correction. Seulement, ce qui pour mon Cotentinais
révélait l'influence du démon dans toute cette affaire,
c'est que la *Blanche* boitait sans blessure ou motif

apparent de boiter. Il avait déposé sa lanterne à terre,
sur un petit tertre qui se trouvait là, et il chargeait sa
pipe en regardant sa jument, qui, comme tous les
animaux souffrants, abaissait d'instinct son intelligente
tête vers la partie de son corps qui la faisait souffrir.
J'étais descendu de mon cheval à mon tour, et je roulais
entre mes doigts les feuilles du maryland que j'allais
convertir en cigarettes. Le froid piquait, de plus en plus
vif.

« C'est dommage — dis-je en jetant les yeux sur le sol
dénudé de tout et où le vent d'ouest n'avait pas
seulement roulé une branche d'arbre — que nous
n'ayons pas quelque branche de bois mort comme on en
trouve parfois d'éparses sur la terre. Nous pourrions
allumer une flambée pendant que votre jument se
repose et nous réchauffer le bout des doigts.

— Ah! ben oui! du bois mort, dans cette lande, —
fit-il, — c'est comme du bois vert! On ne trouve pas
plus l'un que l'autre; et nous n'avons qu'à souffler dans
nos doigts pour les réchauffer. Quand les Chouans
tenaient, par les nuits claires, leurs conseils de guerre là
où nous sommes, ils étaient obligés d'apporter à dos
d'homme le bois qu'ils avaient coupé, pour faire du feu,
dans le taillis des Patriotes. »

Ce mot de Chouans, jeté là en passant comme un
souvenir de hasard par cette énergique veste rousse qui
avait peut-être, dans sa jeunesse, fait le coup de fusil
par-dessus la haie avec eux, évoqua en ce moment, aux
yeux de mon esprit, ces fantômes du temps passé
devant lesquels toute réalité présente pâlit et s'efface.
Je venais précisément d'une ville où la guerre des
Chouans a laissé une empreinte profonde. Personne,
quand j'y passai, n'y avait oublié encore le sublime
épisode dont elle avait été le théâtre en 1799, cet
audacieux enlèvement par douze gentilshommes, dans

une ville pleine de troupes ennemies, du fameux Des Touches, l'intrépide agent des princes, destiné à être fusillé le lendemain. Comme on ramasse quelques pincées de cendre héroïque, j'avais recueilli tous les détails de cette entreprise, sans égale parmi les plus merveilleuses crâneries humaines[29]. Je les avais recueillis là où, pour moi, gît la véritable histoire, non celle des cartons et des chancelleries, mais l'histoire orale, le discours, la tradition vivante qui est entrée par les yeux et les oreilles d'une génération et qu'elle a laissée, chaude du sein qui la porta et des lèvres qui la racontèrent, dans le cœur et la mémoire de la génération qui l'a suivie. Encore sous l'empire des impressions que j'avais éprouvées, rien d'étonnant que ce nom de Chouans, prononcé dans les circonstances extérieures où j'étais placé, réveillât en moi de puissantes curiosités assoupies.

« Est-ce que vous auriez fait la guerre des Chouans? — demandai-je à mon compagnon, espérant que j'allais avoir une page de plus à ajouter aux Chroniques de cette guerre nocturne de Catérans[30] bas-normands, qui se rassemblaient aux cris des chouettes et faisaient un sifflet de guerre de la paume de leurs deux mains.

— Nenni pas, Monsieur, — me répondit-il après avoir allumé sa pipe et l'avoir coiffée d'une espèce de bonnet de cuivre, attaché à une chaînette du même métal qui tenait au tuyau. — Nenni-da! J'étais trop jeune alors; je n'étais qu'un marmot bon à fouetter. Mais mon père et mon grand-père, qui ont toujours été un peu de la *vache à Colas*[31], ont chouanné dans le temps comme leurs maîtres. J'ai même un de mes oncles qui a été blessé de deux chevrotines dans le pli du bras, au combat de la Fosse, auprès de Saint-Lô, sous M. de Frotté. C'était un joyeux vivant que mon oncle, qui jouait du violon comme un meunier et aimait à faire

pirouetter les filles. J'ai ouï dire à mon oncle que sa
blessure, le soir même du combat, ne l'empêcha pas de
jouer de son violon à ses camarades, dans une grange,
pas bien loin de l'endroit où le matin on s'était si fort
capuché[32]. On s'attendait à voir les Bleus dans la nuit,
mais on sautait tout de même, comme s'il n'y avait eu
dans le monde que des cotillons courts et de beaux
mollets! Les fusils chargés ne dormaient que d'un œil
dans un coin de la grange. Mon enragé et joyeux
compère d'oncle tenait son violon de son bras blessé et
saignant, et il jouait gaiement, comme le vieux ménétrier Pinabel, dans un de ses meilleurs soirs, malgré le
diable d'air que lui jouait, à lui, sa blessure. Savez-vous
ce qui arriva, Monsieur? Son bras resta toute sa vie
dans la position qu'il avait prise pour jouer cette nuit-
là; il ne put l'allonger jamais. Il fut cloué par les
chevrotines des Bleus dans cette attitude de ménétrier
qu'il avait tant aimée pendant sa jeunesse, et jusqu'à sa
mort, bien longtemps après, il n'a plus été connu à la
ronde que sous le surnom de *Bras-de-Violon*. »

Enchanté d'une parenté aussi honorable[33] et qui
semblait me promettre les récits que je désirais, je
poussai mon Cotentinais à me raconter ce qu'il savait de
la guerre à laquelle ses pères avaient pris une part si
active. Je l'interrogeai, je le pressai, j'essayai de lever
une bonne contribution sur les souvenirs de son enfance,
sur toutes les histoires qu'il avait dû entendre raconter,
au coin du feu, pendant la veillée d'hiver, quand il se
chauffait sur son escabeau, entre les jambes de son père.
Mais, ô désappointement cruel, et triste preuve de
l'impuissance de l'homme à résister au travail du temps
dans nos cœurs, maître Louis Tainnebouy, fils de
Chouan, neveu de cet héroïque *Bras-de-Violon*, le blessé
de la Fosse, qui aurait mérité d'ouvrir la tranchée à
Lérida[34], avait à peu près oublié, s'il l'avait su jamais,

tout ce qui, à mes yeux, *sacrait* ses pères. Hormis ces
faits généraux et notoires, qui m'étaient aussi familiers
qu'à lui, il n'ajouta pas l'obole du plus petit renseignement à mes connaissances sur une époque aussi intéres-
sante à sa manière que l'époque de 1745, en Écosse,
après la grande infortune de Culloden [35]. On sait que
tout ne fut pas dit après Culloden, et qu'il resta encore
dans les Highlands plusieurs partisans en kilt et en
tartan, qui continuèrent, sans réussir, le coup de feu,
comme les Chouans à la veste grise et au mouchoir noué
sous le chapeau le continuèrent dans le Maine et la
Normandie après que la Vendée fut perdue. Ce que
j'aurais voulu, c'est qu'au moins le souvenir de cette
guerre [36] eût laissé une étincelle des passions de ses
pères dans l'âme du neveu de *Bras-de-Violon*. Or, je dois
le dire, j'eus beau souffler dans cette âme l'étincelle que
je cherchais, je ne la trouvai pas. Le Temps, qui nous
use peu à peu de sa main de velours, a une fille plus
mauvaise que lui : c'est la Légèreté oublieuse. D'autres
intérêts, d'un ordre moins élevé mais plus sûr, avaient
saisi de bonne heure l'activité de maître Tainnebouy.
La politique, pour ce cultivateur occupé de ses champs
et de ses bestiaux, se trouvait trop hors de sa portée
pour n'être pas un objet fort secondaire dans sa vie. A
ses yeux de paysan, les Chouans n'étaient que des
réveille-matin un peu trop brusques, et il était plus
frappé de quelques faits de maraudage, de quelques jam-
bons qu'ils avaient dépendus de la cheminée d'une vieille
femme, ou d'un tonneau qu'ils avaient mis *à dalle* dans
une cave, que de la cause pour laquelle ils savaient
mourir. Dans le bon sens de maître Louis, la Chouannerie qui n'avait pas réussi était peut-être une folie de la
jeunesse de ses pères. Conscrit de l'Empire, à qui il
avait fallu dix mille francs pour se racheter de la coupe
réglée des champs de bataille, un tel souvenir l'animait

plus contre *Bonot* — comme disaient les paysans, qui
vous dépoétisaient si bien le nom qui a le plus retenti
sur les clairons de la gloire — que la mort du général de
son oncle, ce Frotté, à l'écharpe blanche, tué par le fusil
des gendarmes, avec un sauf-conduit sur le cœur [37] !

Cependant, quand il eut fumé sa pipe et qu'il eut
regardé encore une fois sous le pied déferré de sa
jument, maître Tainnebouy parla de se mettre en route,
que bien que mal, et de gagner comme nous pourrions la
Haie-du-Puits. L'heure, au pied ailé, volait toujours à
travers nos accidents et nos propos, et la nuit s'avançait
silencieuse. La lune, alors dans son premier quartier,
était couchée. Comme l'aurait dit Haly dans *l'Amour
peintre*, il faisait noir autant que dans un four, et nulle
étoile ne montrait le bout de son nez [38]. Nous gardâmes
la lanterne allumée, dont les rais tremblants produisaient l'effet d'une queue de comète dans la vapeur
fendue du brouillard. Bientôt même elle s'éteignit, et
nous fûmes obligés de marcher à pied, cahin-caha,
tirant péniblement nos chevaux par la bride et n'y
voyant goutte. La situation, dans cette lande suspecte,
ne laissait pas que d'être périlleuse ; mais nous avions le
calme de gens qui ont sous leur main des moyens de
résistance et dans leur cœur la ferme volonté, si
l'occasion l'exigeait, de s'en servir. Nous allions lentement, à cause du pied malade de la *Blanche*, et aussi à
cause des grosses bottes que nous traînions. Si nous
nous taisions un moment, ce qui me frappait le plus
dans ces flots de brouillard et d'obscurité, c'était le
mutisme morne des airs chargés. L'immensité des
espaces que nous n'apercevions pas se révélait par la
profondeur du silence. Ce silence, pesant au cœur et à la
pensée, ne fut pas troublé une seule fois pendant le
parcours de cette lande, qui ressemblait, disait maître
Tainnebouy, *à la fin du monde*, si ce n'est, de temps à

autre, par le bruit d'ailes de quelque héron dormant sur ses pattes, que notre approche faisait envoler.

Nous ne pouvions guères, dans une obscurité aussi complète, apprécier le chemin que nous faisions. Cependant, des heures retentirent à un clocher qui, à en juger par la qualité du son, nous parut assez rapproché. C'était la première fois que nous entendions l'heure depuis que nous étions dans la lande; nous arrivions donc à sa limite.

L'horloge qui sonna avait un timbre grêle et clair qui marqua minuit. Nous le remarquâmes, car nous avions compté l'un et l'autre et nous ne pensions pas qu'il fût si tard. Mais le dernier coup de minuit n'avait pas encore fini d'osciller à nos oreilles, qu'à un point plus distant et plus enfoncé dans l'horizon, nous entendîmes résonner non plus une horloge de clocher, mais une grosse cloche, sombre, lente et pleine, et dont les vibrations puissantes nous arrêtèrent tous les deux pour les écouter.

« Entendez-vous, maître Tainnebouy? — dis-je un peu ému, je l'avoue, de cette sinistre clameur d'airain dans la nuit, — on sonne à cette heure : serait-ce le feu?

— Non, — répondit-il, — ce n'est pas le feu. Le tocsin sonne plus vite, et ceci est lent comme une agonie. Attendez! voilà cinq coups! en voilà six! en voilà sept! huit et neuf! C'est fini, on ne sonnera plus.

— Qu'est-ce que cela? — fis-je. — La cloche à cette heure! C'est bien étrange. Est-ce que les oreilles nous corneraient, par hasard?...

— Vère! étrange en effet, mais réel! — répondit, d'une voix que je n'aurais pas reconnue si je n'avais pas été sûr que c'était lui, maître Louis Tainnebouy, qui marchait à côté de moi dans la nuit et le brouillard; — voilà la seconde fois de ma vie que je l'entends, et la première m'a assez porté malheur pour que je ne puisse plus l'oublier. La nuit où je l'entendis, Monsieur, il y a des années de ça, c'était de l'autre côté de Blanchelande, et minute pour minute, à cette heure-là, mon cher enfant, âgé de quatre ans et qui semblait fort comme père et mère, mourait de convulsions dans son berceau. Que m'arrivera-t-il cette fois?

— Qu'est donc cette cloche de mauvais présage, — dis-je à mon Cotentinais, dont l'impression me gagnait.

— Ah! — fit-il, — c'est la cloche de Blanchelande qui sonne la messe de l'abbé de La Croix-Jugan.

— La messe, maître Tainnebouy! — m'écriai-je. — Oubliez-vous que nous sommes en octobre, et non pas à Noël, en décembre, pour qu'on sonne la messe de minuit?

— Je le sais aussi bien que vous, Monsieur, — dit-il d'un ton grave; — mais la messe de l'abbé de La Croix-Jugan n'est pas une messe de Noël, c'est une messe des Morts, sans répons et sans assistance, une terrible et horrible messe, si ce qu'on en rapporte est vrai.

— Et comment peut-on le savoir, — repartis-je, — si personne n'y assiste, maître Louis?

— Ah! Monsieur, — dit le fermier du Mont-de-Rauville, — voici comment j'ai entendu qu'on le savait. Le grand portail de l'église actuelle de Blanchelande est l'ancien portail de l'abbaye, qui a été dévastée pendant la Révolution, et on voit encore dans ses panneaux de bois de chêne les trous qu'y ont laissés les balles des Bleus. Or, j'ai ouï dire que plusieurs personnes qui traversaient de nuit le cimetière pour aller gagner un chemin d'ifs qui est à côté, étonnées de voir ces trous laisser passer de la lumière à une telle heure et quand l'église est fermée à clef, ont guetté par là et ont vu c'te messe, qu'elles n'ont jamais eu la tentation d'aller regarder une seconde fois, je vous en réponds! D'ailleurs, Monsieur, ni vous ni moi ne sommes dans les vignes ce soir, et nous venons d'entendre parfaitement les neuf coups de cloche qui annoncent l'*Introïbo*. Il y a vingt ans que tout Blanchelande les entend comme nous, à des époques différentes; et dans tout le pays il n'est personne qui ne vous assure qu'il vaut mieux dormir et faire un mauvais somme que d'entendre, du fond de ses couvertures, sonner la messe nocturne de l'abbé de La Croix-Jugan!

— Et quel est cet abbé de La Croix-Jugan, maître Tainnebouy, — repris-je, — lequel se permet de dire la messe à une heure aussi indue dans toute la catholicité?

— Ne *jostez pas* [39]! Monsieur, — répondit maître Louis. — Il n'y a pas de risée à faire là-dessus. C'était une créature qui en a rendu d'autres aussi malheureuses et criminelles qu'elle était. Vous me parliez des Chouans il n'y a qu'une minute, Monsieur; eh bien! il paraît qu'il avait chouanné, tout prêtre qu'il fût, car il était moine à l'abbaye de Blanchelande quand l'évêque Talaru [40], un débordé qui s'est bien repenti depuis, m'a-t-on conté, et qui est mort comme un saint en émigration, y venait faire les quatre coups avec les seigneurs des environs! L'abbé de La Croix-Jugan avait pris sans doute, dans la vie qu'on menait lors à Blanchelande, de ces passions et de ces vices qui devaient le rendre un objet d'horreur pour les hommes et pour lui-même, et de malédiction pour Dieu. Je l'ai vu, moi, en 18..., et je puis dire que j'ai vu la face d'un réprouvé qui vivait encore, mais comme s'il eût été plongé jusqu'au creux de l'estomac en enfer. »

Ce fut alors que je demandai à mon compagnon de voyage de me raconter l'histoire de l'abbé de La Croix-Jugan, et le brave homme ne se fit point prier pour me dire ce qu'il en savait. J'ai toujours été grand amateur et dégustateur de légendes et de superstitions popu-

laires, lesquelles cachent un sens plus profond qu'on
ne croit, inaperçu par les esprits superficiels qui
ne cherchent guères dans ces sortes de récits que
l'intérêt de l'imagination et une émotion passagère.
Seulement, s'il y avait dans l'histoire de l'herbager ce
qu'on nomme communément du merveilleux (comme si
l'envers, le dessous de toutes les choses humaines n'était
pas du merveilleux tout aussi inexplicable que ce qu'on
nie, faute de l'expliquer!), il y avait en même temps de
ces événements produits par le choc des passions ou
l'invétération des sentiments, qui donnent à un récit,
quel qu'il soit, l'intérêt poignant et immortel de ce
phénix des radoteurs dont les redites sont toujours
nouvelles, et qui s'appelle le cœur de l'homme [41]. Les
bergers dont maître Tainnebouy m'avait parlé, et
auxquels il imputait l'accident arrivé à son cheval,
jouaient aussi leur rôle dans son histoire [42]. Quoique je
ne partageasse pas toutes ses idées à leur égard,
cependant j'étais bien loin de les repousser, car j'ai
toujours cru, d'instinct autant que de réflexion, aux
deux choses sur lesquelles repose en définitive la magie,
je veux dire : à la tradition de certains *secrets*, comme
s'exprimait Tainnebouy, que des hommes initiés se
passent mystérieusement de main en main et de
génération en génération, et à l'intervention des puissances occultes et mauvaises dans les luttes de l'humanité. J'ai pour moi dans cette opinion l'histoire de tous
les temps et de tous les lieux, à tous les degrés de la
civilisation chez les peuples, et, ce que j'estime infiniment plus que toutes les histoires, l'irréfragable attesta-
tion de l'Église romaine, qui a condamné, en vingt endroits des actes de ses Conciles, la magie, la sorcellerie,
les charmes, non comme choses vaines et pernicieuse-
ment fausses, mais comme choses RÉELLES, et que ses
dogmes expliquaient très bien. Quant à l'intervention

de puissances mauvaises dans les affaires de l'humanité,
j'ai encore pour moi le témoignage de l'Église, et
d'ailleurs je ne crois pas que ce qui se passe tout à
l'heure dans le monde permette aux plus récalcitrants [43]
d'en douter... Je demande qu'on me passe ces graves
paroles, attachées un peu trop solennellement peut-être
au frontispice d'une histoire d'herbager, racontée de
nuit dans une lande du Cotentin [44]. Cette histoire, mon
compagnon de route me la raconta comme il la savait,
et il n'en savait que les surfaces. C'était assez pour
pousser un esprit comme le mien à en pénétrer plus tard
les profondeurs. Je suis naturellement haïsseur d'inventions. J'aurais pu, la mémoire fraîchement imbibée du
langage de maître Tainnebouy, écrire, quand nous
fûmes arrivés à la Haie-du-Puits, tout ce qu'il m'avait
raconté, mais je passai mon temps à y songer, et c'est ce
que j'en puis dire de mieux. Aujourd'hui que quelques
années se sont écoulées, m'apportant tout ce qui
complète mon histoire, je la raconterai à ma manière,
qui, peut-être, ne vaudra pas celle de mon herbager
cotentinais. Donnera-t-elle au moins à ceux qui la
liront la même volupté de songerie [45] que j'eus à en
ruminer dans ma pensée les événements et les personnages, le reste de cette nuit-là, le coude appuyé sur une
mauvaise table d'auberge, entre deux chandelles qui
coulaient devant une braise de fagot flambé, au fond
d'une bourgade silencieuse et noire, « dans laquelle je ne
connaissais pas un chat », aurait dit maître Louis
Tainnebouy, — expression qui, par parenthèse, m'a
toujours paru un peu trop gaie pour signifier une chose
aussi triste que l'isolement [46] !

III

L'an VI de la République française, un homme marchait avec beaucoup de peine, aux derniers rayons du soleil couchant qui tombaient en biais sur la sombre forêt de Cerisy. On entrait en pleine canicule, et, quoiqu'il fût près de sept heures du soir, la chaleur, insupportable tout le jour, était accablante. L'orbe du soleil rouge et fourmillant comme un brasier, ressemblait, penché vers l'horizon, à une tonne de feu défoncée qu'on aurait à moitié versée sur la terre. L'air n'avait pas de vent, et, dans la mate atmosphère, nul arbre ne bougeait, du tronc à la tige. Pour emprunter à maître Tainnebouy (que je rappellerai souvent dans ce récit) une expression énergique et familière : on cuisait dans son jus [47]. L'homme qui s'avançait sur la lisière de la forêt paraissait brisé de fatigue. Il avait peut-être marché depuis le matin et amoncelé sur lui les lourdes influences de cette longue et dévorante journée. Quoi qu'il en fût à cet égard, aux yeux de toute personne accoutumée aux faits de cette époque et qui eût avisé cet inconnu, il n'aurait pas été un voyageur ordinaire, armé, par précaution, pour longer les bords de cette forêt, réputée si dangereuse que les voitures publiques ne la traversaient pas sans une escorte de gendarmerie [48]. A sa tournure, à son costume, à ce je ne sais quoi qui s'élève, comme une voix, de la forme muette d'un homme, il était aisé, sinon de reconnaître, au moins de soupçonner qui il était, tout en s'étonnant de le voir errer seul à une heure de la soirée où le jour était si haut encore. En effet, ce devait être un Chouan! Ses vêtements étaient d'un gris semblable au plumage de la chouette, couleur que les Chouans avaient, comme on sait, adoptée pour désorienter l'œil et la carabine des vedettes quand, au clair de lune ou dans l'obscurité, ils se rangeaient contre un vieux mur ou s'aplatissaient dans un fossé comme un monceau de poussière que le vent y aurait charriée. Ces vêtements, fort simples, étaient coupés à peu près comme ceux que j'avais vus à maître Tainnebouy. Seulement, au lieu de la botte sans pied de notre herbager, l'inconnu portait des guêtres en cuir fauve qui lui montaient jusqu'au-dessus du genou, et son grand chapeau, rabattu *en couverture à cuve*, couvrait presque entièrement son visage.

Selon l'usage de ces guérillas de halliers, qui se reconnaissaient entre eux par des noms de guerre mystérieux comme des mots d'ordre, afin de n'offrir à l'ennemi que des prisonniers anonymes, rien, dans la mise de l'inconnu, n'indiquait qu'il fût un chef ou un soldat. Une ceinture, du cuir de ses guêtres, soutenait deux pistolets et un fort couteau de chasse, et il tenait de la main droite une espingole. D'ordinaire, les Chouans, qui n'allaient guères en expédition que la nuit, ne se montraient point sur les routes, de jour, avec leurs armes. Mais, comme personne ne savait mieux qu'eux l'état du pays, et comme ils eussent pu dire combien en une heure devaient passer de voyageurs et de voitures en tel chemin, c'est là ce qui donnait sans doute à ce Chouan, si c'en était un, sa sécurité. La diligence, avec son écharpe de gendarmes, était passée dans un flot de poussière vers les cinq heures, son heure accoutumée. Il ne s'exposait donc qu'à rencontrer quelques charrettes attelées de leurs quatre bœufs et de leurs deux chevaux, ou quelques fermiers et leurs femmes, montés sur leurs *bidets d'allure*, et revenant tranquillement des marchés voisins. C'était à peu près tout. Les routes ne ressemblaient point à ce qu'elles sont aujourd'hui; elles

n'étaient point, comme à présent, incessamment sillon-
nées de voitures élégantes et rapides. Terrifié par la
guerre civile, le pays n'avait plus de ces communica-
tions qui sont la circulation d'une vie puissante. Les
châteaux, orgueil de la France hospitalière, étaient en
ruines ou abandonnés. Le luxe manquait. Il n'y avait de
voitures que les voitures publiques. Quand on se reporte
à cette curieuse époque, on se rappelle la sensation que
causa, même à Paris, la fameuse calèche blanche de
M. de Talleyrand, la première qui ait, je crois, reparu
après la Révolution. Du reste, pour en revenir à notre
voyageur, au premier bruit suspect, à la première vue
de mauvais augure, il n'avait qu'un léger saut à faire et
il entrait dans la forêt.

Mais s'il avait songé à tout cela, calculé tout cela,
il n'y paraissait guère. Quand la précaution et la défiance
dominent l'homme le plus brave, on s'en aperçoit dans
sa démarche et jusque dans le moindre de ses mouvements. Or, le Chouan qui se traînait entre les deux
bords de la forêt de Cerisy, appuyé sur son espingole
comme un mendiant s'appuie sur son bâton fourchu
et ferré, n'avait pas seulement la lenteur d'une fatigue
affreuse, mais l'indifférence la plus complète à tout
danger présent ou éloigné. Il ne fouillait point le fourré
du regard. Il ne tendait point le cou pour écouter
le bruit des chevaux dans l'éloignement. Il s'avançait
insoucieusement, comme s'il n'avait pas eu conscience
de sa propre audace. Et, de fait, il ne l'avait pas.
L'obsession d'une pensée cruelle, ou l'abattement d'une
fatigue immense, l'empêchait d'éprouver la palpitation
du danger, chère aux hommes de courage. Aussi, de
sang-froid, commit-il une grande imprudence. Il s'arrêta
et s'assit sur le revers du fossé qui séparait le bois
de la route, et là il ôta son chapeau qu'il jeta sur

l'herbe, comme un homme vaincu par la chaleur et qui
veut respirer.

C'est à ce moment que ceux qui l'auraient vu
auraient compris son insouciance pour tous les dangers
possibles, eussent-ils été rassemblés autour de lui et
embusqués derrière chaque arbre de la forêt qui
s'élevait aux deux bords du chemin. Débarrassé de son
grand chapeau, sa figure, qu'il ne cachait plus, en disait
plus long que n'aurait fait le plus éloquent des langages.
Jamais peut-être, depuis Niobé, le soleil n'avait éclairé
une si poignante image du désespoir [49]. La plus horrible
des douleurs de la vie y avait incrusté sa dernière
angoisse. Beau, mais marqué d'un sceau fatal, le visage
de l'inconnu semblait sculpté dans du marbre vert, tant
il était pâle! et cette pâleur verdâtre et meurtrie
ressortait durement sous le bandeau qui ceignait ses
tempes, car il portait le mouchoir noué autour de la tête
comme tous les Chouans, qui couchaient à la belle
étoile, et ce mouchoir, dont les coins pendaient derrière
les oreilles, était un foulard ponceau, passé en fraude,
comme on commençait d'en exporter de Jersey à la côte
de France. Aperçus de dessous cette bande d'un âpre
éclat [50], les yeux du Chouan, cernés de deux cercles d'un
noir d'encre, et dont le blanc paraissait plus blanc par
l'effet du contraste, brillaient de ce feu profond et
exaspéré qu'allume dans les prunelles humaines la
funèbre idée du suicide. Ils étaient vraiment effrayants.
Pour qui connaît la physionomie, il était évident que
cet homme allait se tuer. Selon toute probabilité, il était
de ceux qui avaient pris part à un engagement de
troupes républicaines et de Chouans, lequel avait eu lieu
aux environs de Saint-Lô, le matin même; un de ces
vaincus de la Fosse, qui fut vraiment la fosse de plus
d'un brave et la dernière espérance des *Chasseurs du
Roi* [51]. Son front portait la lueur sinistre d'un désastre

plus grand que le malheur d'un seul homme. Redressé a
moitié sur le flanc comme un loup courageux abattu,
cet homme isolé avait, dans la poussière de ce fossé, une
incomparable grandeur : c'était la grandeur de l'instant
suprême... Il tourna vers le soleil du soir, qui, comme un
bourreau attendri, semblait lui compter avec mélancolie
le peu d'instants qui lui restaient à vivre, un regard
d'une lenteur altière; et ses yeux, qu'il allait fermer à
jamais, luttèrent, sans mollir, avec le disque de rubis de
l'astre éblouissant encore, comme s'il eût cherché à ce
cadran flamboyant si l'heure *enfin* était sonnée à
laquelle il s'était juré, dans son âme, qu'il cesserait de
respirer. Qui sait? c'était peut-être la même heure où
l'héroïque ménétrier *Bras-de-Violon* [52] ouvrait gaiement
sur l'aire d'une grange ce bal intrépide de blessés et
d'échappés au feu qu'il conduisit toute une nuit avec
son bras fracassé. Seulement, pour ces joyeux compères
à l'espoir éternel, et pour lui, cette heure n'avait pas le
même timbre. Il n'acceptait pas si légèrement sa
défaite. A en juger par la profondeur de sa peine, il
devait être un des chefs les plus élevés de son parti, car
on ne s'identifie si bien à une cause perdue, pour périr
avec elle, que quand on tient à elle par la chaîne du
commandement. Résolu donc à en partager la destinée,
il avait ouvert le gilet strictement boutonné sur sa
poitrine, et, sous la chemise collée à la peau par les
caillots d'un sang coagulé, il avait pris un parchemin
cacheté qui renfermait sans doute des instructions
importantes, car, l'ayant déchiré avec ses dents comme
une cartouche, il en mangea tous les morceaux. Dans sa
préoccupation sublime, il ne rabattit pas même son œil
d'aigle sur la blessure de son sein, qui se remit à
couler... Quand, le soir du combat des Trente, Beaumanoir *Bois-de-ton-sang* en but pour se désaltérer [53], certes,
il était bien beau, et l'Histoire n'a pas oublié ce grand et

farouche spectacle; mais peut-être était-il moins imposant que ce Chouan solitaire, dont l'ingrate et ignorante
Histoire ne parlera pas, et qui, avant de mourir,
mâchait et avalait les dépêches trempées du sang de sa
poitrine pour mieux les cacher en les ensevelissant avec
lui [54].

Et lorsqu'il eut rempli ce devoir d'une fidélité
prévoyante, quand du parchemin dévoré il ne lui resta
plus entre les doigts que le large cachet de cire pourpre
qui le fermait et qu'il avait respecté, une idée, triste
comme un espoir fini, traversa son âme intrépide. Chose
étrange et touchante à la fois! on le vit contempler
rêveusement, et avec l'adoration mouillée de pleurs
d'un amour sans bornes, ce cachet à la profonde
empreinte, comme s'il eût voulu graver un peu plus
avant dans son âme le portrait d'une maîtresse dont il
eût été idolâtre. Qu'y a-t-il de plus émouvant que ces
lions troublés, que ces larmes tombées de leurs yeux
fiers qui vont, roulant sur leurs crinières, comme la
rosée des nuits sur la toison de Gédéon! Et pourtant il
n'y avait point de portrait sur la cire figée. Il n'y avait
que l'écusson qui scellait d'ordinaire toutes les dépêches
de la maison de Bourbon. C'était tout simplement
l'écusson de la monarchie, les trois fleurs de lys, belles
comme des fers de lance, dont la France avait été
couronnée tant de siècles, et dont son front révolté ne
voulait plus! Aux yeux de ce Chouan, un tel signe était
le saint emblème de la cause pour laquelle il avait
vainement combattu. Il l'embrassa donc à plusieurs
reprises, comme Bayard expirant embrassa la croix de
son épée. Mais, si la passion de ses baisers fut aussi
pieuse que celle du Chevalier sans reproche, elle fut
aussi plus désolée, car la croix parlait d'espérance, et les
armes de France n'en parlaient plus! Quand il eut ainsi
apaisé la tendresse de sa dernière heure, lui qui n'avait

pas sur son glaive le signe du martyre divin qui ordonne
même aux héros de se résigner et de souffrir, il saisit
près de lui sa compagne, son espingole, chaude encore
de tant de morts qu'elle avait données le matin même,
et, toujours silencieux et sans qu'un mot ou un soupir
vînt faire trembler ses lèvres, bronzées par la poudre de
la cartouche, il appuya l'arme contre son mâle visage et
poussa du pied la détente. Le coup partit. La forêt de
Cerisy en répéta la détonation par éclats qui se
succédèrent et rebondirent dans ses échos mugissants.
Le soleil venait de disparaître. Ils étaient tombés tous
les deux à la même heure, l'un derrière la vie, l'autre
derrière l'horizon.

C'était véritablement un beau soir. L'air avait repris
son silence, et la brise qui s'élève quand le soleil est
couché, comme la balle siffle quand elle est passée,
commençait d'agiter doucement les feuilles de la forêt et
pouvait caresser de ses souffles le front ouvert du
suicidé. Une bonne femme, qui rôdait par là et qui
ramassait des bûchettes, remonta lentement ce fossé
qu'une créature de Dieu venait de combler avec son
argile. Tout occupée de son ouvrage, sourde peut-être,
ou, si elle avait entendu la déchirante espingole, l'ayant
prise pour le fusil de quelque chasseur attardé, elle
heurta par mégarde de son sabot le corps du meurtrier.
Comme on le pense bien, elle eut peur d'abord de ce
cadavre; mais elle avait son fils aux Chouans. Plus mère
que femme, elle finit par courber sa vieille tête, en
pensant à son fils, vers le corps du Chouan défiguré, et
elle lui mit la main sur le cœur. Qui l'eût cru? il battait
encore. Alors cette vieille n'hésita plus. Elle regarda,
d'un œil inquiet, la route, le taillis, la clairière; mais
partout ne voyant personne, et l'ombre venant, elle
chargea le Chouan sur son dos, malgré sa vieillesse,
comme un fagot qu'elle aurait volé, et elle l'emporta

dans sa cabane, sise contre la lisière du bois. L'ayant
couché sur son grabat, elle lava toute la nuit, à la lueur
fumeuse de son *grasset* [55], les horribles blessures de cette
tête aux os cassés et aux chairs pendantes. Il y en avait
plusieurs qui se croisaient dans le visage du suicidé
comme d'inextricables sillons. L'espingole était chargée
de cinq ou six balles. En sortant de ce canon évasé, elles
avaient rayonné en sens divers, et c'est, sans nul doute,
à cette circonstance que le Chouan devait de n'être pas
mort sur le coup. Cependant la bonne femme pansa, du
mieux qu'elle put, cette effroyable momie sanglante,
dont toute forme humaine avait disparu. Experte en
misère, l'âme plus forte que tous les dégoûts, elle se
dévoua à la tâche de pitié que Dieu lui envoyait à la fin
de sa journée, comme au bon Samaritain sur le chemin
de Jérusalem à Jéricho. C'était une rude chrétienne, une
femme d'un temps bien différent du nôtre. Elle avait
gardé cette foi du charbonnier qui rend la vertu
efficace, pousse aux bonnes œuvres et fait passer la
charité du cœur dans les muscles de la main. Elle
n'imagina pas que l'homme qui était l'objet de sa pieuse
sollicitude eût tourné contre lui-même une violence
impie. Un signe, qu'elle trouva sur cet homme, l'eût
arrachée d'ailleurs à l'horreur de cette pensée, si elle
avait pu la concevoir. Royaliste, parce qu'elle honorait
Dieu, elle ne douta donc pas que des balles bleues
n'eussent fait les plaies qu'elle pansait, et ce lui fut une
raison nouvelle pour les soigner avec un dévouement et
plus chaleureux et plus tendre. Il fallait la voir, cette
hospitalière de la souffrance! Quand elle avait fini
d'éponger, de bassiner et de fermer avec les lambeaux de
ses pauvres chemises mises en pièces ces épouvantables
blessures, elle s'agenouillait devant une image de la
Vierge et priait pour ce Chouan déchiré de douleur. La

Vierge-Mère l'exauçait-elle?... Toujours est-il que le blessé tardait à mourir.

Or, dix jours environ s'étaient écoulés depuis que Marie Hecquet (c'est le nom de notre bonne femme) avait ramassé le Chouan expirant. Isolée sur la lisière de ce bois solitaire, n'ayant ni voisins ni voisines, elle n'était exposée à aucune interrogation maladroite ou ennemie. De ce côté, du moins, elle était tranquille. Mais, comme dans un temps de troubles civils on ne saurait exagérer la prudence, elle avait enterré les armes et les habits du Chouan dans un coin de sa chaumière, prête à ruser si les Bleus passaient, et à leur dire que ce blessé qui se mourait était son fils. Elle ne craignait pas de lui quelque noble imprudence. Ses blessures ne lui permettaient pas d'articuler un seul mot.

« Que si les Bleus — pensait-elle — l'avaient vu parfois dans la fumée de la poudre et dans le face-à-face du combat, ils ne pourraient, certes! pas le reconnaître, car sa mère, sa mère elle-même, si cet homme en avait une encore, ne l'aurait pas reconnu. »

Tout semblait donc favoriser son œuvre de charité pieuse; mais l'urne de la destinée est plus perfide que celle de Pandore. On croit l'avoir vidée de tous les malheurs de la vie, qu'on s'aperçoit qu'il y a encore un double fond, et qu'il est tout plein!

C'était un soir, comme le jour du suicide, un soir long, orangé, silencieux. Marie Hecquet, au seuil de sa porte ouverte, par laquelle venait au blessé cet air des bois qui porte la vie en ses émanations parfumées, lavait dans un baquet posé devant elle les linges rougis de plusieurs bandelettes. Comme toutes ces plébéiennes si facilement héroïques quand elles ont du cœur, comme toutes ces Marthe de l'Évangile qui agissent toujours, mais chez qui l'action n'étouffe point la pensée, pas plus que le travail des champs n'étouffe et ne brise l'enfant

qu'elles y portent souvent dans leur sein, la mère
Hecquet surveillait son malade, quoiqu'elle eût les
mains plongées dans la *broue*[56] sanglante de son
savonnage et qu'elle parût absorbée par ce qu'elle
faisait. Une petite cloche, qu'on ne voyait pas, vint à
tinter tout près de là. Ce n'était pas la faible clochette
d'une de ces mousseuses chapelles d'ermite, bâties jadis
dans les profondeurs des bois, car les églises ne se
rouvraient point encore. C'était la *tinterelle* de quelque
hutte de sabotier qui marquait les heures et la fin du
travail et de la journée. Mais pour Marie Hecquet, cette
femme antique, restée ferme de cœur dans la religion de
ses pères et dans les souvenirs de son berceau, ces sept
heures sonnant, n'importe où, étaient demeurées l'heure
bénie qui descendait autrefois des clochers, à présent
muets, dans les campagnes, et qui conviaient à la prière
du soir. Aussi, dès qu'elle les entendit, elle laissa
retomber au fond du baquet les linges qu'elle tordait et
qu'elle allait étendre au noisetier voisin, et portant sa
vieille main mouillée à ce front jaune comme le buis aux
yeux des hommes, mais pur comme l'or aux yeux de
Dieu, elle se mit, la noble bonne femme, à réciter son
Angelus.

Ce qui doit nous sauver peut nous perdre. Ce signe de
croix fut son malheur.

Cinq Bleus, sortis à pas de loup de la forêt en face,
s'étaient arrêtés sur le bord du chemin. Appuyés sur
leurs fusils, éveillés, silencieux, l'œil plongeant dans
toutes les directions de la route, ils guettaient çà et là,
comme des chiens en train de battre le buisson et de
faire lever le gibier. Leur gibier à eux, c'était de
l'homme! Ils chassaient au Chouan. Ils espéraient saisir,
après leur récente défaite, quelques-uns de ces hardis
partisans éparpillés dans le pays. Depuis quelques
minutes déjà, ils se montraient par signes, les uns aux

autres, la chaumière ouverte de la mère Hecquet, dont
le soir rougissait l'argile, et cette pauvre femme qui
savonnait à son seuil. Quand elle redressa son corps
penché sur son ouvrage pour faire le signe de la
Rédemption, à ce signe qu'on leur avait appris à maudire, ils ne doutèrent plus qu'elle ne fût une Chouanne,
et ils s'avancèrent sur elle en poussant des cris.

« Hélas! c'est des chauffeurs, — dit-elle. — Jésus!
ayez pitié de nous!

— Brigande, — fit le chef de la troupe, — nous
t'avons vue marmotter ta prière : tu dois avoir des
Chouans cachés dans ton chenil.

— Je n'ai que mon fils qui se meurt, — dit-elle, — et
qui s'est blessé à la tête en revenant de la chasse. » Et
elle les suivit, pâle et tremblante, car ils s'étaient rués
dans la maison comme eût fait une troupe de sauvages.

Ils allèrent d'abord au lit, découvrirent avec leurs
mains brutales le blessé dévoré de fièvre, et reculèrent
presque en voyant cette tête enflée, hideuse, énorme,
masquée de bandelettes et de sang séché.

« Cela! ton fils! — dit celui qui avait parlé déjà. —
Pour ton fils, il a les mains bien blanches, — ajouta-t-il
en relevant avec le fourreau de son sabre une des mains
du Chouan qui pendait hors du lit. — Par la garde de
mon briquet, tu mens, vieille! C'est quelque blessé de la
Fosse qui se sera traîné jusqu'ici, après la débâcle.
Pourquoi ne l'as-tu pas laissé mourir? Tu mériterais que
je te fisse fusiller à l'instant même, ou que mes
camarades et moi rôtissions avec les planches de ton
baquet les manches à balai qui te servent de jambes!
Ramasser un pareil bétail! Heureusement pour ta peau
que le brigand est diablement malade. Nos camarades
l'ont arrangé de la belle manière, à ce qu'il paraît. Mille
têtes de rois! quelle hure de sanglier égorgé! Cela ne
vaut pas la balle qui dort dans les canons de nos fusils.

Nous épargnerons notre poudre et le laisserons mourir
tout seul. Nous avons bien nos sabres; mais il ne sera
pas dit que nous serons venus ici pour abréger ses
souffrances en l'achevant d'un seul coup. Non, de par
l'enfer! Allons, la vieille bique, donne-nous à boire! As-
tu du cidre? que nous puissions trinquer à la République en regardant agoniser ce brigand-là! »

La malheureuse Marie Hecquet sentait ses ongles
noircir de terreur à de telles paroles; mais, refoulant en
elle ses émotions, elle alla tirer d'un petit fût, placé au
pied de son lit, le cidre demandé par le Bleu. Elle le
plaça dans un pot d'étain, avec des godets de Monroc [57],
son humble vaisselle, sur une table que la hache avait à
peine dégrossie. Les cinq réquisitionnaires de la République s'assirent sur le banc qui entoure toujours les
plus pauvres tables normandes, et le pot, circulant, se
remplit une dizaine de fois. Ils se souciaient fort peu
de mettre à sec la provision de la vieille femme; et
elle, trop contente de voir, à ce prix, leur attention
détournée, allait et venait dans la chaumine, tantôt
balayant l'aire, tantôt ranimant la cendre du foyer,
pour faire, comme la Baucis du poète, *tiédir l'onde* [58]
nécessaire au pansement du soir, quand ses terribles
hôtes seraient partis. Les discours des Bleus, qui
s'exaltaient de plus en plus à force de parler et de boire,
augmentaient encore les premières peurs de Marie
Hecquet. Il se mêlait de temps à autre à ces discours les
noms funestes de Rossignol [59] et de Pierrot, de Pierrot
surtout, ce Cacus dont les férocités avaient le grandiose
de sa force, et qui s'amusait à rompre, comme il eût
rompu une branche d'arbre, les reins de ses prisonniers
sur son genou. De pareils discours étaient bien dignes,
du reste, de soldats irrités comme eux par le fanatisme
et la résistance des guerres civiles, dont le caractère est
d'être impitoyable, comme tout ce qui tient aux

convictions. Dépravés par ces guerres implacables, ces cinq Bleus n'étaient point de ces nobles soldats de Hoche ou de Marceau que l'âme de leurs généraux semblait animer. Tout vin a sa lie, toute armée ses goujats. Ils étaient de ces goujats horribles qu'on retrouve dans les bas-fonds de toute guerre, de cette inévitable race de chacals qui viennent souiller le sang qu'ils lapent, après que les lions ont passé! En un mot, c'étaient des traînards appartenant à ces bandes de chauffeurs alors si redoutées dans l'Ouest, lesquelles, par l'outrance de leurs barbaries, avaient appelé, il faut bien en convenir, des représailles cruelles. Marie Hecquet avait entendu souvent parler de ces bandits à des voyageurs et à des fermiers. Elle se rappelait même une affreuse histoire que son fils, sabotier dans la forêt, et qui venait parfois la voir entre deux expéditions nocturnes, lui avait dernièrement racontée avec l'indignation d'une âme de Chouan révoltée. C'était l'histoire de ce seigneur de Pontécoulant (je crois) dont, au matin, au *soleil de l'aurore*, on avait trouvé la tête coupée et déposée — immonde et insultante raillerie! — dans un pot de chambre, sur une des fenêtres placées au levant de son château dévasté *.

De tels récits, de tels souvenirs jetaient leur reflet sur ces Bleus sinistres et la faisaient frissonner, elle qui n'était ni faible ni folle, à chaque atroce plaisanterie de ces hommes buvant avec une joie de cannibales, auprès du lit de torture du Chouan. « C'est peut-être les assassins de Pontécoulant », pensait-elle. La nuit s'avançait. Fut-ce l'influence de ces ombres et de ces ténèbres, car la nuit couve les forfaits dans les cœurs scélérats, fut-ce plutôt l'échauffement de l'ivresse, ou

* Historique [60].

encore l'odieux remords qui s'élève dans les âmes
perverses quand elles ont suspendu l'accomplissement
d'un crime ou laissé là quelque épouvantable dessein,
qui le sait?... mais, à mesure que la nuit tomba plus
noire sur la chaumière, les pensées de vengeance et de
sang reprirent ces Bleus et montèrent dans leurs cœurs.
Le Chouan, renversé sur son grabat, expirait sans
pouvoir même crier de douleur. Les bandages qui liaient
son visage fracassé appuyaient sur sa bouche un silence
pesant comme un mur. Il ne gémissait pas, mais sa
respiration entrecoupée, ce râle permanent et sourd,
qu'on entendait dans ce coin de chaumière obscur, et
sur lequel, incessant, éternel, funèbre, se détachaient les
éclats de la voix et du rire des Bleus, tout cela leur fit
sans doute l'effet du défi d'un ennemi par terre, d'une
dernière morsure au talon, comme la douleur vaincue en
imprime parfois, de sa bouche mourante, au pied brutal
de la Victoire.

« Ce Chouan m'ennuie, à la fin, avec son râle! — dit
le chef des cinq, — et la tentation me prend de
l'envoyer à tous les diables avant de partir!

— Tope! — fit un autre, peut-être le plus repoussant
de la troupe : une tête écrasée et livide, aux tempes de
vipère, sortant d'une énorme cravate lie-de-vin, méta-
morphosée pour le moment en valise, car elle contenait
une chemise de rechange, volée la veille à un curé; cet
homme, c'était l'horrible et le bouffon réunis. — Tope,
sergent! — répéta-t-il d'une voix enrouée, — c'est
parler en homme, ça. Tuons ce Chouan après cette
chopine, car nous ne pouvons boire ici jusqu'à demain
matin. Mais comment le tuer? Tu le disais tout à
l'heure, citoyen sergent, les flambards des Colonnes
Infernales ne sont pas venus ici pour abréger les
souffrances d'une chouanaille qui jouit en ce moment de
tous les avant-goûts de l'enfer s'il y en a un. Il faudrait

lui inventer une agonie qui lui procurerait, avant la culbute définitive, l'enfer tout entier!

— Par le diable et ses cornes! tu as raison, Sifflet-de-voleur. — Le Bleu, en effet, avait le nez taillé en cette aimable forme, et il en tirait son nom de guerre. — Il faut le tuer, comme dit le capitaine Morisset, *avec l'intelligence de la chose.* Je vous forme en conseil de guerre, citoyens, pour délibérer sur le genre de mort qu'il convient d'infliger à ce brigand-là! »

Et ils remplirent leurs cinq godets de Monroc comme pour s'inspirer.

L'infortunée Marie Hecquet voulut intervenir au nom de tous les sentiments naturels soulevés dans son cœur. Elle implora, avec des paroles de feu et des larmes, ces cinq hommes sourds à toute pitié. C'était à croire ce qu'elle leur avait dit d'abord, qu'elle était la mère du blessé, tant elle fut pathétique dans ses discours, son action, sa manière de les supplier! Mais tout fut vain.

« Te tairas-tu, brigande! — fit l'un d'eux en lui envoyant un coup de crosse de son fusil dans les reins.

— Empare-toi de cette vieille sorcière, Sans-Façon, reprit le sergent, — et fais-lui un bâillon de la poignée de ton sabre pour qu'elle ne trouble pas les délibérations du conseil de guerre par ses cris! »

Mais la femme du peuple, qui ne craint pas sa peine, et qui sait mettre, comme on dit, *la main à la pâte,* eut en Marie Hecquet un dernier mouvement d'énergie, trahi, hélas! par la vieillesse. Quand elle vit venir le Bleu à elle, elle voulut prendre un tison allumé dans l'âtre, pour se défendre contre l'outrageante agression, mais, avant qu'elle eût pu saisir l'arme qu'elle cherchait, il l'avait déjà terrassée, et il la contenait.

« Maintenant, citoyens, — dit le sergent, — délibérons. »

Et ils délibérèrent. Dix genres de mort différente furent proposés; dix affreuses variétés du martyre!

La plume se refuse à tracer ce chaos de pensées de bourreaux en délire, ce casse-tête de propositions effroyables qui se mêlèrent en s'entre-choquant. Le chef de ces bandits eut le dégoût de la hideuse verve et de l'anarchie de son conseil, où, comme dans tout conseil, chaque avis voulait prévaloir.

« Nous sommes des imbéciles! — cria-t-il en fermant la discussion par un coup de poing sur la table. — Tout considéré, je n'ai jamais été d'avis de tuer ce Chouan, qui, dans l'état où il est, serait trop heureux de mourir. Mais voici mes adieux à sa damnée carcasse. Regardez! »

Il marcha au lit du Chouan, et, saisissant avec ses ongles les ligatures de son visage, il les arracha d'une telle force qu'elles craquèrent, se rompirent, et durent ramener à leurs tronçons brisés des morceaux de chair vive enlevés aux blessures qui commençaient à se fermer. On entendit tout cela plutôt qu'on ne le vit, car la nuit était tout à fait tombée, mais ce fut quelque chose de si affreux à entendre que Marie Hecquet s'évanouit.

Un rugissement rauque qui n'avait plus rien de l'homme sortit, non plus de la poitrine du blessé, mais comme de la profondeur de ses flancs. C'était la puissance de la vie forcée par la douleur dans son dernier repaire et qui poussait un dernier cri.

« Et maintenant, — dit l'exécrable sergent des Colonnes Infernales, — salons le Chouan avec du feu! »

Et tous les cinq prirent de la braise rouge dans l'âtre embrasé, et ils en saupoudrèrent ce visage, qui n'était plus un visage. Le feu s'éteignit dans le sang, la braise rouge disparut dans ces plaies comme si on l'eût jetée dans un crible.

« Qu'il vive maintenant, s'il peut vivre, — dit le sergent, — et que la vieille fasse sa lessive, si elle veut! Laissons-les comme les voilà, à tous les diables! Voici la nuit; on n'y voit pas son poing devant soi, dans cette cahute, depuis que nous avons pris le feu pour cuire la grillade de ce Chouan. Il faut partir. Haut les fusils, camarades, et en avant!... »

Et ils s'en allèrent. Qu'arriva-t-il après leur départ? un tel détail n'importe guères à cette histoire. Qu'on sache seulement que le Chouan défiguré ne mourut pas. Le rayonnement des balles de l'espingole lui avait sauvé la vie. L'enflure du visage, qui cachait ses yeux quand les Bleus poudrèrent ses plaies avec du feu, le sauva de la cécité*. Après la guerre de la Chouannerie, et lorsqu'on rouvrit les églises, on le vit un jour se dresser dans une stalle, aux vèpres de Blanchelande, enveloppé dans un capuchon noir. C'était l'ancien moine de l'abbaye dévastée : le fameux abbé de La Croix-Jugan.

IV

Or, ce jour-là précisément, à ces vèpres qui, plus tard, lui devinrent fatales, une femme, jeune encore, assistait

---

* *Historique.* Les faits qu'on vient de retracer sont arrivés à un chef chouan, parent de celui qui écrit ces lignes; et, d'ailleurs, ce n'est pas le seul épisode des guerres de la Chouannerie qui rappelle, par son atrocité, les effroyables excès des Écorcheurs, la guerre des Paysans en 1525, etc. Malgré les impostures des civilisations, il y a dans le cœur de l'homme une barbarie éternelle. Les derniers événements (décembre 1851) nous ont appris qu'en fait d'horreurs passées l'homme est toujours prêt à recommencer demain. Moins que jamais, il ne serait permis de voiler ces peintures ou d'en affaiblir l'énergie. Elles appartiennent à l'histoire, et c'est un enseignement sacré[61].

dans un des premiers bancs de l'église qui touchaient au chœur. Comme elle habitait un peu loin de là, elle était arrivée tard à l'office. N'oublions pas de dire qu'on était en Avent, dans ces temps d'attente pour l'Église, macérée par la pénitence, et qui s'harmonisent si bien avec la tristesse de l'hiver. Il semble qu'ayant à son usage toutes les grandeurs de la poésie pour exprimer la grandeur de toutes les vérités, l'Église ait combiné, dans un esprit profond, l'effet de ses cérémonies avec l'effet de la nature et des saisons, inévitable aux imaginations humaines. A cette époque, elle éteint la pourpre dans le violet de ses ornements, emblème de la gravité de ses espérances[62]. En raison de la saison et de l'heure avancée, l'église de Blanchelande commençait à se voiler de teintes grisâtres, foncées par ces vitraux coloriés dont le reflet est si mystérieux et si sombre quand le soleil ne les vivifie pas de ses rayons. Ces vitraux, mêlés à la vitre vulgaire noircie par le temps, étaient des débris sauvés de l'abbaye détruite. La femme dont j'ai parlé s'unissait à mi-voix à la psalmo-die des prêtres. Son paroissien, de maroquin rouge, à tranche dorée, imprimé à Coutances avec approbation et privilège de Mgr..., le premier évêque de ce siège après la Révolution, indiquait par son luxe (un peu barbare) qu'elle n'était pas tout à fait une paysanne, ou que du moins c'était une *richarde*, quoique son costume ressem-blât beaucoup à celui de la plupart des femmes qui occupaient les autres bancs de la nef. Elle portait un mantelet ou pelisse, d'un tissu bleu-barbeau, à longs poils, dont la cape doublée de même couleur tombait sur ses épaules, et elle avait sur la tête la coiffure traditionnelle des filles de la conquête, la coiffe blanche, très élevée et dessinant comme le cimier d'un casque, dont un gros chignon de cheveux châtains, hardiment

retroussés, formait la crinière. Cette femme avait pour
mari un des *gros* propriétaires de Blanchelande et de
Lessay, qui avait acquis des biens nationaux, homme
d'activité et d'industrie, un de ces hommes qui poussent
dans les ruines faites par les révolutions, comme les
giroflées (mais un peu moins purs) dans les crevasses
d'un mur croulé; un de ces compères qui pèchent du
moins admirablement dans les eaux troubles, s'ils ne les
troublent pas pour mieux y pêcher. Autrefois, quand
elle était jeune fille, on appelait cette femme Jeanne-
Madelaine de Feuardent [63], un nom noble et révéré dans
la contrée; mais, depuis son mariage, c'est-à-dire depuis
dix ans, elle n'était plus que Jeanne Le Hardouey, ou,
pour parler comme dans le pays, la femme à maître
Thomas Le Hardouey. Tous les dimanches que le bon
Dieu faisait, on la voyait assister aux offices de la
journée, assise contre la porte de son banc ouvrant dans
l'allée de la nef, la place d'honneur, parce qu'elle permet
mieux de voir la procession quand elle passe. Elle
n'était point une dévote, mais elle avait été religieuse-
ment élevée, et ses habitudes étaient religieuses. Elle
connaissait donc toutes les figures, plus ou moins
vénérables, du clergé paroissial et des églises voisines
qui envoyaient parfois à Blanchelande, politesse d'église
à église, un de leurs prêtres pour y dire la messe ou pour
y prêcher.

C'est là ce qui expliquera son étonnement quand, ce
jour-là, en levant les yeux de son paroissien de
maroquin rouge, elle aperçut un prêtre de haute taille,
et dont elle n'eût pas, certes! oublié la tournure si elle
l'avait vu déjà, la figure à moitié cachée par son
capuchon rabattu, monter à l'une des stalles du chœur
placées en face d'elle et s'y tenir dans une attitude
d'orgueil sombre que la religion dont il était le ministre
n'avait pu plier. On célébrait le deuxième dimanche de

l'Avent, et, au moment où, s'avançant des portes de la
sacristie, en traînant sur les dalles le manteau de son
capuchon, il monta lentement dans sa stalle, une voix
chantait ces mots de l'antienne du jour : *et statim veniet
dominator* [64]. Jeanne Le Hardouey avait la traduction
de ces paroles dans son paroissien, imprimé sur deux
colonnes, et elle ne put s'empêcher d'en faire l'application à ce prêtre inconnu, à l'air si étrangement
dominateur!

Elle se retourna et demanda à Nônon Cocouan, la
couturière, qui était agenouillée sur le banc placé
derrière le sien, si elle connaissait ce prêtre, qu'elle lui
désigna, et qui était resté debout, adossé à la stalle
fermée; mais Nônon Cocouan, quoique fort au courant
des choses et du personnel de l'église de Blanchelande,
pour laquelle elle travaillait, eut beau regarder et
s'informer en chuchotant à deux ou trois commères des
bancs voisins, elle ne put ramasser que des négations
ou des hochements de tête, et fut obligée d'avouer à
Jeanne qu'elle ni personne dans l'église ne connaissait le
prêtre en question.

Nônon était une de ces vieilles filles entre trente-cinq
et quarante ans, plus près de quarante que de trente-
cinq, qui ont été belles et un peu fières, qui ont inspiré
l'amour sans le partager, ou qui, si elles l'ont éprouvé,
l'ont caché soigneusement dans leur âme, car c'était
pour quelqu'un de plus haut placé qu'elles, et qu'elles
ne pouvaient avoir, comme dit l'expression populaire
avec tant de mélancolie; enfin, une de ces belles
pommes de passe-pomme qui ont, hélas! passé malgré le
ferme et frais tissu de leur chair blanche et rose, mais
qui, comme la nèfle, meurtrie par l'hiver, devait
conserver une douce saveur jusque dans l'hiver de la
vie!

Comme toutes ces dévotes à qui la joie et les

tendresses maternelles ont manqué, et qui n'ont plus à
se cacher de l'amour de Dieu comme elles se cachaient
autrefois de l'amour d'un homme, Nônon Cocouan avait
l'âme ardente et portait dans toutes les pratiques de sa
vie la flamme longtemps contenue d'une jeunesse sans
apaisement. Aussi les mauvais plaisants, les beaux
parleurs impies de Blanchelande la nommaient-ils une
hanteuse de confessionnal. Que pouvaient-ils comprendre
à cette rose mystique sauvage, dont la brûlante
profondeur devait leur rester à jamais cachée?

Cependant, je suis bien forcé de l'avouer, malgré ma
sympathie très vive pour les vieilles filles dévotes,
espèce de femmes envers lesquelles on a toujours été
d'une injustice aussi superficielle que révoltante [65],
Nônon Cocouan avait les petitesses, les enfantillages et
les défauts de son type. Elle aimait les prêtres, non
seulement dans leur ministère, mais dans leurs personnes. Elle aimait à s'occuper d'eux et de leurs
affaires. Elle en était idolâtre. Idolâtrie très pure, du
reste, mais qui avait bien ses ridicules et ses légers
inconvénients. Jeanne Le Hardouey s'était bien adres-
sée, en l'interrogeant, pour savoir le nom du prêtre
imposant qui l'avait tant frappée. Nul dans tout
Blanchelande ne devait savoir ce qu'il était, si Nônon
Cocouan ne le savait pas

Jeanne Le Hardouey prit enfin son parti de cette
ignorance. Sa curiosité excitée n'était pas de la même
nature que celle de Nônon. Ces deux femmes différaient
par trop de côtés pour éprouver, sur ce point-là, rien de
semblable. La curiosité de Jeanne tenait à des choses
qui venaient autant de sa destinée que de son caractère.
Et d'ailleurs, pour le moment, cet intérêt et cette
curiosité n'avaient pas une intensité si grande qu'elle ne
pût très bien attendre l'occasion favorable pour la
satisfaire. Elle se remit donc à suivre et à chanter les

vèpres; mais, involontairement, ses yeux se portaient de temps en temps sur les lignes altières de ce capuchon noir, immobile et debout dans sa stalle fermée, autour duquel l'ombre des voûtes, croissant à chaque minute, tombait un peu plus.

Cependant, à cause peut-être de la réouverture récente des églises, il y avait un salut, ce dimanche-là, à l'église de Blanchelande, et comme d'usage, quand les vêpres furent dites, on se mit en devoir de couronner ce touchant office du soir, dont la psalmodie berce les âmes religieuses sur un flot d'émotions divines, par l'éclat d'une bénédiction. Les cierges, éteints après le *Magnificat*, se rallumèrent. L'hymne s'élança de toutes les poitrines, l'encens roula en fumée sous les voûtes du chœur, et la procession s'avança bientôt dans la nef pour se replier autour de l'église et de sa forêt de colonnes, comme une vivante spirale d'or et de feu. Rien n'est beau comme cet instant solennel des cérémonies catholiques, alors que les prêtres, vêtus de leurs blancs surplis ou de chapes étincelantes, marchent lentement, précédant le dais et suivant la croix d'argent qu'éclairent les cierges par-dessous, et qui coupe de son éclat l'ombre des voûtes dans laquelle elle semble nager, comme la croix, il y a dix-huit siècles, sillonna les ténèbres qui couvraient le monde [66].

Or, ce soir-là, le salut était d'autant plus beau à l'église de Blanchelande pour ces paysans prosternés, qu'un tel spectacle avait longtemps manqué à leur foi. A cette époque, sans aucun doute, il dut y avoir de véritables ivresses pour les âmes croyantes dans la contemplation ressuscitée de ces anciennes cérémonies revenant déployer leurs pompes vénérées dans ces temples fermés trop longtemps, quand ils n'avaient pas été profanés. De telles impressions dorment maintenant dans le cercueil de nos pères, mais on comprend bien qu'elles durent être puissantes et profondes. Jeanne Le Hardouey éprouvait ces émotions comme les eût éprouvées une femme plus pieuse qu'elle, car il est des moments où la croyance s'élève dans les plus tièdes et les plus froids, comme un bouillonnement éblouissant, mais trop souvent pour retomber! Elle était à genoux, comme toute l'église, quand la procession s'avança flamboyante, à travers les ténèbres de la nef. Les prêtres défilaient un par un, chantant les hymnes traditionnelles, un cierge allumé dans une main, et dans l'autre leur livre de plain-chant; et le dais pourpre, avec ses panaches blancs renversés, rayonnait dans la perspective. Jeanne regardait passer tous ces prêtres le long de son banc et attendait, avec une impatience dont elle n'avait pas le secret, l'étranger qui l'avait tant frappée. Probablement, en sa qualité d'étranger, on avait voulu lui faire honneur, car il marchait le dernier de tous, un peu avant les diacres en dalmatique qui précédaient immédiatement l'officiant chargé du Saint-Sacrement et abrité sous le dais. Seul de tous ces prêtres splendides, il n'avait pas changé de costume, les vêpres finies. Il avait gardé son manteau et son austère capuchon noir, et il s'en venait, silencieux parmi ceux qui chantaient, avec cette majesté presque profane, tant elle était hautaine! qui se déployait dans son port impérieux. Il avait un livre dans sa main gauche, tombant négligemment vers la terre, le long des plis de son manteau, et de la droite il tenait un cierge, presque à bras tendu, comme s'il eût essayé d'écarter la lumière de son visage. Dieu du ciel! avait-il la conscience de son horreur? Seulement, s'il l'avait, cette conscience, ce n'était pas pour lui, c'était pour les autres. Lui, sous ce masque de cicatrices, il gardait une âme dans laquelle, comme dans cette face labourée, on ne pouvait marquer une blessure de plus. Jeanne eut peur, elle l'a avoué depuis, en voyant la

terrible tête encadrée dans ce capuchon noir; ou plutôt
non, elle n'eut pas peur : elle eut un frisson, elle eut une
espèce de vertige, un étonnement cruel qui lui fit mal
comme la morsure de l'acier. Elle eut enfin une
sensation sans nom, produite par ce visage qui était
aussi une chose sans nom.

Du reste, ce qu'elle sentit plus que personne, dans
cette église de Blanchelande, parce que son *âme n'était
pas une âme comme les autres*, toute l'assistance
l'éprouva à des degrés différents, et l'impression fut si
profonde que, sans la présence du Saint-Sacrement qui
jetait ses rayons comme un soleil sur ces fronts courbés
et les accablait de sa gloire, elle fût allée jusqu'aux
murmures. La procession mit longtemps à tourner ses
splendeurs mobiles autour de l'église, laissant derrière
elle un sillage d'ombre plus noire que celle qu'elle
chassait devant ses flambeaux. Quand elle descendit
dans la grande allée pour rentrer au chœur, Jeanne-
Madelaine voulut se raidir et s'affermir contre la
sensation que lui avait faite l'effroyable prêtre au
capuchon, elle se détourna de trois quarts pour le revoir
passer... Il repassa avec le cortège, muet, impassible
dans sa pose de marbre, et le second regard qu'elle lui
jeta enfonça dans son âme l'impression d'épouvante
qu'y avait laissée le premier. Malgré la solennité de la
cérémonie, malgré les chants de fête et les gerbes de
lumière qui jaillissaient du chœur, le recueillement ou
l'émotion des pensées édifiantes ne put rentrer dans
l'âme troublée de Jeanne Le Hardouey. Au lieu de
s'unir aux chants des fidèles ou de se réfugier dans une
prière, elle cherchait par-dessus les épaules chaperon-
nées d'écarlate des confrères du Saint-Sacrement qui
suivaient le dais et qui envahissaient le chœur, par-
dessus les feux fumants de leurs cierges tors de cire
jaune qui vibraient comme des feux de torches dans

l'air ému par les voix, le prêtre inconnu, au capuchon
noir, alors à.genoux, près de l'officiant, sur les marches
du maître-autel, toujours rigide comme la statue du
Mépris de la vie taillée pour mettre sur un tombeau.
Aux yeux d'une âme faite comme celle de Jeanne, ce
prêtre inouï semblait se venger de l'horreur de ses
blessures par une physionomie de fierté si sublime qu'on
en restait anéanti comme s'il avait été beau! Jeanne ne
savait pas ce qu'elle avait, mais elle succombait à une
fascination pleine d'angoisse. Quand l'officiant monta
les degrés et, prenant le Saint-Sacrement de ses mains
gantées, se tourna vers l'assistance pour la bénir, à cette
minute suprême Jeanne oublia de baisser la tête. Elle
rêvait! elle se demandait ce qu'il pouvait être arrivé à
une créature humaine pour avoir sur sa face l'empreinte
d'un pareil martyre, et ce qu'il y avait dans son âme
pour la porter avec un pareil orgueil. Elle resta si
absorbée dans sa fixe rêverie, après la bénédiction,
qu'elle ne s'aperçut pas que le salut était fini. Elle
n'entendit pas les sabots de la foule qui s'écoulait, en
diminuant, par les deux portes latérales, et ne vit point
l'église vidée qui s'enfonçait peu à peu dans la fumée
des cierges éteints et les cintres effacés des voûtes,
comme dans une mer de silence et d'obscurité.

« Suis-je folle de rester là! » ⸺ dit-elle, tirée tout à
coup de son rêve par le bruit de la chaîne de la lampe
du chœur, que le sacristain venait de descendre pour y
renouveler l'huile de la semaine. Et elle prit une petite
clef, ouvrit un tiroir placé sous son prie-Dieu, et y
déposa son paroissien. Elle pensait qu'elle s'était attardée en voyant l'église si sombre, et elle se levait, quand
le bruit clair d'un sabot lui fit tourner la tête, et elle
aperçut Nônon Cocouan, qui était sortie avant tout le
monde, mais qui rentrait et venait à elle.

« Je sais qui c'est, ma chère dame, ⸺ dit Nônon

Cocouan, avec cet air ineffable et particulier aux
commères. Et ceci n'est point une injure, car les
commères, après tout, sont des poétesses au petit pied
qui aiment les récits, les secrets dévoilés, les exagérations mensongères, aliment éternel de toute poésie; ce
sont les matrones de l'invention humaine qui pétrissent,
à leur manière, les réalités de l'Histoire. — Oui, je sais
qui c'est, ma chère madame Le Hardouey, — dit la
volubile Nônon en remontant avec Jeanne la nef
déserte, et en lui donnant de l'eau bénite au bénitier. —
J'l'ai demandé à Barbe Causseron, la servante à M. le
curé. Barbe dit que c'est un moine de l'Abbaye qui a
chouanné dans le temps, et que c'est les scélérats de
Bleus qui lui ont mis la figure dans l'état horrible où il
l'a! Jésus! mon doux Sauveur! c'n'est plus la face d'un
homme, mais d'un martyr! Il y aura, demain lundi, huit
jours qu'il arriva chez m'sieur le curé, à la tombée, m'a
conté la Barbe Causseron, et, sur la sainte croix, il
n'avait pas trop l'air de ce qu'il était, car il portait de
grosses bottes et des éperons comme un gendarme, et,
joint à cela, une espèce de casaque qui ne ressemble pas
beaucoup à la lévite de messieurs les prêtres. Quand il
entra avec cette figure *chiqaillée* [67], la malheureuse
Barbe, qui n'est pas trop *cœurue* [68], faillit avoir le sang
tourné. Fort heureusement que M. le curé, qui lisait son
bréviaire le long de l'espalier à pêchers de son jardin,
arriva et lui fit bien des politesses comme à un homme
de grande famille qu'il est, et qui aurait été abbé de
Blanchelande et évêque de Coutances sans la Révolution; enfin, un ami de Mgr Talaru, l'ancien évêque
émigré! *Tant il y a donc* que depuis qu'il est au
presbytère m'sieur le curé ne mange plus dans sa
cuisine, mais dans la p'tite salle à côté; et Barbe, qui les
sert à table, a entendu toutes leurs conversations. Il
paraît que le nouveau gouvernement a proposé à cet

abbé... attendez! comment qu'il s'appelle? l'abbé de La
Croix-Gingan, ou Engan, c'est un nom quasiment
comme ça... d'être évêque; mais il ne veut rien être que
sous le Roi — (et ici Nônon baissa la voix, comme si elle
eût craint de dire tout haut ce nom proscrit). — Il a
parlé de louer la petite maison du bonhomme Bouët,
qui est tout contre le prieuré. Alors, ma chère madame
Le Hardouey, ce serait un desservant de plus que nous
aurions à la paroisse; mais, que Dieu me pardonne si je
l'offense! il me semble que je ne pourrais pas aller à la
confesse à lui, quéque méritant et exemplaire qu'il pût
être. Je ne puis pas dire ce que ça me ferait de voir sa
figure auprès de la mienne à travers le *viquel* [69] du
confessionnal. M'est avis que j'aurais toujours peur, en
recevant l'absolution, de penser plus au diable qu'au
bon Dieu!

— Pour une fille pieuse comme vous, Nônon, — fit
gravement Jeanne Le Hardouey, — vous avez là une
mauvaise idée. Vous savez bien que ce n'est pas à
l'homme dans le prêtre qu'on se confesse, mais à Dieu.

— J'sais bien qu'ils le disent au catéchisme et dans la
chaire, — répondit Nônon, — mais le bon Dieu ne
demande pas plus que force, et j'sens qu'il me serait
impossible de me confesser également à tous les prêtres.
La confiance ne se commande pas. »

Elles étaient arrivées, en parlant ainsi, à l'extrémité
du cimetière qui entourait l'église et qui se fermait de ce
côté par un échalier. Il n'était pas nuit, mais le jour se
retirait peu à peu du ciel.

« Il faut que je me dépêche, ma pauvre Nônon, —fit
Jeanne, — car j'ai un bon bout de chemin d'ici chez
nous. J'ai laissé aller nos gens après les vêpres, et me
suis attardée à l'église. Les chemins sont mauvais, et on
ne va guères vite avec des sabots. Bonsoir donc, Nônon;
si vous venez au Clos cette semaine, vous savez bien,

ma fille, qu il y a toujours une petite collation pour
vous.

— Vous êtes bien honnête, madame Le Hardouey, —
dit Nônon Cocouan. Et, sans doute pour payer une
politesse par une autre : — Voulez-vous que j'aille *quant
et vous* jusqu'au Vieux Presbytère? — ajouta-t-elle.

— Merci, ma fille, merci, — répondit Jeanne. — Je
ne suis pas peureuse, et j'irai si vite que je rattraperai
peut-être nos gens. »

Et lestement, et avec l'aisance des femmes de la
campagne, elle franchit l'échalier[70] avec ses sabots et
ses jupes, se souciant peu de montrer à Nônon Cocouan
et la couleur de ses jarretières et les plus belles jambes
qui eussent jamais passé bravement à travers une haie
et sauté, pieds joints, un fossé.

Nônon n'insista pas. Elle avait une déférence respectueuse pour Jeanne Le Hardouey, qu'elle avait connue
mademoiselle de Feuardent, il y avait des années. Elle lui
eût bien volontiers rendu service, mais Nônon avait
toutes les superstitions du pays où elle était née. Le
Vieux Presbytère ou, pour parler comme on parlait
dans le patois de la contrée, le Vieux *Probytère* était
aussi redouté que la lande de Lessay elle-même. C'était
la ruine abandonnée, il y avait longtemps déjà, de
l'ancienne maison du curé, située dans un carrefour
solitaire où six chemins aboutissaient et se coupaient à
angle aigu. Un assez vaste corps de bâtiment qui
subsistait encore appartenait alors à un cultivateur qui
ne l'habitait pas, mais qui l'utilisait en y engrangeant
ses orges et ses foins[71]. On disait que c'était un lieu
hanté par les mauvais esprits et qu'on y rencontrait
parfois de gros chats, qui marchaient obstinément à
côté de vous, dans la route, et qui tout à coup se
mettaient à vous dire bonsoir avec des airs fort
singuliers. La Cocouan ne tenait pas infiniment à aller

jusque-là, aux approches de la nuit, pour s'en revenir
seule et monter les *chasses* [72] qui y conduisaient. Elle se
retourna pour regarder Jeanne qui s'éloignait en sau-
tant les mares, d'une pierre sur l'autre, dans ces
chemins défoncés. Et quand elle eut vu tourner sa
pelisse bleue au bout d'une haie :

« Elle est moins peureuse que moi, ∼ fit-elle comme
se parlant à elle-même, ∼ et plus jeune : elle a eu plus
d'éducation que nous toutes. C'est la fille de *Louisine-à-
la-hache*, et c'est une Feuardent par son père. J'ai ouï
dire à défunt le mien que c'étaient là des gens qui n'ont
jamais rencontré, sous la calotte des cieux, rien qui pût
les épouvanter. »

Et, rassurée sur le sort de Jeanne, elle revint sur ses
pas, fit une révérence et se signa devant la croix de
pierre grise qui s'élevait au centre du cimetière, en fit
encore une avec un autre signe de croix, en passant
entre l'if au feuillage glauque et le portail de l'église, en
face duquel, selon l'ancienne coutume, cet arbre des
morts était planté, et elle regagna promptement le
groupe de maisons qu'on appelait le bourg et qu'elle
habitait. Quand elle repassa dans ce cimetière ceint de
murs qui s'écroulaient et qu'on oubliait de relever, où
de hautes herbes, qu'aucune faux jamais ne coupait, se
courbaient au souffle du soir comme une moisson
mortuaire; lorsqu'elle entendit quelques corbeaux
croasser dans les ouvertures grillées du clocher, par ce
déclin d'un jour d'hiver, gris et bas, l'âme ouverte à
tous les sentiments d'une nature religieuse, ignorante et
timide, Nônon se félicita, en se serrant dans son
mantelet de ratine blanche, de n'être pas à cette heure
au Vieux Presbytère et dans la chemise de Jeanne Le
Hardouey.

Celle-ci cependant marchait, le cœur ferme comme le
pas, accoutumée à tous les chemins des environs, qu'elle

avait maintes fois parcourus, soit à cheval, soit à pied,
depuis qu'elle était mariée, et même bien avant qu'elle
le fût, et d'ailleurs trop préoccupée, ce jour-là, pour
s'inquiéter soit des mauvaises rencontres, soit des
endroits de la route d'une suspecte réputation.

V

Pour bien comprendre cette préoccupation nouvelle,
si soudaine et si diabolique, dont elle devait plus tard
être la victime, il faut dire ce qu'était alors Jeanne-
Madelaine de Feuardent, femme par mariage de maître
Thomas Le Hardouey.

C'était une femme dans la fleur mûrie de la jeunesse,
active, courageuse, et de ce sens droit, perçant et
supérieur, qu'on rencontre dans une grande quantité de
femmes de Normandie, la terre classique de cette forte
race de ménagères qui entendent si bien le gouvernement du logis. Il fallait qu'elle inspirât beaucoup
d'estime dans la contrée, car, quoique riche, et d'une
richesse mal acquise par Thomas Le Hardouey, qui
passait pour un homme violent et rusé, on ne la haïssait
pas.

On savait la distinguer de son mari quand on en
parlait. A elle, on ne lui reprochait rien, si ce n'est un
peu de hauteur quand on pensait à son mariage, mais
qu'on lui pardonnait quand on pensait à sa naissance.
Les Feuardent avaient été une famille puissante.

Des fautes, des malheurs, des passions, cette triple
cause de tous les renversements de ce monde, avaient,
depuis plusieurs siècles, poussé, de générations en

générations, les Feuardent à une ruine complète. Avant
que 1789 éclatât, cette ruine était consommée.

Jeanne-Madelaine de Feuardent, le dernier rejeton du
vieux chêne normand déraciné, orpheline à la merci du
sort, fut recueillie par la famille des Aveline, qui avait
de grandes obligations aux Feuardent, et qui l'éleva
avec ses autres enfants comme un enfant de plus. Sans
cela, elle aurait pu aller rejoindre dans leur misère ces
marquis de Pottigny, « que j'ai vus aux portes, Monsieur ! » me disait maître Louis Tainnebouy avec une
espèce d'horreur religieuse, mourant éclat de cette
flamme divine du respect des races, éteinte maintenant
dans tous les cœurs et qui brillait encore dans ce dernier
peut-être des paysans d'autrefois !

Les Aveline (Aveline de la Saussaye, comme ils se
faisaient appeler) étaient de ces bourgeois d'un honneur
antique, qui, sous l'ancienne monarchie française,
étaient les nobles du lendemain, car la noblesse finissait
toujours par leur ouvrir son sein, en les investissant de
certaines charges [73], grave initiation à la vie publique,
qu'on ne définissait point comme aujourd'hui : le
gouvernement de tous par tous, — ce qui est impossible
et absurde, — mais le gouvernement de tous par
quelques-uns, ce qui est possible, moral et intelligent.
Jeanne-Madelaine de Feuardent prit sa part d'une
éducation aussi cultivée qu'elle pouvait l'être à la
campagne et à cette époque, mais qui l'était trop encore
pour la vie qui devait lui échoir. Ce qui eût convenu à la
fille des Feuardent ne devenait-il pas un danger pour
une femme dont la destinée n'était pas au niveau du
nom !... Quand elle atteignit l'âge nubile, la Révolution
était finie [74], et les enfants des Aveline, élevés avec elle,
mariés et dispersés dans les environs, la laissèrent seule
avec leurs vieux parents, qui, se voyant au bord de
leurs tombes, songèrent aussi à l'établir. Maître Le

Hardouey se présenta, et, comme il n'avait pas encore
taché sa réputation d'honnête homme en achetant du
bien d'émigré, les Aveline appuyèrent sa recherche
auprès de leur fille d'adoption. Cependant, Jeanne-
Madelaine n'aimait guères son prétendu. Le sang des
Feuardent bouillonnait dans ce cœur vierge à l'idée
d'épouser un paysan et un homme comme maître
Thomas Le Hardouey, beaucoup plus âgé qu'elle et
d'une rudesse de mœurs et de caractère qui choquait ses
instincts délicats de jeune fille. Elle ne l'agréa donc
point tout d'abord. Il fallut même le cruel empire des
circonstances pour la décider, non pas à donner sa main,
mais à se la laisser prendre par cet homme pour qui elle
n'éprouvait que de l'éloignement. La prévoyance, cette
sévère conseillère, la prévoyance, ce sentiment si profondément normand, lui montra l'avenir dans toute sa
sombre et inquiétante réalité. Les Aveline pouvaient
mourir d'un instant à l'autre, et alors que deviendrait-
elle? La Révolution avait détruit ces couvents, asiles
naturels des filles nobles sans fortune, dont la fierté ne
voulait pas souffrir la honte forcée d'une mésalliance.

Quelle ressource devait lui rester? Serait-elle obligée
d'aller comme ouvrière *à la journée*, ou, ce qui serait
pire encore, d'entrer quelque part en condition?... Une
telle pensée navrait son courage. Elle se souvenait aussi
de sa mère, qui était une plébéienne, et voilà comment,
les dernières fiertés de son cœur vaincues, elle détourna
la tête et se laissa épouser.

Car sa mère, cette *Louisine-à-la-hache*, comme l'avait
appelée Nônon Cocouan, était la première mésalliance
de ces Feuardent dont elle portait le nom et qui
devaient à jamais s'éteindre en elle. Elle, Jeanne-
Madelaine, serait la seconde, mais ce serait la dernière.

En effet, son père, le seigneur de Feuardent, avait
couronné une vie d'excès et de folies par un mariage qui

l'avait mis, comme on dit, au ban de toute la noblesse du pays.

Il avait épousé, dans l'âge où les passions des hommes qui furent longtemps passionnés contractent je ne sais quoi de plus impérieux et de plus désordonné que dans la superficielle jeunesse, la fille d'un simple garde-chasse d'un seigneur de ses amis, son voisin de terre, le seigneur de Sang-d'Aiglon, vicomte de Haut-Mesnil[75]. Cet ami, ce Sang-d'Aiglon de Haut-Mesnil, était un homme beaucoup plus taré et décrié que jamais ne l'avaient été les Feuardent. Il a laissé dans le pays des souvenirs tels que, si on les remue encore aujourd'hui dans l'esprit des générations qui entendirent parler de cet homme à leurs pères, il en sort ou le feu d'une imprécation ou la pâleur glacée de l'effroi.

Pendant vingt ans, il avait été l'horreur et la désolation de la contrée. Dernier venu d'une race faite pour les grandes choses, mais qui, décrépite, et physiologiquement toujours puissante, finissait en lui par une immense perversité, il était duelliste, débauché, impie, contempteur de toutes les lois divines et humaines; il avait enfin tous les vices qui peuvent tenir en faisceau dans un lien de fer sans le fausser, car son âme en était un que la plus épouvantable corruption ne put amollir.

On disait que la fille de son garde, le vieux Dagoury, le fameux sonneur de trompe qui sonnait toujours dans une chasse et faussait les meilleurs instruments avec son souffle de fer rougi, si bien qu'on prétendait qu'il avait fait un pacte avec le Diable pour pouvoir sonner de cette force-là! oui, on disait que la fille de Dagoury était la sienne, et la dissolution des mœurs du maître expliquait bien la honte du valet. Cette fille était la belle Louisine. Ce qui autorisait encore de pareils bruits, c'est que Louisine n'était point traitée au château de Haut-Mesnil comme la fille d'un serviteur. Elle y

jouissait d'une position étrange, exceptionnelle, osée,
depuis le jour surtout où elle avait conquis, par une
intrépidité étonnante dans une si jeune enfant, ce nom
singulier de *Louisine-à-la-hache* qu'elle porta jusqu'à sa
mort. Voici le fait en quelques mots :

Un jour, un dimanche, tous les gens du village étaient
à la grand-messe, et depuis une semaine Ruffin
Dagoury chassait le sanglier avec son maître dans les
forêts des environs.

Il n'y avait que Louisine au château. C'était d'autant
plus imprudent de le *faire garder* par une fille de quinze
ans, qu'à cette époque le pays était infesté par une
troupe de brigands fort redoutables. Mais c'est aussi un
trait caractéristique de la Normandie que la téméraire
sécurité de ce pays qui *tient tant à son fait*, comme il dit
dans son langage antique et populaire, et qui ne songe à
le défendre que quand on a littéralement *la main dessus*.

Ainsi, dans mon enfance, j'ai vu des fermiers isolés,
n'ayant des voisins qu'à une lieue de là, coucher
tranquillement, la porte ouverte. On s'y croyait toujours au temps de Rollon. La Louisine, avec ses quinze
ans, n'était qu'une amorce de plus, une odeur de chair
fraîche pour les misérables vagabonds qui couraient,
pillaient, et parfois incendiaient le pays.

Mais, de son pays plus que personne, elle n'y songeait
guères, ce jour-là. Elle allait et venait dans la cuisine.
Et comme elle taillait un de ces énormes morceaux de
pain bis que l'on appelle un *mousquetaire* et qu'elle
appuyait contre son sein rond et calme, voilà qu'un
mendiant poussa la porte et lui demanda la charité.

« Entrez, mon bonhomme, — lui dit-elle, — et
asseyez-vous sur le banc. Je taille la soupe, elle sera
bientôt trempée, et je vous en donnerai plein votre
écuelle. »

Le pauvre s'assit en geignant, et Louisine continua de vaquer aux soins du ménage.

Mais, dans l'entre-deux de ces soins, comme elle était passée dans une pièce voisine, elle vit dans la *mirette*, devant laquelle elle ajusta son tour de gorge des dimanches, le mendiant qui rattachait sa fausse barbe grise ; et ce fut alors que l'idée des vols et des assassinats dont on parlait tant dans le pays lui revint. « On n'est pas encore au sacrement de la messe, — pensa-t-elle, — et, sans doute, ce mendiant n'est pas seul. » Comme elle sentait qu'elle devenait pâle, elle alla au feu et s'y pencha, pour que la chaleur fît remonter le sang à ses joues. Bientôt elle enleva la marmite à bras tendu et la porta fumante dans la pièce où elle était allée déjà, et en referma la porte. Après qu'elle eut versé la soupe dans un plat de terre où elle avait coupé le pain par tranches, elle regarda encore une fois bien furtivement par la serrure, comme elle avait fait dans la mirette, et elle vit le mendiant qui ouvrait un grand couteau par-dessous la table auprès de laquelle il s'était assis. Alors, avec ce sang-froid de la tête que ne troublent pas les plus impétueuses palpitations de nos cœurs, elle coucha une hache sur le pli de son bras nu, et, prenant avec les deux mains le vase de terre dans lequel la soupe bouillait :

« Bonhomme ! — cria-t-elle à travers la porte, — voici votre soupe ; mais j'ai les deux mains chargées, ouvrez-moi ! »

Le brigand, son couteau à la main, vint lui ouvrir pour se jeter sur elle ; mais, cruelle jusque dans sa vaillance, elle lui jeta dans les yeux cette soupe bouillante qui l'aveugla et le fit hurler de douleur. Puis, saisissant la hache au pli de son bras, elle l'en frappa dans le front, adroite comme un boucher qui frappe le bœuf entre les cornes et l'abat, le front fendu, d'un seul

coup. Elle laissa la hache dans la blessure et sauta par-
dessus le corps du bandit, tombé dans une mare de
sang, comme elle eût sauté une touffe d'églantiers au
bout d'un buisson. Elle respirait toutes les qualités de
son pays dans son action.

Prévoyante autant qu'inspirée, elle ferma la porte au
verrou, poussa contre cette porte la grosse table de la
cuisine, et, décrochant le fusil de son père au manteau
de la cheminée, elle monta *en haut*, sans plus s'inquiéter
de ce corps vautré dans son sang et qui râlait son
agonie. Une fois montée, elle arma son fusil, ouvrit la
fenêtre, et attendit.

Deux brigands parurent. Ils allèrent d'abord à cette
porte, qu'ils trouvèrent fermée, à leur grand étonnement ; puis, levant les yeux, ils l'aperçurent.

« Ouvre-nous la porte, fillette ! » — lui crièrent-ils.

Mais la fillette les coucha en joue et les menaça de
faire feu s'ils ne se retiraient pas. Eux se moquèrent de
cette jeunesse, et, comme ils essayaient de forcer la
porte, l'un d'eux tomba frappé dans le cœur. L'autre
crut venger son complice en envoyant une balle à cette
jeune fille, qui rechargeait le fusil de son père. La balle
emporta la coiffe de linon de Louisine, qui resta
décoiffée, et que les gens du château, en revenant de la
messe, trouvèrent à la fenêtre, son fusil armé, les joues
aussi ardentes que le ruban de fil rouge qui retenait à sa
tête son abondant chignon, blond comme une gerbe
d'épis mûrs.

Le brigand s'était sauvé, et, s'il y en avait d'autres
dans le voisinage, la fin de la messe s'avançant, ils
n'avaient pas osé venir.

C'était depuis cette aventure mémorable que la
Louisine avait été traitée au château comme une enfant
gâtée, ou comme une sultane favorite. Cette mâle
intrépidité dans une fillette, cette enfant à qui il ne

fallait peut-être, pour être une héroïne, que l'occasion historique, cette Jeanne Hachette obscure, qui n'avait pas tous les yeux d'une ville sur elle pour lui décharger dans le cœur les chocs électriques du courage, fut l'objet de l'enthousiasme des amis du vicomte de Haut-Mesnil, de ces nobles qui, à travers leurs vices, n'avaient qu'une vertu restée fidèle, la vertu du sang, la bravoure. Remy de Sang-d'Aiglon crut sans doute reconnaître une inspiration de sa race dans le courage de cette enfant, et sentit sa paternité longtemps muette se réveiller par les tressaillements de l'orgueil.

Il fit asseoir Louisine à sa table et lui donna, malgré sa jeunesse, la haute main et la surveillance du château. Souvent, il l'emmena dans ses parties de chasse. Il aimait à la voir abattre un sanglier aussi bien que lui, et monter avec l'adresse hardie d'une Cotentinaise les chevaux les plus jeunes et les plus fringants. A coup sûr, si Louisine avait eu l'âme faible, c'eût été pour elle une mauvaise école que le château de Haut-Mesnil, que ces festins qu'elle présidait au retour des chasses, et dont les convives y amenaient des femmes sans vertu et se gênaient d'autant moins qu'elle n'était pas une *demoiselle*, une fille de leur rang, et que tout le leur rappelait, même le costume de Louisine-à-la-hache; car elle avait gardé son bavolet et cette fière coiffe de la conquête, abandonnée aux paysannes en Normandie, mais qui n'en est pas moins digne de la tête d'une fille de roi. Heureusement, Louisine, qui n'avait plus de mère, était de cette famille d'êtres forts qui s'élèvent seuls, et dont Dieu a sculpté la lèvre de manière à trouver de quoi boire aux mamelles de bronze de la Nécessité.

Elle sut imposer un respect qu'ils ne connaissaient plus aux hommes sans frein dont elle était entourée. Elle inspira même à quelques-uns d'entre eux de ces passions d'âmes inassouvies qui se soulèvent avec les rages du vieux Tibère à Caprée, contre leur propre assouvissement.

On le conçoit. La jeune fille en elle voilait l'amazone de ses timidités rougissantes.

C'était un piquant mélange que cette combinaison d'intrépidité et de suave faiblesse dans cette jeune et innocente meurtrière de deux hommes, que ces quelques gouttes d'un sang fièrement versé, retrouvées sur ses bras, plus frais que la fleur des pêchers! C'était un goût nouveau qu'aurait ce breuvage dans leur verre, à ces blasés de gentilshommes, à ces satrapes usés de jouissances; et plus d'une fois ils voulurent l'y faire couler! Mais Louisine-à-la-hache, on l'a vu, savait se défendre, et elle se défendit si bien que Loup de Feuardent, qui n'avait plus guères qu'un débris de fortune et à qui nulle femme de hobereau bas-normand n'aurait voulu donner sa fille, ayant conçu pour elle une passion irrésistible, mit cette tache dans son blason et l'épousa [76].

Telle avait été la mère de Jeanne, cette célèbre Louisine-à-la-hache, à qui Jeanne ressemblait, disaient ceux qui l'avaient connue. Louisine était morte bien peu de temps après la naissance de sa fille. Le pied d'un cheval furieux brisa ce cœur qui battait dans une poitrine digne d'allaiter des héros, et broya ce beau sein dont jamais nulle passion mauvaise n'avait altéré le lait pur. Louisine avait transmis à sa fille la force d'âme qui respirait en elle comme un souffle de divinité; mais, pour le malheur de Jeanne-Madelaine, il s'y mêlait le sang de Feuardent, d'une race vieillie, ardente autrefois comme son nom, et ce sang devait produire en elle quelque inextinguible incendie, pour peu qu'il fût agité par cette vieille sorcière de Destinée qui remue si souvent nos passions dans nos veines endormies, avec un tison enflammé! Hélas! quand Jeanne avait épousé

Thomas Le Hardouey, elle avait senti un soulèvement de ce sang qui arrosait dans son cœur les rêves que toute jeune fille y porte, et qui rendait les siens plus brûlants et plus impérieux.

Mais elle mit par-dessus cet orage la volonté courageuse qu'elle tenait de sa mère, et l'idée que ce sang, après tout, confondu avec celui d'une fille du peuple, n'avait pas tant le droit de gronder! Plus tard, la vie active, cette laborieuse et saine existence des cultivateurs, qu'elle avait épousée avec son mari, le ménage, l'intérêt domestique, l'éloignement de la classe à laquelle elle appartenait par son père, pesèrent et agirent sur elle avec tant d'empire qu'elle ne semblait plus que ce qu'elle devait être, c'est-à-dire une femme qui avait pris son parti avec le sort et qui portait au doigt son *alliance* de mariage, comme le premier anneau de cette chaîne, formée de devoirs, que, parmi nous autres chrétiens, on appelle la résignation.

Elle avait été belle comme le jour à dix-huit ans : moins belle cependant que sa mère; mais cette beauté, qui passe plus vite dans les femmes de la campagne que dans les femmes du monde, parce qu'elles ne font rien pour la retenir, elle ne l'avait plus.

Je veux parler de cette chair lumineuse de roses fondues et devenues fruit sur des joues virginales, de cette perle de fraîcheur des filles normandes près de laquelle la plus pure nacre des huîtres de leurs rochers semble manquer de transparence et d'humidité. A cette époque, les soins de la vie active, les soucis de la vie domptée, avaient dû éteindre au visage de Jeanne cette nuance des larmes de l'Aurore sous une teinte plus humaine, plus digne de la terre dont nous sommes sortis et où bientôt nous devons rentrer : la teinte mélancolique de l'orange, pâle et meurtrie. Grands et réguliers, les traits de *Maîtresse* Le Hardouey avaient conservé la

noblesse qu'elle avait perdue, elle, par son mariage.
Seulement, ils étaient un peu hâlés par le grand air, et
parsemés de ces grains d'orge savoureux et âpres, qui
vont bien, du reste, au visage d'une paysanne. La
centenaire comtesse Jacqueline de Montsurvent, qui
l'avait connue, et dont le nom reviendra plus d'une fois
dans ces Chroniques de l'Ouest, m'a raconté que c'était
surtout aux yeux de Jeanne-Madelaine qu'on reconnaissait la Feuardent. Partout ailleurs, on pouvait
confondre la femme de Thomas Le Hardouey avec les
paysannes des environs, avec toutes ces magnifiques
mères de conscrits qui avaient donné ses plus beaux
régiments à l'Empire; mais aux yeux, non! il n'était
plus permis de s'y tromper. Jeanne avait les regards de
faucon de sa race paternelle, ces larges prunelles d'un
opulent bleu d'indigo foncé comme les quinte-feuilles
veloutées de la pensée, et qui étaient aussi caractéris-
tiques des Feuardent que les émaux de leur blason. Il
n'y a que des femmes ou des artistes pour tenir compte
de ces détails. Naturellement, ils avaient échappé à
maître Louis Tainnebouy, comme bien d'autres choses
d'ailleurs, quand il m'avait raconté l'histoire que j'ai
complétée depuis qu'il m'en eut touché la première
note, dans cette lande de Lessay où nous nous étions
rencontrés [77]. Lui, mon rustique herbager, jugeait un
peu les femmes comme il jugeait les génisses de ses
troupeaux, comme les pasteurs romains durent juger les
Sabines qu'ils enlevèrent dans leurs bras nerveux : il ne
voyait guère en elle que les signes de la force et les
aptitudes de la santé. Avec sa taille moyenne, mais bien
prise, sa hanche et son sein proéminents, comme toutes
ses compatriotes dont la destination est de devenir
mères, si Jeanne n'était plus alors une femme belle,
pour maître Tainnebouy, elle était encore une belle
femme. Aussi, quand il m'en parla, et quoiqu'elle fût

morte depuis des années, son enthousiasme de bouvier
bas-normand s'exâlta et atteignit des vibrations superbes, je dois en convenir. « Ah! Monsieur, — me disait-il
en frappant de son pied de frêne les cailloux du chemin,
— c'était une fière et verte commère! Il fallait la voir
revenant du marché de Créance, sur son cheval bai, un
cheval entier, violent comme la poudre, toute seule, ma
foi! comme un homme; son fouet de cuir noir orné de
houppes de soie rouge à la main, avec son justaucorps
de drap bleu et sa jupe de cheval ouverte sur le côté et
fixée par une ligne de boutons d'argent! Elle brûlait le
pavé et faisait feu des quatre pieds, Monsieur! Et il n'y
avait pas dans tout le Cotentin une femme de si grande
mine et qu'on pût citer en comparaison [78]! »

VI

Jeanne Le Hardouey, après avoir quitté Nônon
Cocouan, se dirigea vers le Clos par le chemin qu'elle
suivait souvent. Ai-je besoin de dire maintenant que
c'était une de ces femmes dont les impressions se
succédaient avec la régularité que leur naturel imprime
aux êtres forts? Et cependant le prêtre qu'elle venait de
voir, ce tragique Balafré en capuchon, et ce que lui en
avait raconté cette *flânière* de Nônon Cocouan, s'enfonçait en elle avec puissance et l'empêchait de marcher
aussi vite qu'elle l'aurait fait dans tout autre moment.
Les chemins étaient déserts. Les gens des vêpres s'en
étaient allés dans des directions différentes. Malgré ce
qu'elle avait dit à Nônon, qu'elle irait vite une fois
qu'elle serait seule, elle ne se hâtait pas, car nulle peur
ne la dominait. Il ne faisait pas froid, du reste. Le

temps était doux, quoique agité. C'était une de ces
molles journées du commencement de l'hiver où le vent
souffle du sud, et où les nuées, grises comme le fer et
basses à toucher presque avec la main, semblent peser
sur nos têtes. Jeanne ne vit rien qui justifiât les
appréhensions de la Cocouan.

Elle passa de jour encore au Vieux Presbytère. Tout
y était solitaire et silencieux. Seulement, sous une des
grandes ouvertures de la cour, cintrée comme l'arche
d'un pont et fermée autrefois par des portes colossales,
maintenant arrachées de leurs énormes gonds, restés
rouillés dans les murs, elle aperçut un de ces bergers
rôdeurs, la terreur du pays, occupé à faire brouter à
quelques maigres chèvres l'herbe rare qui poussait dans
les cours vides de cette espèce de manoir.

Elle le reconnut. C'était un berger qui s'était, il y
avait peu de temps, présenté chez maître Thomas Le
Hardouey pour de l'ouvrage, et que maître Thomas
avait durement repoussé, ne voulant pas, disait-il,
employer des gens sans aveu. Le Hardouey partageait
contre ces gens-là les préjugés de maître Tainnebouy,
qui sont, du reste, les préjugés universels de la contrée.
Mais, comme il était riche et puissant, il ne cachait pas
ses antipathies, et il semblait provoquer les bergers à
une lutte ouverte contre lui pour les accabler.

On lui avait plus d'une fois entendu dire, soit au
moulin, chez Lendormi, soit à la forge, chez Dussaucey,
le maréchal-ferrant, qu'à la première mortalité de ses
bêtes, au moindre malheur qui arriverait et qu'on
pourrait imputer aux bergers, il en nettoierait le pays
pour tout jamais. Certainement de telles paroles, que
beaucoup de gens trouvaient imprudentes, n'étaient pas
ignorées des hommes contre lesquels elles avaient été
proférées, et cela pouvait donner à Jeanne, isolée dans
des chemins écartés, l'idée que l'homme chassé par son

mari et qu'elle y rencontrait par hasard était fort
capable de lui *faire un mauvais parti;* mais, si cette idée
lui vint à la tète, elle n'en montra rien, et elle fut la
première, selon la coutume des campagnes quand on se
rencontre, à adresser la parole au berger.

Il était assis sur une de ces grosses pierres comme on
en trouve à côté de toutes les portes en Normandie. Il
était enveloppé dans sa limousine aux grandes raies
rousses et blanches [79], espèce de manteau qui ressemble
à un cotillon de femme qu'on s'agraferait autour du
cou. Son immobilité était telle que ses yeux mèmes ne
remuaient pas et qu'on l'aurait volontiers pris pour une
momie druidique, déterrée de quelque caverne gauloise.

Il était nécessaire que Jeanne, pour gagner dans la
direction où elle marchait, passât devant lui, et il dut la
voir venir à plus de vingt pas de distance; mais ses yeux
verdàtres, qui, comme les yeux de certains poissons,
semblaient avoir été faits pour traverser des milieux
plus denses que l'élément qui nous entoure, ne témoi-
gnaient point par leur expression qu'ils l'eussent seulement aperçue.

« Dis donc, le pàtre! — lui cria-t-elle, — y a-t-il
longtemps que les gens qui sortaient des vèpres sont
passés, et crois-tu qu'en traversant la Prairie aux Ajoncs
qui coupe le chemin d'ici au Clos je pourrais encore les
rattraper? »

Mais il ne répondit pas. Il ne fit pas un geste. Ses
yeux restèrent dans la direction qu'ils avaient quand
elle s'était trouvée devant lui, et elle se crut obligée de
répéter plus haut la question qu'elle lui avait faite,
pensant qu'il ne l'avait pas entendue.

« Es-tu sourd, pàtureau? — lui dit-elle, impatientée
comme une femme qui a l'habitude d'être obéie et pour
qui toute parole aux inférieurs était commandement.

— Sourd pour vous, vère! — dit enfin le berger,

toujours immobile; — sourd comme un *mouron* [80],
sourd comme un caillou, sourd comme votre mari et
vous avez été sourds pour moi, maîtresse Le Hardouey!
Pourquoi m' demandez-vous quéque chose? Ne m'avez-
vous pas tout refusé l'aut'e jour? Je n'ai rien à vous
dire, pas plus que vous n'avez eu rien à me donner.
T'nez, — ajouta-t-il en prenant un long fétu à la paille
de ses sabots et le brisant, — la paille est rompue!
Craivez-vous que les deux bouts que v'là et que je jette,
le vent qui souffle puisse les réunir et les renouer? »

Il y avait un tremblement de colère dans la voix
gutturale de ce pâtre, qui accomplissait, sans le savoir,
à des siècles de distance, le vieux rite de guerre des
anciens Normands.

« Allons, allons! pas de rancune, berger! — répondit
Jeanne en voyant qu'elle était seule avec cet homme
irrité, qui tenait à la main un bâton de houx, coupé
fraîchement dans les haies. — Dis-moi ce que je te
demande, et quand tu passeras par le Clos et que mon
mari sera absent je te mettrai du pain blanc et un bon
morceau de lard dans ton bissac.

— Gardez votre pain et votre lard pour vos chiens!
— reprit-il. Ce n'est pas avec de la viande ou du pain
qu'on apaise la colère d'un homme. Non, non! l'homme
qui dépendrait de son ventre au point de manger l'oubli
des injures avec le pain qu'on lui jetterait n'aurait
qu'un gésier à la place de cœur. J' compterons plus
tard, maîtresse Le Hardouey!

— Prends garde aux menaces, pâtureau! — fit-elle,
plus menaçante que lui et entraînée par son caractère
décidé.

— Ah! je sais bien — dit le berger avec un regard
profond et une bouche amère — que vous êtes haute
comme le temps, maîtresse Le Hardouey! Mais vous
n'êtes pas ici sous les poutres de votre cuisine. Vous êtes

au Vieux Presbytère, dans un mauvais carrefour où âme
qui vive ne passera plus maintenant que demain matin.
Qu'est-ce donc qui m'empêcherait, si je voulais? —
ajouta-t-il lentement en grinçant un sourire féroce qui
fit briller son œil vitreux, et montrant son bâton de
houx... — Mais je ne veux pas! Non, je ne veux pas! —
fit-il avec explosion. — Les coups attirent les coups.
Lâchez c'te pierre que vous avez prise et soyez
tranquille. Je ne vous toucherai pas! Ils diraient que je
vous ai assassinée, si je portais seulement la main à
votre chignon, et je roulerais bientôt au fond de la
prison de Coutances. Il y a de meilleures vengeances, et
plus sûres. La corne met du temps à venir au tauret, et
ses coups n'en sont que plus mortels. Allez! marchez! —
insista-t-il d'une voix sinistre. — Vous vous souviendrez
longtemps des vêpres d'où vous sortez, maîtresse
Le Hardouey! »

Et il se leva de sa pierre conique, se prit à siffler un
air bizarre qui attira un chien aux longs poils blancs,
droits et pointus comme des arêtes, et de cette espèce
particulière dite *de berger*, le plus intelligent des chiens,
mais aussi le plus mélancolique; et il alla rassembler ses
chèvres éparses dans la cour.

Jeanne, trop fière pour ajouter un mot à ceux qu'elle
avait déjà prononcés, passa et prit la Prairie aux
Ajoncs, moins inquiète de la déclaration de guerre du
berger que frappée de ses dernières paroles. Qu'enten-
dait-il, en effet, par ces vêpres dont il lui disait de se
souvenir? Quel rapport pouvait-il y avoir entre une
cérémonie religieuse et un de ces pâtres qui n'avaient
peut-être pas reçu le baptême, païens ambulants qu'on
ne voyait jamais aux églises et qu'on avait plus d'une
fois rencontrés menant paître leurs brebis sur l'herbe
sacrée des cimetières, au grand scandale des gens
religieux? Ces vêpres, il est vrai, étaient déjà marquées

pour elle d'un point de rappel singulier : la vue de ce
prêtre inconnu qui lui avait mis au cœur des sensations
si peu familières à sa nature tranquille et forte! Le mot
du berger, coïncidant avec la rencontre de ce martyr des
Bleus, comme lui avait conté Nônon, des Bleus, contre
lesquels se serait battu Loup de Feuardent s'il avait
vécu lors des guerres de l'Ouest, ce mot, venant après
l'impression qu'elle avait reçue pendant les vêpres, la
redoublait et la faisait fermenter en elle. C'est quelquefois une si faible chose que le mystère d'organisation de
la tête humaine, qu'une circonstance (la plus misérable
des circonstances, une coïncidence, un hasard) la
trouble d'abord et finit par l'asservir. Jeanne rentra au
Clos toute pensive, ne pouvant s'empêcher d'associer
dans ses émotions intérieures l'idée du sombre prêtre et
les menaces du berger [81].

Mais son activité et ses occupations ordinaires la
tirèrent *de devant elle*, comme on dit, et lui furent de
salutaires distractions. Elle se débarrassa de sa pelisse
bleue et de ses sabots aux *plettes* [82] noires, et elle se mit
à tourner dans sa maison, le front aussi serein que si
rien d'insolite n'avait traversé son esprit.

Elle donna ses ordres accoutumés pour le souper des
gens, leur parla à tous comme elle en avait l'habitude et
fixa à chacun sa quote-part de travail pour la journée
du lendemain. Domestiques et journaliers, les gens du
Clos étaient nombreux et formaient une large attablée
dans la cuisine de maître Thomas Le Hardouey. Pendant que Jeanne surveillait toutes choses avec cet œil
vigilant qui est l'attribut de la royauté domestique
comme de l'autre royauté, elle entendit qu'on s'entre-
tenait, autour de la table, du prêtre au noir capuchon
qui avait presque épouvanté à la procession tous les
paroissiens de Blanchelande. C'était là l'événement du
jour.

« Je ne sais pas son nom de chrétien, — disait le
grand valet, beau parleur aux cheveux frisés, qui
mangeait une énorme galette de sarrasin beurrée de
graisse d'oie, — mais Dieu me punisse si on lui ferait
tort en l'appelant l'abbé de la *goule fracassée!*

— J'ai bien vu des coups de fusil dans ma vie, —
reprenait à son tour le batteur en grange, qui avait servi
sous le général Pichegru, — mais je ne peux croire que
ce soient là des véritables marques de coups de fusil
tirés par les hommes. Si le diable en a une fabrique dans
l'arsenal de son enfer, ils doivent marquer comme cela
ceux qu'ils atteignent et qu'ils ne couchent pas à tout
jamais sur le carreau. Au demeurant, il a plus l'air d'un
soldat que d'un prêtre, ce capuchon-là! Je l'ai vu
samedi, vers quatre heures de relevée, qui galopait dans
le chemin qui est sous la Chesnaie Centsous[83], un
chemin de perdition où verse plus d'une paire de
charrettes par hiver; il montait une pouliche qui
semblait avoir le feu sous le ventre. Par le *flèl*[84] du
démon! je vous *affie* et certifie qu'il n'y avait pas dans
toute l'armée de Hollande, de l'époque où j'y étais, bien
des douzaines de capitaines de dragons aussi crânement
vissés que lui sur leur selle. »

Ceci se rapportait assez exactement à ce qu'avait dit
Nònon Cocouan à Jeanne de l'arrivée du prêtre étranger
chez M. le curé de Blanchelande. Mais, hors ce détail,
les domestiques du Clos en savaient beaucoup moins
long que Nònon sur le compte de cet abbé, dont la
présence inattendue et la grandiose laideur avaient
remué pourtant cette population, si peu extérieure,
occupée de travail et de gain, fidèle à l'esprit de ses
pères, dont l'ancien cri de guerre était : *gainage*[85]!
lourde à soulever par conséquent, et qui n'a pas, comme
les populations du Midi, de pente naturelle vers
l'émotion et l'intérêt dramatique.

Or, il était dit que, ce soir-là, Jeanne ne pourrait se séparer de la pensée de l'être funeste qu'elle avait vu sous ces vêtements de prêtre, si peu faits pour lui. Elle la repoussait comme une obsession fatidique, et tout, autour d'elle, la lui rejetait. Il y a parfois dans la vie de ces entrelacements de circonstances qui semblent donner le droit de croire au destin! Les domestiques sortis ou couchés, après leur repas du soir, Jeanne-Madelaine ordonna le souper de son mari et le sien.

Habituellement, maître Thomas Le Hardouey, quand il n'était pas aux foires et aux marchés des cantons voisins, ne rentrait guère au Clos que vers sept heures, pour souper tête à tête avec sa femme ou un ami en tiers, quelque fermier des environs, invité à venir jaser, à la veillée. La maison du Clos qu'ils habitaient était un ancien manoir un peu délabré vers les ailes, séparé de la ferme, placé au fond d'une seconde cour [86], et quoique ce manoir fût divisé en plusieurs appartements, qu'il y eût une salle à manger et un *salon de compagnie* où Jeanne avait rangé, avec un orgueil douloureux, toute la richesse mobilière qu'elle avait de son père, c'est-à-dire quelques vieux portraits de famille des Feuardent, cependant elle et son mari mangeaient sur une table à part, dans leur cuisine, ne croyant pas déroger à leur dignité de maîtres ni compromettre leur autorité en restant sous les yeux de leurs gens.

C'est une idée du temps présent, où le pouvoir domestique a été dégradé comme tous les autres pouvoirs, de croire qu'en se retirant de la vie commune on sauvegarde un respect qui n'existe plus. Il ne faut pas s'abuser : quand on s'abrite avec tant de soin contre le contact de ses inférieurs, on ne préserve guères que ses propres délicatesses, et qui dit délicatesse dit toujours un peu de faiblesse par quelque côté. Certainement, si les mœurs étaient fortes comme elles l'étaient

autrefois, l'homme ne croirait pas que s'isoler de ses
serviteurs fût un moyen de se faire respecter ou
redouter davantage. Le respect est bien plus personnel
qu'on ne pense. Nous sommes tous plus ou moins
soldats ou chefs dans la vie; eh bien! avons-nous jamais
vu que les soldats en campagne fussent moins soumis à
leurs chefs parce qu'ils vivent plus étroitement avec
eux? Jeanne Le Hardouey et son mari avaient donc
conservé l'antique coutume féodale de vivre au milieu
de leurs serviteurs, coutume qui n'est plus gardée
aujourd'hui (si elle l'est encore) que par quelques
fermiers représentant les anciennes mœurs du pays.
Jeanne-Madelaine de Feuardent, élevée à la campagne,
la fille de Louisine-à-la-hache, n'avait aucune des
fausses fiertés ou des pusillanimes répugnances qui
caractérisent les femmes des villes. Pendant que la
vieille Gotton préparait le souper, elle dressa elle-même
le couvert. Elle dépliait une de ces belles nappes
ouvrées, éblouissantes de blancheur et qui sentent le
thym sur lequel on les a étendues, quand maître
Le Hardouey entra, suivi du curé de Blanchelande,
qu'il avait rencontré, dit-il, au bas de l'avenue qui
menait au Clos.

« Jeanne, — fit-il, — v'là M. le curé que j'ai
rencontré dans ma tournée d'après les vèpres, et que
j'ai engagé, comme c'est dimanche, à venir souper avec
nous. »

Jeanne accueillit le curé comme elle avait accoutumé
de le faire. Elle le voyait souvent, et souvent elle lui
avait donné de l'argent ou du blé pour les pauvres de la
paroisse; car, religieuse d'éducation et royale de cœur,
Jeanne était aumônière, comme disaient les mendiants
du pays, qui ôtaient leur bonnet de laine grise quand ils
parlaient d'elle.

Cette libéralité, qui s'exerçait parfois à l'insu de

maître Le Hardouey, était une raison pour que le curé
vînt fréquemment au Clos. Il n'y était guère attiré par
le maître du logis, qui avait acheté des biens d'Église, et
dont la réputation était, pour cette raison, loin d'être
bonne.

Le Temps, qui jette sur toutes choses, grain à grain,
une impalpable poussière, laquelle, sans l'Histoire, fini-
rait par couvrir les événements les plus hauts, le Temps
a déjà répandu son sable niveleur sur bien des circonstances d'une époque si peu éloignée, et nous n'avons
plus la note juste que donnaient les sentiments d'alors.
Un acquéreur des biens d'Église inspirait à peu près
l'horreur qu'inspire le voleur sacrilège, et il n'y a guère
que la raison immortelle de l'homme d'État qui
comprenne bien aujourd'hui ce qu'avait de grand et de
sacré une opinion qui paraît excessive aux esprits lâches
et perdus de la génération actuelle. Au sortir de ces
guerres civiles, le curé de Blanchelande avait besoin de
se rappeler son ministère de paix et de miséricorde pour
ne pas regarder Thomas Le Hardouey comme un
ennemi. Aussi n'était-ce qu'en considération de Jeanne
qu'il acceptait les politesses du riche propriétaire, son
paroissien. Ce dernier les faisait, du reste, un peu par
déférence pour sa femme, et aussi par cet esprit de faste
grossier et d'hospitalité bruyante, l'attribut de tous les
parvenus. Le curé, d'un autre côté, avait en lui tout ce
qui fait pardonner d'être prêtre aux esprits irréligieux,
bornés et sensuels comme était Le Hardouey et comme
il en est tant sorti du giron du dix-huitième siècle.
L'abbé Caillemer était ce qu'on appelle un homme à
pleine main, de joviale humeur, rond d'esprit comme de
ventre, ayant de la foi et des mœurs, malgré son amour
pour le cidre en bouteille, le *gloria* [87] et le pousse-café,
trois petits écueils contre lesquels, hélas! vient échouer
quelquefois la mâle sévérité d'un clergé né pauvre, et

dont la jeunesse n'a pas connu les premières jouissances de la vie. L'abbé Caillemer ajoutait à toutes ces qualités vulgaires de n'avoir point, dans son être extérieur, ce caractère de dignité sacerdotale que la basse classe des esprits ne peut souffrir, parce qu'il lui impose et qu'elle est obligée de le respecter.

« Quand j'ai rencontré M. le curé, — fit le fermier en s'asseyant à sa table, étincelante de pots d'étain, et en s'adressant à sa femme, — il n'était pas seul, il avait avec lui un confrère. Et si ce n'était pas un confrère, et que je ne craignisse pas de manquer de respect à M. le curé, je dirais qu'il a plutôt l'air d'un diable que d'un prêtre. Je l'ai invité aussi à notre repas, quoique, par ma foi, Jeannine, vous eussiez bien pu, toute hardie que vous êtes, en avoir peur. »

Jeanne sourit, mais la pommette de sa joue brûlait.

« Je sais, — dit-elle; — je l'ai vu aux vêpres et au salut.

— C'est l'abbé de La Croix-Jugan, ma chère madame, — fit le curé en nouant sa serviette sous son menton pour ne pas gâter, en mangeant, sa belle soutane des dimanches, — et vous avez tort de prendre pour de la fierté, je vous l'ai déjà dit, maître Le Hardouey, le refus qu'il a fait de souper avec nous ce soir, car je sais, de source certaine, qu'il est invité, depuis huit jours, chez Mme la comtesse de Montsurvent.

— Humph! — fit Le Hardouey d'un ton défiant et incrédule, — ne dites pas que celui-là n'est pas fier, monsieur le curé. Je ne suis pas déniché d'hier matin, et je me connais encore à l'air des hommes... Mais, Dieu de Dieu! où donc a-t-il pris ces effroyables blessures qui lui ont retourné le visage comme le soc de la charrue retourne un champ?

— Ah! sainte mère de Dieu! fit le curé, qui avalait

ore profundo une large cuillerée de soupe aux choux, —
c'est une assez tragique histoire ! »

Et, commère comme il était, il entama l'histoire de
l'abbé de La Croix-Jugan.

« C'était — apprit-il à ses hôtes — le quatrième fils
du marquis de La Croix-Jugan, l'un des plus anciens
noms du Cotentin avec les Toustain, les Hautemer et les
Hauteville [88]. Selon la coutume de la noblesse de
France, l'aîné de La Croix-Jugan avait succédé aux
biens considérables de son père, et, plus tard, avait
émigré. Le cadet, entré dans la Maison du Roi, était, au
commencement de la Révolution, lieutenant aux gardes
du Corps, et avait été, le 10 août, massacré en défendant la porte de Marie-Antoinette. Le troisième, sur le
berceau duquel on avait mis le ruban de l'ordre de Malte,
était allé, vers quinze ans, rejoindre son oncle le
commandeur et commencer ce qu'on appelait les caravanes [89]. Enfin, le dernier de tous, celui dont il était
question, obligé d'être prêtre pour obéir à la loi des
familles nobles de ce temps, et destiné à devenir, bien
jeune encore, évêque de Coutances et abbé de l'abbaye
de Blanchelande, n'était encore que simple moine
quand la Révolution éclata [90].

— Et une bonne abbaye que Blanchelande ! — fit
maître Le Hardouey, — et qui valait gros à l'abbé !
C'était là une maison de bénédiction pour ceux qui
l'habitaient. On n'y riait pas que du bout des dents,
comme saint Médard, et on n'y chantait pas que du
plain-chant, comme dans votre église, monsieur le curé.
On y passait le temps joyeusement à l'époque où le
Talaru menait le diocèse comme un ivrogne mène sa
jument, et, jarnigoi ! ce n'est pas menterie, monsieur le
curé, car j'ai vu, moi, cet évêque d'ancien régime et
tous les moines de l'abbaye...

— Allons, allons, maître Thomas, — dit le curé en

interrompant amicalement les souvenirs peu respec-
tueux de son paroissien, — je ne veux pas savoir ce que
vous prétendez avoir vu, et, d'ailleurs, vous êtes un
petit brin mauvaise langue, et peut-être mauvaise vue
et mauvaise mémoire par-dessus le marché. Je sais qu'il
y a eu bien des abus et bien du péché, même dans
l'Église, et que notre seigneur de Talaru, qui avait été
officier de cavalerie, n'avait pas assez oublié l'esprit de
son premier état[91]. Mais à tout péché miséricorde,
d'autant qu'il est mort comme un saint dans les
tristesses de l'émigration! Dieu lui a fait la grâce
d'expier, par sa mort, le scandale qu'il avait causé
pendant sa vie.

— Je ne dis pas que non... mais enfin... suffit! — dit
Le Hardouey, qui voyait l'œil de Jeanne devenir d'un
bleu plus sombre en le regardant. — Toujours est-il que
ce n'est pas en chantant matines ou vêpres qu'il s'est
ainsi marqué le visage, votre abbé de La Croix-Jugan!

— Je crois bien! — repartit le curé en joignant les
mains sur son rabat avec componction. — Ah! mes
chers amis, que nous sommes de fragiles créatures! —
poursuivit-il avec la dolente onction qu'il avait quand il
faisait son prône; — mais aussi cette Révolution, fille
de Satan, avait renversé toutes les têtes, et elle doit
porter le poids de bien des iniquités. L'abbé de
La Croix-Jugan, qui s'appelait, à Blanchelande, le frère
Ranulphe, aurait-il jamais quitté son monastère sans la
persécution de l'Église? Au lieu d'émigrer, comme nous
autres, qui disions la messe à Jersey ou à Guernesey, il
oublia que l'Église avait horreur du sang, et il s'alla
battre avec les seigneurs et les gentilshommes dans la
Vendée et dans le Maine, et, plus tard, dans ce côté du
bas pays.

— Oh! oh! il aurait donc chouanné, monsieur l'abbé?
— dit maître Thomas Le Hardouey avec une explosion

d'ironie qui montrait combien il était dominé par les passions du temps, à moitié apaisées, mais toujours brûlantes; car c'était un compagnon assez madré pour ne point se risquer aux imprudences et pour tourner sept fois sa langue dans sa bouche avant de lâcher le moindre mot compromettant.

— Oui, il a chouanné, — reprit gravement le curé Caillemer, — ce qui ne convenait guères à un homme de son état, à un lévite, à un prêtre. C'est la vérité. Mais, sainte Vierge! c'est la vérité aussi que le bon Dieu l'en a bien puni et lui a écrit, en lettres assez profondes, un terrible châtiment sur le visage.

» Du reste, les circonstances ont tellement dépassé les limites de la prudence humaine, et la cause pour laquelle l'abbé de La Croix-Jugan se battait était si sacrée, puisque c'était celle de notre sainte religion, qu'on n'aurait encore rien à dire s'il n'avait que chouanné, mais...

— Eh! mais?... — fit Le Hardouey, l'œil pétillant d'une curiosité haineuse, en tenant son verre à la hauteur de sa bouche, mais ne buvant pas.

— Mais... » reprit le curé en baissant la voix, comme s'il avait un douloureux aveu à faire.

Jeanne eut une espèce de frisson qui courut dans les racines de ses cheveux, relevés droit sous la dentelle de sa coiffe, et qui découvraient les sept pointes de son front impérieux.

« Il y a pis — continua le curé — que de répandre le sang des ennemis du Seigneur et de son Église, quoique ce ne soit pas à un prêtre à le faire et que les Saints Canons le défendent. Et si je dis ceci, mes chers paroissiens, ce n'est pas que j'oublie le précepte de la charité, mais c'est qu'il est bon, parfois, pour l'exemple, de proclamer la vérité. D'ailleurs, si l'abbé de La Croix-Jugan a été un grand coupable, il est maintenant un

grand pénitent. Entraîné sans doute par les passions de
cette vie de soldat qu'il a menée, il s'est, un instant,
perdu dans les voies humaines. Après le combat de la
Fosse, il crut la cause de son parti désespérée et,
oubliant tout à fait qu'il était un chrétien et un prêtre,
il osa, de ses mains consacrées, accomplir sur sa
personne l'exécrable crime du suicide, qui termina la vie
de l'infâme Judas.

— Comment! c'est lui qui s'est ainsi labouré la
face?... — dit Le Hardouey.

— C'est lui, — répondit le curé, — mais ce n'est pas
lui tout seul. »

Et il raconta la scène qui avait eu lieu chez Marie
Hecquet, comment cette brave femme avait sauvé le
suicidé et l'avait arraché à la mort. Jeanne écoutait ce
récit avec une horreur passionnée, visible seulement à
l'entrouvrement de sa belle bouche et à la contraction
de ses sourcils. Elle ne jeta point de ces interjections par
lesquelles les âmes faibles se soulagent. Elle demeura
silencieuse, et la rêverie qui l'avait saisie à vêpres
recommença.

VII

Le repas fut long, comme tout repas normand. Le
curé Caillemer parla encore quelque temps de l'abbé de
La Croix- Jugan. Il venait, disait-il, habiter Blanchelande, à côté des ruines de son abbaye, et racheter, par
une vie exemplaire, le crime de son suicide et de sa vie
de partisan. Il avait choisi Blanchelande par la raison
qu'il faut que le mal soit expié là où il a causé le plus de
scandale. A ces raisons chrétiennes, il s'en mêlait peut-

être une autre moins élevée, que le bon curé ne savait
pas. L'abbé, homme de parti d'une grande importance,
chef de Chouans, devait, à cette époque où la guerre
venait de finir, mais où la pacification n'était pas encore
à l'épreuve du premier espoir qui pouvait renaître, se
trouver placé sous la surveillance d'une administration
inquiète. A Blanchelande, à Lessay, pays perdu, il était
moins exposé à cette vigilance, nécessairement tracas-
sière, que tous les gouvernements menacés exercent,
sans qu'on puisse justement la leur reprocher. Bientôt,
on laissa là l'ancien moine, dont le nom et les aventures
avaient rendu tout à coup la conversation si sérieuse. Le
curé et maître Le Hardouey passèrent à d'autres sujets
de causerie et s'égayèrent vers la fin du repas. Une
bûche énorme brûlait dans la vaste cheminée, sous le
manteau de laquelle la table était placée, et cette bûche,
qui se dissolvait peu à peu en charbons flambants,
entourait nos trois convives d'une chaude atmosphère
et joignait son influence à cette excitation qui vient de
tout repas fait en commun, surtout quand il est arrosé
d'un cidre en bouteille ambré, pétillant et mousseux,
que le curé appelait en riant « un aimable casse-tête du
bon Dieu ».

« Pas vrai, monsieur le curé, qu'il n'est pas mauvais?
— disait maître Thomas avec le double sentiment de
l'homme qui possède et de l'homme qui a créé; — c'est
un caramel pour la couleur et pour le goût. J'ai moi-
même goûté à chaque pomme dont il a été fait.

— Sainte Vierge! — répondait le curé, les mains
jointes sur son rabat, sa pose favorite, et avec une
humide jubilation sur les lèvres et dans le regard, — ce
devait être du pareil cidre que buvait le fameux prieur
de Regneville avec M. de Matignon quand le tonnerre
tomba sur le prieuré et leur mit le ciel du lit sur la tête,
comme un dais dont ils eussent été les bâtons, sans

qu'ils en sentissent la moindre chose et prissent seulement la peine de se déranger. »

C'était une anecdote du pays. Le prieur de Regneville
était un de ces prêtres grands viveurs, une de ces
granges à dîme, comme on dit encore en Normandie,
dont le physique colossal justifiait bien un pareil nom.

Il avait été fort célèbre dans le Cotentin, pays de
grands mangeurs et de buveurs intrépides, et il était
devenu, sur la fin de sa vie, d'un embonpoint si
considérable qu'il avait été obligé de faire une entaille
circulaire à sa table pour y loger la rotonde capacité de
son ventre. Le curé de Blanchelande l'avait connu,
pendant l'émigration, à Jersey, où il étonnait et
émerveillait les Anglais par les prodiges de son estomac,
toujours prêt à tout, et le bon abbé Caillemer en avait
conservé une telle mémoire qu'il n'achevait jamais un
repas plantureux et gai sans parler du prieur de
Regneville. On pouvait même apprécier le degré d'excitation cérébrale du curé par le nombre d'anecdotes qu'il
racontait sur le prieur [92].

Mais la gaieté des deux convives n'atteignait pas
Jeanne. Elle vivait à part de ce qu'ils disaient. Elle en
était restée à l'abbé de La Croix-Jugan. Ce prêtre-
soldat, ce chef de Chouans, ce suicidé échappé de la
mort volontaire et à la fureur des Bleus, la frappait
maintenant par le côté moral de la physionomie,
comme, à l'église, il l'avait frappée par le côté extérieur.
C'était un genre de sentiment qu'elle éprouvait, analogue à sa première sensation. L'horreur y était toujours, mais, chez cette femme d'action et de race, qui ne
s'était jamais consolée d'avoir humilié la sienne dans
une mésalliance, l'admiration pour ce moine décloîtré
par la guerre civile, qui ne s'était souvenu que d'une
chose, au prix du salut de son âme, c'est qu'il était
gentilhomme, oui, l'admiration l'emportait alors sur

l'horreur et la changeait en une enthousiaste et noble
pitié. Pendant que son mari et le curé buvaient, elle se
tenait grave et sans boire, soutenant son coude droit
dans sa main gauche, et jouant pensivement avec sa
jeannette, la croix surmontée d'un gros cœur d'or qu'elle
portait attachée à son cou par un ruban de velours noir.
Placée en face de l'âtre embrasé, entre les deux
soupeurs, le feu du foyer incendiait sa joue pâle
d'ordinaire, et aussi le feu de sa pensée! Son œil distrait
ne quittait pas le canon d'un fusil de chasse qui luisait
doucement au-dessus du manteau de la cheminée, là où,
d'ordinaire, les paysans mettent leurs armes.

Le lendemain de ce souper, qui se prolongea un peu
dans la nuit, Jeanne Le Hardouey se leva de bonne
heure et s'occupa des détails de sa maison avec une
activité supérieure à celle qu'elle déployait d'ordinaire.
Son ton de commandement fut plus bref, presque dur,
et ses mouvements plus rapides. Chez les êtres très
actifs, la fébrilité de certaines pensées se révèle par une
intensité de la vie habituelle, par une espèce de
transport muet de la voix, du regard et du geste, qui
sera peut-être du délire bien caractérisé le lendemain.
La nuit, en passant sur la joue de Jeanne, n'y avait
point éteint la flamme que les troubles de son âme
avaient allumée presque sous ses yeux. On aurait pu
même remarquer que, plus la journée s'avança, plus se
fonça cette trace enflammée. Après le repas de midi, et
quand Thomas Le Hardouey fut aux champs, Jeanne
jeta sur ses épaules sa pelisse bleue et quitta le Clos.
Cependant, elle ne se cachait point de son mari. Elle ne
profitait pas, comme bien des femmes, du moment où il
avait le dos tourné pour faire une démarche sur laquelle
il aurait pu lui adresser une question. Maître Le Hardouey avait un grand respect pour sa femme. Jamais il
ne lui demanda compte de ses actions. Dix ans de raison

et de ménage consacraient, pour Jeanne, une indépen-
dance que les femmes ne connaissent pas à un pareil
degré dans les villes, où chaque pas qu'elles font est un
danger et quelquefois une perfidie.

Elle s'en alla visiter une de ses anciennes connaissances, la Clotte, comme on disait dans le pays. C'est
une abréviation populaire du nom de Clotilde. Connue
surtout sous cette dénomination à Blanchelande, Clotilde Mauduit était une vieille fille paralytique, qui ne
sortait plus de sa maison depuis plusieurs années, et
dont la jeunesse avait, comme celle de plusieurs de ses
contemporaines, belles et passionnées, jeté un scanda-
leux éclat. Orgueilleuse de sa beauté, elle avait été une
fille sage jusqu'à vingt-sept ans. Sa froideur naturelle
l'avait préservée. Mais, à vingt-sept ans, cet orgueil fou,
courroucé d'attendre, la rage d'une curiosité qui perdit
Ève, le regret, plus affreux qu'un remords, qui commençait pour elle, d'avoir perdu sa jeunesse, la firent
succomber. Ses passions violentes, mais toutes de tête,
ne descendirent jamais plus bas que ses yeux. Tout le
pays l'avait courtisée sans succès, quand elle tomba
volontairement sur la dernière flatterie d'un monceau
d'hommages, entassés vainement à ses pieds superbes
depuis dix ans. C'était le temps où Sang-d'Aiglon de
Haut-Mesnil faisait de son château le repaire d'une
noblesse qui se corrompait dans le sang des femmes,
quand elle ne se ravivait pas dans le sang des ennemis.
Clotilde Mauduit, après sa chute, fut une des reines
villageoises des fêtes criminelles qu'on y célébrait.
Seulement, ce n'était pas aux reins que cette bacchante
portait sa peau de tigre, c'était autour du cœur. La
nature avait jeté cette fille du peuple dans le moule
vaste et glacé des grandes coquettes, non de celles-là qui
prennent à la pipée des imaginations imbéciles avec les
singeries de l'amour, mais de celles qui ont le calme

meurtrier des sphinx et qui exaspèrent les coupables
passions qu'elles font naître avec les cruautés du sang-
froid. Au château de Haut-Mesnil, les débauchés qui l'y
attirèrent, avec tant d'autres belles filles des environs,
l'appelaient Hérodiade. C'est là qu'elle avait connu
Louisine-à-la-hache, bien différente d'elle et de toutes
les autres femmes qui s'enfonçaient sous les voûtes de ce
dévorant château, sous la cambrure rougie de ce four
dévorant de la débauche, d'où la beauté, la pudeur, la
vertu, la jeunesse ne ressortaient jamais qu'en cendres!

Louisine, qui avait vécu pure là où les autres s'étaient
perdues, n'y resta pas longtemps après son mariage avec
Loup de Feuardent. Cette connaissance de sa mère,
cette amitié de jeunesse, était la principale raison qui
avait attiré à la Clotte l'intérêt de Jeanne. Tout ce qui
lui parlait de sa mère lui était sacré! Une autre raison
encore de cet intérêt qu'elle montrait courageusement à
la Mauduit, car, dans l'opinion du pays, Clotilde s'était
déshonorée, et le poids de son déshonneur devait, sans
qu'on l'allégeât, rester sur elle, c'est que, fière de ses
souvenirs comme elle l'avait été de sa beauté, la Clotte,
ainsi qu'on l'appelait alors, aimait à tenir tête au mépris
public en rappelant hardiment à quel monde elle s'était
mêlée autrefois. Elle avait un respect exalté pour les
anciennes familles éteintes, comme l'était celle des
Feuardent. Vassale orgueilleuse de ceux qui l'avaient
entraînée, elle gardait une espèce de fierté féodale même
de son déshonneur. Vieille, pauvre, frappée de paralysie
depuis la ceinture jusqu'aux pieds, elle avait toujours
montré à chacun, dans ce pays, une hauteur silencieuse
que sa honte n'avait pu courber. Les compagnes de ses
désordres étaient mortes autour d'elle; le château de
Haut-Mesnil s'était écroulé, et la Révolution en avait
dispersé les ruines; les infirmités étaient venues; elle
s'était trouvée isolée au milieu d'une génération qui

avait grandi et à qui, dès l'enfance, on l'avait montrée du doigt comme un objet de réprobation. Eh bien, malgré tout cela, Clotilde Mauduit, ou plutôt la Clotte, était restée tout ce qu'on l'avait connue dans sa coupable prospérité. Elle habitait une pauvre cabane à quelques pas du bourg de Blanchelande, la seule chose qu'elle eût au monde avec un petit *courtil*[93], dont elle faisait vendre les légumes et les fruits, et elle vivait là dans une méprisante et sourcilleuse solitude. Une voisine, qui calculait que, pour prix de ses attentions, la Clotte, en mourant, lui léguerait la petite maison ou le courtil, lui envoyait, chaque jour, sa fille, âgée de quatorze ans, pour la soigner. Elle ne hantait personne, et personne ne la hantait... excepté Jeanne, à qui elle avait toujours montré un bon visage, à cause de ce nom de Feuardent qui lui rappelait sa jeunesse. Jeanne, cette mésalliée qui gardait dans son âme la blessure immortelle de la fierté, trouvait une jouissance, vengeresse de tout ce que son mariage lui avait fait souffrir, dans ses rapports avec la Clotte, qui avait maudit autant qu'elle l'inexorable nécessité de ce mariage, et aux yeux de qui elle n'était jamais que la fille de Loup de Feuardent. Après cela, qui ne comprendrait la force du lien qui existait entre ces deux femmes?... Jeanne-Madelaine, obligée de vivre avec des hommes du niveau de son mari, attachée aux intérêts d'un ménage de cultivateur, n'ayant jamais connu les mœurs d'une société plus élevée qui, sans les événements, aurait été la sienne, ignorante mais instinctive, ne sentait vivement, ne vivait réellement qu'avec la Clotte. Son âme patricienne comprimée se dilatait avec cette vieille, qui lui parlait sans cesse des seigneurs qu'elle avait connus, et dont le langage, enflammé par la solitude, par l'orgueil, par le caractère, avait parfois une extraordinaire éloquence. Pour Jeanne, qui ne connaissait que

son missel, la Clotte et ses récits étaient la poésie. Cette
fille perdue, et qui ne s'était pas repentie, cette vieille
endurcie dans son péché, à qui personne ne tendait la
main, parlait à l'imagination de maîtresse Le Hardouey
comme elle consolait son orgueil. Comment ne l'eût-elle
pas souvent visitée?... Les gens du bourg s'en éton-
naient. « Que diable — disaient-ils — cette sorcière de
la Clotte a-t-elle fait à maîtresse Le Hardouey pour
qu'elle aille si souvent la visiter dans son taudis, et
pourquoi ne laisse-t-elle pas se débattre avec le démon,
sur son grabat, ce reste d'impudicité qui a fait honte à
tout Blanchelande pendant dix ans? »

Ce jour-là, Jeanne allait chez la Clotte, poussée par
un ensemble de circonstances qui, depuis les vêpres de
la veille, cernaient pour ainsi dire son âme et lui
donnaient sans qu'elle pût les comprendre les plus
singulières agitations. Il était trois heures de relevée
quand elle arriva chez la Clotte. La porte de la
chaumière était grande ouverte, comme c'est la coutume dans les campagnes de Normandie quand le temps
est doux. Selon son éternel usage, la Clotte se tenait
assise sur une espèce de fauteuil grossier contre l'unique
croisée qui éclairait du côté du courtil l'intérieur enfumé
et brun de son misérable logis. Les vitres de cette
croisée, en forme de losanges, étaient bordées de petit
plomb et tellement jaunies par la fumée que le soleil le
plus puissant des beaux jours de l'année, qui se couchait
en face, — car la chaumière de la Clotte était sise au
couchant, — n'aurait pas pu les traverser.

Or, comme ce jour-là, qui était un jour d'hiver, il n'y
avait pas de soleil, à peine si quelques gouttes de
lumière passaient à travers ce verre jauni, qui semblait
avoir l'opacité de la corne, pour tomber sur le front
soucieux de Clotilde Mauduit. Elle était seule, comme
presque toujours lorsque la petite de la mère Ingou se

trouvait à l'école ou en commission à Blanchelande. Son
rouet, qui d'ordinaire faisait entendre ce bruit monotone et sereinement rêveur qui passe le seuil dans la
campagne silencieuse et avertit le voyageur au bord de
la route que le travail et l'activité habitent au fond de
ces masures que l'on dirait abandonnées, son rouet était
muet et immobile devant elle. Elle l'avait un peu
repoussé dans l'embrasure de la croisée, et elle tricotait
des bas de laine bleue, d'un bleu foncé, presque noir,
comme j'en ai vu porter à toutes les paysannes dans ma
jeunesse. Quoique l'âge et les passions eussent étendu
sur elle leurs mains ravageuses, on voyait bien qu'elle
avait été une femme « dont la beauté — me dit
Tainnebouy quand il m'en parla — avait brillé comme
un feu de joie dans le pays ». Elle était grande et droite,
d'un buste puissant comme toute sa personne, dont les
larges lignes s'attestaient encore, mais dont les formes
avaient disparu. Sa coiffe plate aux *papillons tuyautés*,
qui tombaient presque sur ses épaules, laissait échapper
autour de ses tempes deux fortes mèches de cheveux
gris qui semblaient être la couronne de fer de sa fière et
sombre vieillesse. Son visage, sillonné de rides, creusé
comme un bronze florentin qu'aurait fouillé Michel-
Ange, avait cette expression que les âmes fortes
donnent à leur visage quand elles résistent pendant des
années au mépris. Sans les propos de la contrée, on
n'aurait jamais reconnu sous ce visage de médaille
antique, aux yeux de vert-de-gris, la splendide maîtresse de Remy de Sang-d'Aiglon, une créature sculptée
dans la chair purpurine des filles normandes. Les lèvres
de cette femme avaient-elles été dévorées par les
vampires du château de Haut-Mesnil? On ne les voyait
plus. La bouche n'était qu'une ligne recourbée, orgueilleuse. La Clotte portait un corset couleur de rouille en
droguet, un cotillon plissé à larges bandes noires sur un

fond gris, et un devantey [94] bleu en siamoise. A côté de son fauteuil, on voyait son bâton d'épine durcie au four sur lequel elle appuyait ses deux mains, quand, avec des mouvements de serpent à moitié coupé qui tire son tronçon en saignant, elle se traînait jusqu'au feu de tourbe de sa cheminée afin d'y surveiller soit le pot qui chauffait dans l'âtre, soit quelques pommes de reinette ou quelques châtaignes qui cuisaient pour la petite Ingou.

« Je vous ai reconnue au pas, *mademoiselle de Feuardent*. — dit-elle quand Jeanne parut au seuil garni de paille de sa demeure, — j'ai reconnu le bruit de vos sabots. »

Jamais, depuis son mariage, la Clotte n'avait appelé Jeanne Le Hardouey du nom de son mari. Pour elle, Jeanne-Madelaine était toujours mademoiselle de Feuardent, malgré la loi et, disait cet esprit fort de village, malgré les simagrées des hommes. Quand elle n'était pas en train de maudire ce mariage, elle l'oubliait.

Jeanne souhaita le bonsoir à la Clotte et vint s'asseoir sur un escabeau à côté de la paralytique.

« Ah! — dit-elle, — je suis fatiguée; — et elle fit un mouvement d'épaules, comme si sa pelisse avait été de plomb. — Je suis venue trop vite, — ajouta-t-elle pour répondre au regard de la Clotte, qui avait laissé tomber son tricot sur ses genoux et planté une de ses aiguilles dans les cheveux de ses tempes en la regardant.

— Vère! — fit la Clotte, — vous serez venue trop vite. Les sabots pèsent la mort par la boue qu'il fait, et le chemin doit être bien mauvais au Carrefour des Raines. Vous, qui n'êtes pas rouge d'ordinaire, vous avez les joues comme du feu.

— J'ai presque couru, — reprit Jeanne. — On va si vite quand on a l'ennui derrière soi! Il est des jours, ma pauvre Clotte, où les ouvrages, les marchés, la maison, toute cette vie d'occupations que je ne suis faite, n'empêchent pas d'avoir le cœur, on ne sait pourquoi, entre deux pierres, et vous savez bien que c'est toujours dans ces moments-là que je viens vous voir.

— Je le sais, — dit gravement la Clotte, — et je voyais bien qu'il n'y avait pas que la fatigue de la marche dans l'éclat de vos couleurs, ma fille. C'est donc aujourd'hui — reprit-elle après un silence, comme une femme qui parle une langue déjà bien parlée entre elles deux — un de nos mauvais jours? »

Jeanne fit le geste d'un aveu silencieux. Elle courba la tête.

« Ah! — dit la Clotte toujours exaltée, — ils ne sont pas finis, ces jours-là, mon enfant. Vous êtes si jeune et si forte! Le sang des Feuardent, qui vous brûle les joues, se révoltera encore longtemps avant de se calmer tout à fait.

« Peut-être — ajouta-t-elle en fronçant les rides de son front — que des enfants, si vous en aviez, vous feraient plus de bien que tout le reste; mais des enfants qui ne seraient pas des Feuardent!... »

Et elle s'arrêta, comme si elle se fût repentie d'en avoir trop dit.

« Tenez, la Clotte, — dit Jeanne-Madelaine en mettant sa main sur une des mains desséchées de la vieille femme, — je crois que j'ai la fièvre depuis hier au soir. »

Et alors elle raconta sa rencontre avec le berger sous le porche du Vieux Presbytère, et la menace qu'il lui avait jetée et qu'elle n'avait pu oublier.

La Clotte l'écouta en jetant sur elle un regard profond.

« Il y a d'autres anguilles sous roche, — dit-elle en hochant la tête. — La fille de Louisine-à-la-hache n'a pas peur des sornettes que débitent les bergers pour

effrayer les fileuses. Je ne dis pas qu'ils n'aient pas de
méchants secrets pour faire mourir les bêtes et se venger
des maîtres qui les ont chassés; mais qu'est-ce qu'un de
ces misérables pourrait faire contre Mademoiselle de
Feuardent? Vous avez autre chose que ça sur l'esprit,
mon enfant... »

Mais Jeanne Le Hardouey resta muette, et la Clotte,
qui semblait chercher la pensée de Jeanne dans sa
vieille tête, à elle, fouillait les cheveux gris de sa tempe
creusée, avec le bout de son aiguille à bas, comme on
cherche une chose perdue dans les cendres d'un foyer
éteint, et continuait à la dévisager de ses redoutables
yeux pers.

« Vous qui avez connu tant de monde, la Clotte, —
dit, après quelques minutes de silence, Jeanne Le Hardouey, qui succombait enfin à sa pensée secrète, —
avez-vous connu, dans le temps, un abbé de La Croix-
Jugan?

— L'abbé de La Croix-Jugan! Jéhoël de La Croix-
Jugan! qu'on appelait le frère Ranulphe de Blanchelande! — s'écria tout à coup la Clotte, redevenue
Clotilde Mauduit, avec le frémissement d'un souvenir
qui galvanisait sa vieillesse, — si je l'ai connu! Oui, ma
fille. Mais pourquoi me demander cela? Qui vous a parlé
de l'abbé de La Croix-Jugan? Je ne l'ai que trop connu,
ce Jéhoël. C'était avant la Révolution. Il était moine à
l'abbaye. Sa famille l'y avait mis presque au sortir de
son enfance; et ma jeunesse, à moi, quand je l'ai connu,
commençait déjà à se passer. On disait que, comme tant
d'autres prêtres de grande famille, il n'avait pas de
vocation, mais que, toujours, chez les La Croix-Jugan,
le dernier des enfants était moine depuis des siècles. Si
je l'ai connu! oh! ma fille, comme je vous connais! Il
sortait bien souvent de son monastère, et il s'en venait
chez le seigneur de Haut-Mesnil les jours qu'ils appe-

laient leur jour de sabbat, et il voyait là de terribles
spectacles pour un homme qui devait un jour porter la
mitre et la croix d'abbé. Jéhoël de La Croix-Jugan!
comme l'appelaient Remy de Sang-d'Aiglon de Haut-
Mesnil et ses amis, car ils ne lui donnaient jamais son
nom religieux de frère Ranulphe, alors qu'il était avec
eux, quoiqu'il portât la soutane blanche et son manteau
de chanoine de Saint-Norbert [95] par-dessus, quand il
venait au château, entre l'office et matines. J'ai ouï dire
qu'ils voulaient, en lui donnant son nom de gentilhomme, lui enfoncer dans le cœur un dégoût encore
plus profond que celui qu'il avait pour son état de
prêtre, et je n'ai pas de peine à croire que cela ait été
l'idée de pareils réprouvés, mon enfant!

— Comment était-il quand vous l'avez connu? — fit
avidement Jeanne-Madelaine.

— Je vous l'ai dit, ma fille, il était bien jeune alors,
— dit la Clotte, — oui, jeune d'âge; mais qui le voyait
ou l'entendait ne l'aurait pas dit, car il était sombre
comme un vieux. Jamais son visage ne s'éclaircissait.
On disait qu'il n'était pas heureux d'être moine, mais ce
n'était pas, malgré sa grande jeunesse, un homme à se
plaindre et à porter la tonsure qui lui brûlait le crâne
moins fièrement qu'il n'eût fait un casque d'acier. Il
était haut comme le ciel, et je crois que l'orgueil était
son plus grand vice. Car, je vous l'ai déjà dit, mon
enfant, nous étions là, au château de Haut-Mesnil, une
troupe d'affolées, et jamais, au grand jamais, je n'ai
entendu dire que l'abbé de La Croix-Jugan ait oublié sa
robe de prêtre avec aucune de nous.

— Pourquoi donc, s'il était ce que vous dites, —
repartit Jeanne, — allait-il au château de Haut-Mesnil?

— Pourquoi? Qui sait pourquoi, ma fille? — dit la
Clotte. — Il trouvait là des seigneurs comme lui, des
gens de sa sorte, et des occupations qui lui plaisaient

plus que les offices de son abbaye. Il n'était pas né pour
faire ce qu'il faisait... Il chassait souvent, tout moine
qu'il fût, avec les seigneurs de Haut-Mesnil, de la Haye
et de Varanguebec, et c'était toujours lui qui tuait le
plus de loups ou de sangliers. Que de fois je l'ai vu, à la
soupée, couper la hure saignante et les pattes boueuses
de la bête tuée le matin et les plonger dans le baquet
d'eau-de-vie à laquelle on mettait le feu et dont on nous
barbouillait les lèvres. Oh! ma fille, je ne vous dirai pas
les blasphèmes et les abominations qu'il entendait alors.
« Tiens! ― lui disait Richard de Varanguebec en lui
versant cette eau-de-vie à feu, leur régal de démons, ―
tu aimes mieux ça que le sang du Christ, buveur de
calice [96] ! » Mais il continuait de boire en silence, sombre
comme le bois de Limore et froid comme un rocher de la
mer devant les excès dont il était témoin. Non, ce
n'était pas un homme comme un autre que Jéhoël de
La Croix-Jugan! Quand la Révolution est venue, il a
été un des premiers qui aient disparu de son cloître. On
raconte qu'il a passé dans le Bocage et qu'il a tué autant
de Bleus qu'il avait jadis tué de loups... Mais pourquoi
me parlez-vous de l'abbé de La Croix-Jugan, ma fille?
― interrompit la Clotte en laissant là ses souvenirs, vers
lesquels elle s'était précipitée, pour revenir à la question
de Jeanne Le Hardouey.

    ― C'est qu'il est revenu à Blanchelande et qu'hier il
était aux vêpres, mère Clotte, ― répondit Jeanne-
Madelaine.

    ― Il est revenu! ― fit avec éclat la vieille femme. ―
Vous êtes sûre qu'il est revenu, Jeanne de Feuardent?
Ah! si vous ne vous trompez pas, je me traînerai sur
mon bâton jusqu'à l'église pour le revoir. Il a été mêlé à
une mauvaise et coupable jeunesse, mais dont le
souvenir me poursuit toujours. Quelquefois je crois, ―
reprit-elle en fermant ses yeux ardents et rigides comme

si elle regardait en elle-même, — oui, je crois que les
vices qu'on a eus vous ensorcellent, car pourquoi, moi
que voilà sur le bord de ma fosse, désiré-je revoir ce
Jéhoël de La Croix-Jugan?

— D'autant que vous ne le reconnaîtriez pas, mère
Clotte! — dit Jeanne. — Quand vous le reverrez, on
peut vous défier de dire que c'est lui. On raconte que,
dans un moment de désespoir, quand il a vu les
Chouans perdus, il s'est tiré d'une arme à feu dans le
visage. Dieu n'a pas permis qu'il en soit mort, mais il lui
a laissé sur la face l'empreinte de son crime inaccompli,
pour en épouvanter les autres et peut-être pour lui en
faire horreur à lui-même. Nous en avons tous tremblé
hier, à l'église de Blanchelande, quand il y a paru.

— Quoi! — reprit la Clotte avec un sentiment
d'étonnement, — Jéhoël de La Croix-Jugan n'a plus son
beau visage de saint Michel qui tue le dragon [97]! Il l'a
perdu sous le fer du suicide, comme nous, qui l'avons
trouvé si beau, nous, les mauvaises filles de Haut-
Mesnil, nous avons perdu notre beauté aussi sous les
chagrins, l'abandon, les malheurs du temps, la vieillesse! Il est jeune encore, lui, mais un coup de feu et de
désespoir l'a mis d'égal à égal avec nous! Ah! Jéhoël,
Jéhoël! — ajouta-t-elle avec cette abstraction des
vieillards qui les fait parler, quand ils sont seuls, aux
spectres invisibles de leur jeunesse, — tu as donc porté
les mains sur toi et détruit cette beauté sinistre et
funeste qui promettait ce que tu as tenu! Que dirait
Dlaïde * Malgy, si elle vivait et qu'elle te revît?

— Qu'était-ce que Dlaïde Malgy, mère Clotte? — dit
Jeanne Le Hardouey toute troublée, et dont l'intérêt
s'accroissait à mesure que parlait la vieille femme.

* **Dlaïde**, abréviation normande du nom d'*Adélaïde*. Nous l'écrivons
comme on le prononce dans le pays.

— C'était une de nous, et la meilleure peut-être, —
fit la Mauduit; — c'était l'amie de votre mère, Jeanne
de Feuardent. Mais, hélas! Louisine, qui était sage, ne
put sauver Dlaïde Malgy par ses conseils. La pauvre
enfant se perdit, comme toutes les hanteuses du château
de Haut-Mesnil, comme Marie Otto, Julie Travers,
Odette Franchomme, et Clotilde Mauduit avec elles,
toutes filles orgueilleuses, qui aimèrent mieux être des
maîtresses de seigneurs que d'épouser des paysans,
comme leurs mères. Vous ne savez pas, Jeanne de
Feuardent, vous ne saurez jamais, vous qui avez été
forcée d'épouser un vassal de votre père, ce que c'est
que l'amour de ces hommes qui, autrefois, étaient les
maîtres des autres, et qui se vantaient que la couleur du
sang de leurs veines n'était pas la même que celle de
notre sang. Allez! il est impossible d'y résister. Dlaïde
Malgy l'apprit par sa propre expérience. Elle fut une
des plus folles de ces folles qui livrèrent leur vertu à
Sang-d'Aiglon de Haut-Mesnil et à ses abominables
compagnons. Mais aussi qu'elle en fut punie! Ah! nous
avons toutes été châtiées! Mais elle fut la première qui
sentit la main de Dieu s'étendre comme un feu sur elle.
Au sein de toutes ces perditions dans lesquelles se
consumaient nos jeunesses, elle aima Jéhoël de
La Croix-Jugan, le beau et blanc moine de Blanchelande, comme elle n'avait aimé personne, comme elle ne
croyait pas, elle qui avait été si rieuse et si légère de
cœur, qu'on pût aimer un homme, un être fait avec de
la terre et qui doit mourir! Elle ne s'en cacha point.
Belle, amoureuse, devenue effrontée, elle croyait facile
de se faire aimer... Mais elle s'abusa. Elle fut méprisée
pour sa peine. Nous n'étions pas dans les passions de ce
Jéhoël, s'il en avait. Roger de La Haye, Richard de
Varanguebec, Jacques de Néhou [98], Lucas de Lablaierie [99], Guillaume de Hautemer se moquèrent de l'amour

méprisé de Dlaïde. « Fais ta belle et ta fière, maintenant ! — disaient-ils. —Tu n'as pas même su mettre le
feu à la robe d'amadou d'un moine [100]. Tu as trouvé ton
maître, ton maître qui ne veut pas de toi. » Elle,
exaspérée par leurs railleries, jura qu'il l'aimerait. Mais
ce serment fut un parjure... Jéhoël avait des pensées
qu'on ne savait pas. L'acier de son fusil de chasse était
moins dur que son cœur orgueilleux, et le sang des bêtes
massacrées qu'il rapportait sur ses mains du fond des
forêts, il ne l'essuya jamais à nos tabliers! Nous ne lui
étions rien! Un soir, Dlaïde, devant nous toutes, dans
un de ces repas qui duraient des nuits, lui avoua son
amour insensé. Mais, au lieu de l'écouter, il prit au mur
un cor de cuivre, et, y collant ses lèvres pâles, il couvrit
la voix de la malheureuse des sons impitoyables du cor,
et lui sonna longtemps un air outrageant et terrible
comme s'il eût été un des Archanges qui sonneront un
jour le Dernier Jugement! Je vivrais cent ans, Jeanne-
Madelaine, que je n'oublierais pas ce mouvement
formidable, et l'action cruelle de ce prêtre, et l'air qu'il
avait en l'accomplissant! Pour Dlaïde, elle en tomba
folle tout à fait. La pauvre tête perdue s'abandonna aux
faiseuses de breuvages, qui lui donnèrent des poudres
pour se faire aimer. Elle les jetait subtilement, par
derrière, dans le verre du moine, à la soupée; mais les
poudres étaient des menteries. Rien ne pouvait empoi-
sonner l'âme de Jéhoël. Tout indigne qu'il fût, Dieu
gardait-il son prêtre? ou l'Esprit des ténèbres se servait-
il de l'oint du Seigneur pour mieux maîtriser le cœur de
Dlaïde?... Exemple effroyable pour nous toutes, mais
qui ne nous profita pas! Dlaïde Malgy passa bientôt
pour une possédée et une coureuse de guilledou, dans
tout le pays. Les femmes se signaient quand elles la
rencontraient le long des chemins, ou assise contre les
haies, presque à l'état d'idiote, tant elle avait le cœur

navré! D'aucuns disaient qu'elle n'était pas toujours si tranquille... et que, la nuit, on l'avait vue souvent se rouler, avec des cris, sur les *têtes de chat* [101] de la chaussée de Broquebœuf, hurlant de douleur, au clair de lune, comme une louve qui a faim. C'était peut-être une invention que cette *dirie* de la chaussée de Broquebœuf... mais ce qui est certain, c'est que, dans le temps, quand nous allions nous baigner dans la rivière, je comptai bien des meurtrissures, bien des places bleues sur son pauvre corps, et quand je lui demandais : « Qu'est-ce donc que ça? où t'es-tu mise?... » elle me disait, dans son égarement : « C'est une gangrène qui me vient du cœur et qui me doit manger partout. » Ah! sa beauté et sa santé furent bientôt mangées. La toux la prit. C'était la plus faible d'entre nous. Mais la maladie et son corps, qui se fondait comme un suif au feu, ne l'empêchèrent point de mener la vie que nous menions à Haut-Mesnil. Ce n'étaient pas des délicats que les débauchés qui y vivaient! L'amour de la Malgy pour Jéhoël, sa maladie, sa maigreur, sa langueur, qu'elle enflammait en buvant du genièvre comme on boit de l'eau quand on a soif, ce qui lui fit bientôt trembler les mains, bleuir les lèvres, perdre la voix, rien n'arrêta les forcenés dont elle était entourée. Ils aimaient, disaient-ils, à monter dans le clocher quand il brûle! et ils se passaient de main en main cette mourante, dont chacun prenait sa bouchée, cette fille consumée, qui flambait encore par dedans, mais pas pour eux [102]! Ils l'ont tuée ainsi, l'infortunée! Ça ne fut pas long [103]... Mais pourquoi pâlissez-vous, Jeanne de Feuardent? — s'écria, en s'interrompant, Clotilde Mauduit, épouvantée du visage de Jeanne. — Ah! ma fille, Jéhoël a-t-il encore le don d'émouvoir les femmes, maintenant qu'il n'est plus le beau Jéhoël d'autrefois? A-t-il encore cette puissance diabolique qu'on crut longtemps accordée par l'enfer à ce prêtre glacé, puisque, malgré le changement de son visage, vous pâlissez, ma fille, rien qu'à m'en entendre parler [104]?... »

La femme des passions avait vu l'éclair souterrain qu'elles jettent parfois du fond d'une âme.

« Ai-je donc pâli? — fit Jeanne effrayée à son tour.

— Oui, ma fille, — dit la Clotte, pensive devant cette pâleur, comme le médecin pénétrant devant le premier symptôme du mal caché, — et, Dieu me punisse, je crois même que vous pâlissez encore! »

Jeanne-Madelaine baissa les yeux et ne répondit pas, car elle sentait que la Clotte disait vrai et que quelque chose de terrifiant et d'indicible lui étreignait le cœur et le lui tordait encore plus fort que la veille aux vêpres, à la même heure. Clouée sur l'escabeau où elle s'était assise, elle ne put pas même, elle, Jeanne la forte, relever ses paupières, lourdes comme d'un plomb mortel, vers la Clotte, qui ne parlait plus.

Maître Louis Tainnebouy, qui n'était pas un moraliste et qui regardait plus au poil de ses bœufs qu'à l'âme humaine, m'avait peint d'un mot rude et terrible, dans son patois de mots et d'idées, ce que je cherche à exprimer avec des nuances.

« Les femmes se perdent avec des histoires! — me dit-il. — La vieille sorcière de la Clotte avait *écopi* [105] sur maîtresse Le Hardouey le venin de ses radoteries. A dater de ce moment, elle s'hébéta comme la Malgy, — ajouta-t-il; — elle avait le sang tourné. »

VIII

Ce dut être un moment solennel que le silence qui saisit tout à coup ces deux femmes après le récit de la Clotte. La Clotte, se ridant d'attention inquiète devant la pâleur de morte qui avait enveloppé Jeanne et qui semblait s'incruster jusqu'au fond de sa chair, regardait ce visage passant au bloc de marbre, et ces pesantes paupières qui couvraient rigidement de leurs voiles opaques les yeux disparus. L'absorption en elle-même de Jeanne-Madelaine était si complète que, si elle ne se fût pas tenue droite, comme une figure de bas-relief, sur son siège sans dossier, on eût pu la croire évanouie.

La Clotte mit une de ses mains aux doigts ténus comme la serre d'un oiseau de proie sur la paroi de glace de ce front sans sueur, sans frémissement d'épiderme, n'ayant plus rien d'humain, un vrai front de cataleptique.

« Ah! tu es donc ici, ô Jéhoël de La Croix-Jugan! » — cria-t-elle.

Cette femme exaltée avait-elle conscience de ce qu'elle disait?... Parlait-elle de la vision intérieure qu'il y avait sous la coupole de ce front fermé, dans cette tête vivante, sous son écorce momentanée de cadavre, et qu'elle palpait curieusement de ses doigts, comme le fossoyeur d'Hamlet touchait et retournait son crâne vide?... Ou parlait-elle seulement du retour du moine de Blanchelande dans la contrée?... Quoi qu'il en pût être, cette espèce d'évocation sembla réussir, car une grande ombre se dressa dans le cadre clair de la porte ouverte, et une voix sonore répondit du seuil :

« Qui donc parle de La Croix-Jugan et peut dire, s'il

l'a connu, quel est celui-là qu'on appelait autrefois Jéhoël? »

Et l'ombre épaissie devint un homme qui entra, enveloppé dans une carapousse [106] portée de manière à lui cacher le bas du visage, comme la visière à moitié levée d'un ancien casque.

« Laquelle de vous a parlé, femmes? — fit-il en les voyant là toutes les deux. Mais son regard, errant de l'une à l'autre, s'arrêta bientôt sur la Clotte.

— Clotilde Mauduit! — cria-t-il, — c'est donc toi? Je te cherchais, et je te trouve! Je te reconnais. Les malheurs du temps n'ont donc pas aboli ta mémoire, puisque tu te rappelles l'ancien moine de Blanchelande, le Jéhoël de La Croix-Jugan...

— J'apprenais, quand vous êtes entré, que vous étiez revenu à Blanchelande, frère Ranulphe, — dit la vieille femme avec un respect troublé dû à la religion de ses souvenirs et aussi à l'ascendant surnaturel de cet homme.

— Il n'y a plus de frère Ranulphe, Clotilde! — dit le prêtre d'une voix âpre en jetant ces paroles comme la dernière pelletée de terre sur un cercueil. — Le frère Ranulphe est mort avec son ordre. Les puissants chanoines de Saint-Norbert sont finis. En venant ici, il n'y a qu'une heure, j'ai vu la statue mutilée de notre saint fondateur servir de contrefort à la porte d'un cabaret, et les ruines de l'abbaye que je devais gouverner sont en poussière. Il y a devant toi un prêtre obscur, isolé, désarmé, vaincu, qui a répandu le sang des hommes et le sien comme l'eau, et qui n'a rien sauvé, au prix de son sang, et peut-être de son âme, de tout ce qu'il voulait sauver. Vanités folles du vouloir humain! Il n'y a plus rien du passé, Clotilde! Te voilà vieille, infirme, m'a-t-on dit, paralysée. Le château des Sang-d'Aiglon de Haut-Mesnil a été rasé, jusque dans le sol,

par les Colonnes Infernales. Tiens, vois! ceci est noir! —
continua-t-il en frappant sa manche de sa main; — le
blanc habit des Prémontrés ne brillera plus dans nos
églises appauvries et esclaves. Et ceci... regarde encore!
— fit-il avec un geste d'une majesté tragique, en
détachant la mentonnière de velours noir qui lui cachait
la moitié du visage, — de quelle couleur et de quelle
forme c'est-il devenu! »

L'espèce de chaperon qu'il portait tomba, et sa tête
gorgonienne apparut avec ses larges tempes, que d'inex-
primables douleurs avaient trépanées, et cette face où
les balles rayonnantes de l'espingole avaient intaillé
comme un soleil de balafres. Ses yeux, deux réchauds de
pensées allumés et asphyxiants de lumière, éclairaient
tout cela, comme la foudre éclaire un piton qu'elle a
fracassé. Le sang faufilait, comme un ruban de flamme,
ses paupières brûlées, semblables aux paupières à vif
d'un lion qui a traversé l'incendie [107]. C'était magnifique et c'était affreux!

La Clotte demeura stupéfaite.

« Eh bien! — dit-il, orgueilleux peut-être de l'effet
que produisait toujours le coup de tonnerre de sa
sublime laideur, — reconnais-tu, Clotilde Mauduit, dans
ce restant de torture, Ranulphe de Blanchelande et
Jéhoël de La Croix-Jugan? »

Quant à Jeanne, elle n'était plus pâle. Sur sa pâleur
sortaient de partout des taches rouges, un semis de
plaques ardentes, comme si la vie, un instant refoulée
au cœur, revenait frapper contre sa cloison de chair
avec furie. A chaque mot, à chaque geste de l'abbé,
apparaissaient ces taches effrayantes. Il y en avait sur
le front, aux joues. Plusieurs se montraient déjà sur le
cou et sur la poitrine, et c'était à croire, à tous ces
désordres de teint, que maître Tainnebouy avait raison

avec sa grossière physiologie, et qu'elle avait *le sang tourné!*

« Si, — dit la Clotte, — je vous reconnais, malgré tout. Vous êtes toujours le même Jéhoël qui nous imposait, à nous toutes, dans nos folles jeunesses! Ah! vous autres seigneurs, qu'est-ce qui peut effacer en vous la marque de votre race? Et qui ne reconnaîtrait pas ce que vous étiez, aux seuls os de vos corps, quand ils seraient couchés dans la tombe? »

Cette vassale idolâtre de ses maîtres, cette fille d'une société finie, disait alors la pensée de Jeanne la mésalliée, qui, depuis l'histoire du curé Caillemer, ne voyait plus dans les cicatrices de l'ancien moine que la parure faite par la guerre et le désespoir au front martial d'un gentilhomme. Ce chêne humain, dévasté par les balles à la cime, avait toujours la forte beauté de son tronc. Jéhoël n'avait perdu que les lignes muettes d'un visage superbe autrefois; mais il s'était étendu sur ces lignes brisées une surhumaine physionomie, et, partout ailleurs qu'à la face, dans tout le reste de sa personne, l'imposant abbé se distinguait par les formes et les attitudes des anciens Rois de la Mer, de ces immenses races normandes, qui ont tout gardé de ce qu'elles ont conquis, et qui faisaient pousser, à la fin du ixe siècle, ce grand cri dont l'Histoire tressaille : *A furore Normanorum libera nos. Domine* [108]!

« Oui, bon sang ne saurait mentir; regardez à votre tour, abbé! — dit la Clotte. — La femme que voilà, et qui n'a pas honte d'être assise sur l'escabeau de Clotilde Mauduit, ne la reconnaissez-vous pas aux traits de son père? C'est la fille de Loup de Feuardent.

— Loup de Feuardent! l'époux de la belle *Louisine-à-la-hache!* mort avant nos guerres civiles! » — reprit l'abbé, regardant attentivement Jeanne, dont le visage n'était plus qu'écarlate du tour de gorge jusqu'aux cheveux.

L'idée de son mariage, de sa chute volontaire dans les bras d'un paysan, lui fondait le front dans le feu de la honte. Elle avait bien souffert déjà de sa mésalliance, mais pas comme aujourd'hui, devant ce prêtre gentilhomme qui avait connu son père. Heureusement pour elle, la nuit, qui venait et envahissait, en s'y glissant, la chaumière enfumée de la Clotte, la sauva du regard de l'abbé, quand la Clotte parla de son mariage avec Le Hardouey et le déplora comme une nécessité cruelle et un éternel chagrin. Si le sentiment de la famille était plus fort dans Jéhoël de La Croix-Jugan que l'esprit de son sacerdoce, Jeanne n'en sut rien, du moins ce jour-là. Le prêtre laissa tomber d'austères paroles sur les malheurs de la noblesse, mais la nuit empêcha de voir le dédain ou la condamnation de l'homme de race, au blason pur, se mouler dans ces traits tatoués par le plomb, le feu et la cendre, et ajouter les froides horreurs du mépris à leurs autres épouvantements. Dans la disposition de son âme, elle n'eût pas supporté une telle vue.

Ferai-je bien comprendre ce caractère? Si on ne le comprenait pas, ce récit serait incroyable. On serait alors obligé d'en revenir aux idées de maître Tainnebouy, et ces idées ne sont plus dans la donnée de notre temps. Pour l'observateur qui s'abîme dans le mystère de la passion humaine et de ses sources, elles n'étaient pas plus absurdes qu'autre chose, mais le scepticisme d'un siècle comme le nôtre les repousserait [109].

Cependant, l'abbé de La Croix-Jugan s'était assis chez Clotilde Mauduit avec la simplicité des hommes grandement nés, qui se sentent assez haut placés dans la vie pour ne pouvoir jamais descendre. D'ailleurs, la Clotte n'était pas pour lui une vieille bonne femme

ordinaire. S'il était aigle, elle était faucon. Elle repré-
sentait, à ses yeux, des souvenirs de jeunesse, ces
premières heures de la vie, si chères aux caractères qui
n'oublient pas, qu'elles aient été heureuses, insigni-
fiantes ou coupables! Puis, on était **à** une époque où
l'infortune sociale avait mêlé tous les rangs et où la
pensée politique était le seul milieu réel. La France,
rouge de sang, s'essuyait. La Clotte, *aristocrate*, comme
on disait alors de tous ceux qui respectaient la noblesse,
aurait, sans sa paralysie, été jetée dans la maison
d'arrêt de Coutances, pour, de là, être charriée à
l'échafaud. L'abbé, Jeanne Le Hardouey et elle par-
lèrent donc des temps qui venaient de s'écouler, et leurs
âmes passionnées vibrèrent toutes trois à l'unisson. La
Clotte avait des rancunes plus grandes peut-être que
celles du terrible défiguré qui était là devant elle, et
dont le visage avait été si atrocement déchiré par les
Bleus.

« Ils vous ont fait bien du mal, — lui dit-elle; — mais
moi, qui les bravais, eux et leur guillotine, et qui n'ai
jamais voulu porter leur livrée tricolore, faites état
qu'ils ne m'ont pas épargnée! Ils m'ont prise à quatre,
un jour de décade, et ils m'ont *tousée* [110] sur la place du
marché, à Blanchelande, avec les ciseaux d'un garçon
d'écurie qui venait de couper le poil à ses juments. »

Et cet outrage rappelé creusa la voix de la vieille et
donna à ses yeux pers l'expression d'une indéfinissable
cruauté.

« Oui, — reprit-elle, — ils se mirent à quatre pour
faire ce coup de lâches! et, quoique je n'eusse déjà plus
l'usage de mes jambes, ils furent obligés de me lier, avec
la corde d'un licou, au poteau où l'on attache les
chevaux pour les ferrer. J'avais bien aimé et choyé mon
corps, mais la maladie et l'âge l'avaient brisé.
Qu'étaient, pour moi, quelques poignées de cheveux gris

de plus ou de moins? Je les vis tomber, l'œil sec et sans
mot dire; mais je n'ai jamais oublié le son clair et le
froid des ciseaux contre mes oreilles, et cela, que
j'entends et je sens toujours, m'empêcherait, même à
l'article de la mort, de pardonner.

— Ne te plains pas, Clotilde Mauduit, ils t'ont traitée
comme les rois et les reines! — dit ce singulier prêtre,
qui avait le secret de consoler par l'orgueil les âmes
ulcérées, comme s'il avait été un ministre de Lucifer au
lieu d'être l'humble prêtre de Jésus-Christ.

— Et je ne me plains pas non plus, — fit-elle
fièrement, — j'ai été vengée! Tous les quatre sont morts
de malemort, hors de leur lit, violemment et sans
confession. Mes cheveux ont repoussé plus gris et ont
couvert l'injure faite au front de celle qu'à Haut-Mesnil
vous appeliez l'Hérodiade. Mais le cœur outragé est
resté plus *tousé* que ma tête. Rien n'y a repoussé, rien
n'y a effacé la trace de l'injure ressentie, et j'ai compris
que rien n'arrache du cœur la rage de l'offense, pas
même la mort de l'offenseur.

— Et tu as raison », — dit sombrement le prêtre, qui
aurait dû, à ce qu'il semblait, faire couler l'huile d'une
parole miséricordieuse sur cet opiniâtre ressentiment, et
qui ne le faisait pas; ce qui, par parenthèse, démentait
bien un peu l'idée de cette grande pénitence et de cet
édifiant repentir dont avait parlé le curé Caillemer, la
veille, au repas du soir, chez maître Thomas Le
Hardouey.

. . . .

Ce soir-là, on attendit Jeanne-Madelaine au Clos. Elle
était régulière dans ses habitudes et ordinairement
toujours rentrée avant son mari. Ce soir-là, par exception, ce fut le mari qui rentra le premier à la maison. On
ne vit point maîtresse Le Hardouey assister au repas de
ses gens, et on entendit maître Thomas demander

plusieurs fois où donc sa femme était allée. Plus étonné qu'inquiet, cependant, il se mit à table, après un quart d'heure d'attente prolongée. C'est à ce moment qu'elle rentra.

« Vous êtes bien désheurée, Jeanne, — fit Le Hardouey en l'apercevant et pendant qu'elle ôtait ses sabots dans l'angle de la porte.

— Oui, — dit-elle, — la nuit nous a surpris chez la Clotte, et elle est si noire que nous avons perdu deux fois notre route en venant.

— Qui, vous? » — répondit Le Hardouey très naturellement.

Elle hésita; mais, surmontant une répugnance que nous connaissons tous quand il s'agit de prononcer tout haut le nom que nous lisons éternellement dans notre pensée et dont les syllabes nous effrayent comme si elles allaient trahir notre secret, elle ajouta :

« Moi et cet abbé de La Croix-Jugan dont nous parlait hier M. le curé, et qui est venu chez la Clotte pendant que je m'y trouvais. »

Elle avait posé sa pelisse sur une chaise, et elle s'assit en face de son mari, qui devint soucieux. Elle n'avait pas perdu les couleurs foncées que la vue de Jéhoël avait étendues sur son visage.

« Il m'a quittée au bout de l'avenue, — ajouta-t-elle; — je l'ai prié d'entrer chez nous, mais il m'a refusée...

— Comme moi hier, — dit Le Hardouey avec amertume. — Sans doute, il s'en allait encore chez la comtesse de Montsurvent. »

L'ironie haineuse de l'homme du peuple qui se croit dédaigné grinçait dans ce peu de paroles. Elles trouvèrent un triste écho dans le cœur de Jeanne, car elle aussi pensait au dédain du prêtre, et elle en souffrait d'autant plus qu'il lui paraissait légitime.

La haine se pressent comme l'amour. Elle est soumise

aux mêmes lois mystérieuses. L'ancien Jacobin de
village, l'acquéreur des biens d'Église, maître Le Hardouey, avait senti, à la première vue, que le moine
dépouillé, le chef de Chouans vaincu, cet abbé de La
Croix-Jugan que les événements ramenaient à Blanchelande, devait être toujours son ennemi, son ennemi
implacable, et que les pacifications politiques en avaient
menti dans le cœur des hommes.

Il ne disait rien, mais il coupa au chanteau un
morceau de pain, qu'il tendit à sa femme avec un
mouvement dont la brusquerie agitée et farouche aurait
épouvanté un être plus faible et d'une imagination plus
nerveuse que Jeanne de Feuardent.

Maître Thomas Le Hardouey n'aimait pas de voir sa
femme aller chez la Clotte, sur laquelle il partageait
toutes les opinions du pays. Il fallait le caractère de
Jeanne et l'empire de ce caractère sur un homme
grossièrement passionné comme Le Hardouey pour qu'il
supportât les visites que sa femme faisait à cette vieille,
qui n'était bonne, pensait-il, qu'à monter la tête à une
femme sage, et il n'en parlait jamais qu'avec une
rancune concentrée.

« Ah! la vieille Clotte, c'est une Chouanne, — dit-il,
— et c'est trop juste qu'un ancien chef de Chouans aille
la visiter dès son débotté dans le pays! Elle en a caché
plus d'un dans ses couvertures, la vieille gouge! et les
chouettes ne s'abattent que sur l'arbre où d'autres
chouettes ont déjà perché. — Mais comme Jeanne
prenait cet air sévère qui lui imposait toujours : — Vous
aussi, Jeannine, — ajouta-t-il en riant d'un air faux, —
vous êtes un petit brin aristocrate; c'est de souche chez
vous, et vous ne vous plaisez que trop avec des gens
comme cette vision de Bréha [111] de la Clotte et ce
nouveau venu d'abbé.

— Ils ont connu mon père », — fit gravement

Jeanne. Ce mot produisit l'effet qu'il produisait toujours entre eux, un silence. Le nom de son père était
comme un bouclier sacré que Jeanne-Madelaine dressait
entre elle et son mari, et qui la couvrait tout entière;
car, si ennemi des nobles qu'il fût, comme tous les
hommes d'extraction populaire qui ne haïssent la
noblesse que par vanité ou par jalousie, Thomas Le
Hardouey était très flatté, au fond, d'avoir épousé une
fille de naissance; et le respect qu'elle avait pour la
mémoire de son père, malgré lui il le partageait.

Du reste, ce jour-là et les jours suivants, il ne fut
question, au Clos, ni de l'abbé de La Croix-Jugan ni de
la Clotte. On n'en parla plus. Jeanne-Madelaine enferma
ses pensées dans son tour de gorge, dit Tainnebouy, et
continua de s'occuper de son ménage et de son *faire-
valoir* comme par le passé. Les mois s'écoulèrent; les
temps des foires vinrent, et elle y alla. Elle se montra
enfin la même qu'elle avait été jusqu'alors et qu'on
l'avait toujours connue. Elle était si forte! Seulement, le
sang qu'elle avait tourné, croyait maître Tainnebouy,
parla pour elle! Il lui était monté du cœur à la tête le
jour où elle avait rencontré l'abbé de La Croix-Jugan
chez la Clotte, et jamais il n'en redescendit. Comme une
torche humaine, que les yeux de ce prêtre extraordinaire auraient allumée, une couleur violente, couperose
ardente de son sang soulevé, s'établit à poste fixe sur le
beau visage de Jeanne-Madelaine. « Il semblait, Monsieur, — me disait l'herbager Tainnebouy, — qu'on
l'eût plongée, la tête la première, dans un chaudron de
sang de bœuf. » Elle était belle encore, mais elle était
effrayante tant elle paraissait souffrir! Et la comtesse
Jacqueline de Montsurvent ajoutait qu'il y avait des
moments où, sur la pourpre de ce visage incendié, il
passait comme des nuées d'un pourpre plus foncé,
presque violettes ou presque noires : et ces nuées,

révélations d'affreux troubles dans ce malheureux cœur
volcanisé, étaient plus terribles que toutes les
pâleurs[112]! Hors cela, qui touchait à la maladie, et qui
finit par inquiéter maître Thomas Le Hardouey et lui
faire consulter le médecin de Coutances, on ne sut rien,
pendant bien longtemps, du changement de vie de
Jeanne-Madelaine; et cependant cette vie était devenue
un enfer caché, dont cette cruelle couleur rouge qu'elle
portait au visage était la lueur[113].

IX

En 1611, un prêtre de Provence, nommé Louis
Gaufridi, fut accusé d'avoir ensorcelé une jeune fille.
Cette fille était noble et s'appelait Madeleine de la
Palud. La procédure du procès existe[114]. On y trouve
détaillés des faits de possession aussi nombreux qu'ex-
traordinaires. La science moderne, qui a pris connaissance de ces faits et qui les explique ou croit les
expliquer, ne trouvera jamais le secret de l'influence
d'un être humain sur un autre être humain dans des
proportions aussi colossales. En vain prononce-t-on le
mot d'amour. On veut éclairer un abîme par un second
abîme qu'on creuse dans le fond du premier. Qu'est-ce
que l'amour? Et comment et pourquoi naît-il dans les
âmes?

Madeleine de la Palud, qui appartenait à la société
éclairée de son époque, déposa que Gaufridi l'avait
ensorcelée seulement en lui soufflant sur le front.
Gaufridi était jeune encore, il était beau, il était surtout
éloquent. Shakespeare a écrit quelque part : « Je mépri-
serais l'homme qui, avec une langue, ne persuaderait

pas à une femme ce qu'il voudrait. » Et, d'ailleurs, que
les motifs de l'abbé Gaufridi fussent d'un fanatique,
d'un insensé ou d'un homme qui faisait habilement
servir le Diable à ses passions; qu'ils fussent purs ou
impurs, qu'importe! il avait *voulu* exercer une action
énergique sur Madeleine de la Palud, et on sait la magie
invincible, le coup de baguette de la volonté! Mais
l'abbé de La Croix-Jugan était, comme il le disait lui-
même, un restant de torture : il effrayait et tourmentait
le regard. Il ne *voulait* pas, il n'a jamais *voulu* inspirer à
Jeanne de la haine ou de l'amour. La comtesse de
Montsurvent m'a juré ses grands dieux que, malgré les
bruits qui coururent, et dont maître Louis Tainnebouy
avait été pour moi l'écho, elle le croyait parfaitement
innocent du malheur de Jeanne. Seulement, ce que la
vieille comtesse croyait savoir, parce qu'elle avait connu
l'ancien moine, les gens de Blanchelande l'ignoraient, et
c'est surtout ce qu'on ne comprend pas qu'on explique.
L'esprit humain se venge de ses ignorances par ses
erreurs.

D'un autre côté, la vie de l'abbé de La Croix-Jugan
prêtait merveilleusement aux imaginations étranges. Il
avait, ainsi que l'avait dit Barbe Causseron, la servante
du curé, fieffé la maison du bonhomme Bouët, auprès
des ruines de l'Abbaye, et il y vivait solitaire comme le
plus sauvage hibou qui ait jamais habité un tronc
d'arbre creux. Le jour, on ne l'apercevait guères qu'à
l'église de Blanchelande, enroulé, comme le premier jour
qu'on l'y vit, dans le capuchon de son manteau noir
qu'il portait par-dessus son rochet, et dont les plis
profonds, comme des cannelures, lui donnaient quelque
chose de sculpté et de monumental. Toujours sous le
coup d'une punition épiscopale pour avoir manqué aux
Saints Canons et à l'esprit de son état en guerroyant
avec un fanatisme qu'on accusait d'avoir été sangui-

naire, il ne lui était permis ni de dire la messe ni de
confesser. L'Église, qui a le génie de la pénitence, lui
avait infligé la plus sévère, en lui interdisant les grandes
fonctions militantes du prêtre. Il était tenu seulement
d'assister à tous les offices, sans étole, et il n'y
manquait jamais. Hors les jours fériés, où il venait à
l'église de Blanchelande, on ne le rencontrait guères
dans les environs que de nuit ou au crépuscule.
Ancienne habitude de Chouan, disaient les uns; noire
mélancolie, disaient les autres; chose singulière et
suspecte, disaient à peu près tous. Quelques esprits, à
qui les circonstances politiques d'alors donnaient une
défiance raisonneuse, prétendaient que cet abbé-soldat,
toujours dangereux, cachait des projets de conspiration
et de reprise de guerre civile dans sa solitude, et que cet
isolement calculé servait à voiler des absences, des
voyages et des entrevues avec des hommes de son
parti [115]. *Qui a bu boira*, disaient les sages. Par
exception à leur immémorial usage, peut-être que les
sages ne se trompaient pas. D'un dimanche à l'autre, on
voyait la petite maison de l'abbé de La Croix-Jugan
fenêtres et porte strictement fermées. Nul bruit ne se
faisait entendre de l'écurie, où son cheval entier
hennissait, se secouait et frappait si fort la dalle de ses
pieds ferrés, quand il y était, qu'on l'entendait à trente
pas de là, sur la route.

Les malins qui passaient le long de cette maison,
morne et muette, se disaient tout bas avec une
brusquerie cynique : « Il fait plus de pèlerinages que de
prières, cet enragé de moine-là! » Mais, le dimanche
suivant, les malins retrouvaient le noir capuchon dans
la stalle de chêne, avec la ponctualité rigide et
scrupuleuse du prêtre et du pénitent.

Or, il y avait un peu plus d'un an que le mystérieux
abbé menait cette vie impénétrable, quand, un soir de

Vendredi Saint, après Ténèbres, deux femmes qui
sortaient de l'église, et qui se dirent bonsoir à la grille
du cimetière, prirent, en causant, le chemin du bourg.

L'une d'elles était Nônon Cocouan, la couturière en
journée; l'autre, Barbe Causseron, la servante de
l'honnête curé Caillemer. C'étaient toutes les deux ce
qu'on appelle de ces langues bien pendues qui lapent
avidement toutes les nouvelles et tous les propos d'une
contrée et les rejettent tellement mêlés à leurs inventions de bavardes que le Diable, avec toute sa chimie,
ne saurait comment s'y prendre pour les filtrer. Barbe
était plus âgée que Nônon. Elle n'avait jamais eu la
beauté de la couturière. Aussi, servante de curé dès sa
jeunesse, à cause du peu de tentations qu'elle aurait
offertes aux imaginations les moins vertueuses, elle
avait le sentiment de son importance personnelle, et,
plus qu'avec personne, ce sentiment s'exaltait-il avec
une dévote comme l'était Nônon! « Elle approchait de
MM. les prêtres », disait Nônon avec une envie respectueuse. Ce mot-là éclairait bien leurs relations. Que
n'eût-elle pas donné, Nônon Cocouan, pour être à la
place de Barbe Causseron, eût-elle dû en prendre, par-
dessus le marché, le bec pincé, les reins de manche à
balai et le teint jaune, sec et fripé comme une *guezelle* *
de l'année dernière! La Barbe Causseron, cette insupportable précieuse de cuisine, avait des manières si
endoctrinantes de dire : « Ma fille », à Nônon Cocouan,
que celle-ci ne les eût probablement point souffertes
sans cette grande position qui lui consacrait Barbe
« d'approcher MM. les prêtres », et qui était, pour elle,
la chimère, caressée dans son cœur, des derniers jours de
sa vieillesse, car Nônon voulait mourir servante de curé.

* Dans la langue du pays, la branche de laurier bénit qu'on rapporte chez soi le jour des Rameaux et qu'on attache à la ruelle
des alcôves.

« Barbe, — dit Nônon avec cet air de mystère qui précède tout commérage chez les dévotes, — vous qui êtes d'Église, ma très chère fille, est-ce que notre vénérable seigneur de Coutances a relevé de son interdiction M. l'abbé de La Croix-Jugan?

— D'abord, ma fille, il n'est pas interdit, il n'est que *suspens*, — répondit la Causseron avec un air de renseignement et de savoir qui faisait de sa coiffe plate le plus bouffon des bonnets de docteur. — Mais nenni! point que je sache, ma fille. La *suspense* est toujours *maintinte*. Nous n'avons rien reçu de l'évêché. Il y a plus de quinze jours que le piéton n'a rien apporté au presbytère, et m'est avis que les pouvoirs, s'ils étaient remis à M. l'abbé de La Croix-Jugan, passeraient par les mains de M. le curé de Blanchelande. *Il n'y a pas là-dessus la seule difficulté!* »

Et Barbe se rengorgea sur ce mot, pris au vicaire de la paroisse, qui le bredouillait et en fermait toutes ses démonstrations en chaire quand la difficulté qu'il niait commençait de lui apparaître.

« C'est drôle, alors! — fit Nônon, marchant de concert avec Barbe et comme se parlant à elle-même.

— Qui? drôle? — repartit Barbe curieuse, avec un filet de vinaigre rosat dans la voix.

— C'est que, — dit Nônon en se rapprochant comme si les haies des deux bords du chemin avaient eu des oreilles, — c'est que j'ai vu, il n'y a qu'un moment, maîtresse Le Hardouey, qui n'était point dans son banc pendant qu'on a chanté Ténèbres, se glisser dans la sacristie, et je suis *sûre et certaine* qu'il n'y avait dans la sacristie que M. l'abbé de La Croix-Jugan.

— Vous vous serez trompée, ma fille, — répondit Barbe compendieusement et les yeux baissés avec discrétion.

— Nenni, — fit Nônon, — je l'ai parfaitement vue,

et comme je vous vois, Barbe. J'étais toute seule dans
la nef, et ce qui est resté de monde après Ténèbres priait
au sépulcre. Les deux confessionnaux de la chapelle de
la Vierge et du bas de l'église étaient pleins. Vous savez
qu'il y en a un autre tout vermoulu auprès des fonts,
qui servait dans le temps à feu le vieux curé de
Neufmesnil quand il venait confesser ses *pratiques* à
Blanchelande. Le *custô* * y renferme à présent des bouts
de cierges brûlés et les chandeliers de cuivre qui ont été
remplacés par les chandeliers d'argent. Eh bien! sur
mon salut éternel, croyez-le si vous voulez maintenant,
maîtresse Le Hardouey est sortie de là, bien enveloppée
dans sa pelisse, et a gagné tout doucement, à petits pas
et en chaussons, par la contre-allée, le chœur de l'église,
où M. l'abbé de La Croix-Jugan faisait sa méditation
dans sa stalle, et, *pour lors*, il s'est levé et ils s'en sont
allés dans la sacristie tous les deux.

— Si vous êtes bien sûre de l'avoir vue, — reprit
Barbe, qui ne voulait pas nier une minute de plus ce
qu'elle grillait d'envie de croire vrai, — je dis comme
vous, Nônon, que c'est un peu étonnant, ça! Car quelle
affaire peut avoir maîtresse Le Hardouey avec l'abbé de
La Croix-Jugan, qui ne confesse pas et qui ne parle pas
à trois personnes, en exceptant M. le curé?

— Vère! — dit Nônon. — C'est la pure vérité, ce que
vous dites. Mais voulez-vous que des trois personnes *à
qui il parle*, je vous en nomme deux auxquelles il *cause*
plus souvent p't-être que vous ne pensez? »

Barbe s'arrêta dans le chemin, et, regardant Nônon
comme une vieille chatte qui regarde une jatte de
crème :

---

* Le *custô* (patois). C'est le nom que dans les villages du fond de
la Manche on donne au sacristain, et nous l'avons écrit comme on le
prononce.

« Vous êtes donc instruite? — fit-elle avec une papelardise ineffable.

— Ah! ma chère dame Barbe, — s'écria Nônon, — je suis couturière à la journée. Je n'ai pas, comme vous, le bonheur, et l'honneur — ajouta-t-elle en parenthèse ravisée — de rester dans un presbytère, toute la semaine des sept jours du bon Dieu, à soigner le dîner de MM. les prêtres et à raccommoder les effets de M. le curé. Il faut que je me lève matin et que je revienne tard à Blanchelande. Je suis obligée de trotter partout, dans les environs, pour de l'ouvrage, et voilà pourquoi je sais et j'apprends bien des choses que vous, avec tous vos mérites, ma chère et respectable fille, vous ne pouvez réellement pas savoir.

— Est-ce que vous avez appris quelque chose — dit Barbe, que la curiosité démangeait et commençait de cuire — ayant rapport à maîtresse Le Hardouey et à l'abbé de La Croix-Jugan?

— Oh! rien du tout! — répondit Nônon, qui aimait, au fond, Jeanne-Madelaine, mais qui cédait au besoin de commérer ancré au cœur de toutes les femmes; — seulement, l'abbé de La Croix-Jugan et maîtresse Le Hardouey se connaissent plus qu'ils ne paraissent; c'est moi qui vous le dis! L'abbé, qui est un ancien Chouan et un seigneur, ne met pas, bien entendu, le bout de son pied chez un acquéreur de biens d'Église comme ce Le Hardouey; mais il voit Jeanne-Madelaine, qui est une Feuardent, une fille de condition, chez la vieille Clotte. Et c'est bien souvent qu'il y va et qu'il l'y rencontre, m'a conté la petite Ingou, qu'on envoie à l'école dès qu'ils arrivent, ou à jouer aux *callouets* [116] toute seule au fond du courtil.

— Chez la vieille Clotte! — fit Barbe Causseron, atroce comme une fille qui, pendant toute sa vie, n'a jamais senti le cruel bonheur d'avoir un cœur aimé du sien, et à qui la faute et la douleur n'ont point appris la miséricorde. — Chez cette *Marie-je-l'en-prie*, malade de ses vices! joli lieu de rendez-vous pour un prêtre et une femme mariée! Pas possible, ma chère : ce serait une chose trop affreuse, par exemple! Je ne la croirai, celle-là, que quand je l'aurai vue. *Il n'y a pas sur ça la seule difficulté*.

— Mon Dieu, Barbe, — repartit Nônon, qui était bonne, elle, comme un reste de belle fille indulgente, — le mal n'est pas si grand, après tout! On ne peut pas avoir de mauvaises pensées sur cet abbé, qui ferait plus peur qu'autre chose à une femme, avec son visage dévoré... Jamais, au grand jamais, on n'a rien dit de Jeanne. Sa réputation est nette comme l'or. Et pourtant il y a eu bien des jeunes gens amoureux d'elle, soit ici, à Blanchelande, soit à Lessay! Si donc ils se voient chez la Clotte, c'est qu'il y a peut-être là-dessous quelque manigance de chouannerie. La Clotte a été suspectée d'être une Chouanne dans le temps, et vous vous rappelez qu'ils l'ont *tousée*, comme on disait alors, sur la place du Marché. Ils croient pouvoir se fier à elle pour quelque chose qui tient à c'te chouannerie, mais il n'y a pas d'autre mal que ça à penser, bien sûr!

— C'est égal, — dit la Causseron, restée défiante, quoiqu'elle ne trouvât pas de réponse au raisonnement très sensé de Nônon, — je dois avertir M. le curé, tout de même. Si c'est ce que vous dites, la sacristie de l'église de Blanchelande ne doit pas être un nid à Chouans qui se cachent. Et d'ailleurs, pourquoi toute cette chouannerie qui n'a que trop duré, maintenant que les églises sont rouvertes et que nous r'avons nos curés? Ce prêtre m'a toujours *épeurée*. — fit-elle; — on dit de lui bien des choses terribles. Il ferait mettre à sac tout Blanchelande, avec ses comploteries contre le gouvernement. S'il était vraiment pénitent, depuis le temps,

Mgr l'évèque lui aurait remis ses pouvoirs de confesser et de dire la messe. Il faut qu'il soit bien enragé, au contraire, puisqu'il entraîne une femme comme maîtresse Le Hardouey dans son péché. Mon doux Jésus! qu'est-ce qu'ils peuvent bien avoir fait, tous deux, dans la sacristie? Et peut-être en ce moment qu'ils y sont encore! Ah! certainement j'en parlerai à M. le curé, et dès ce soir, en lui servant sa collation de jeûne. Ne m'en détournez pas. Adieu, ma fille. Je suis tenue en conscience, et sous peine de péché mortel, d'avertir M. le curé de ce qui se passe. *Il n'y a pas là-dessus la seule difficulté.* »

Et, après avoir lâché ce flux saccadé de paroles, elle se mit à trottiner sous le vent qui la poussait, — un vent sec et froid de Semaine Sainte, — qui n'avait cessé de souffler aux jupes et au mantelet de nos deux flânières et qui emporta leurs propos par-dessus les haies. En effet, c'est à partir de cette journée qu'à Lessay et à Blanchelande on commença de joindre ensemble les noms de Jeanne Le Hardouey et de l'abbé de La Croix-Jugan.

Nônon Cocouan ne s'était pas trompée. Elle avait très bien vu Jeanne Le Hardouey entrer dans la sacristie de l'église de Blanchelande, et elle avait très bien deviné, avec son bon sens dépourvu de malice, « que quelque chouannerie couvait là-dessous ». C'était de cela qu'il retournait, en effet. L'abbé de La Croix-Jugan faisait depuis plus de six mois servir Jeanne Le Hardouey à ses desseins. Il la voyait fréquemment chez la Clotte. Il avait jugé sans doute, avec ce regard suraigu des hommes appelés à gouverner les autres hommes, — car, d'après toutes les observations de la comtesse de Montsurvent, il était de cette race-là, — le profit qu'il pouvait tirer de Jeanne-Madelaine. Mariée comme elle l'était à un cultivateur-herbager, elle pouvait, sous

prétexte d'aller au marché de Coutances et aux foires
du pays, porter des lettres, des informations, des
signaux convenus, aux chefs du parti royaliste cachés
ou dispersés dans les environs. Qui aurait suspecté une
femme dans la position de Jeanne, laquelle continuait
de faire, et sans plus, ce qu'elle avait fait toute sa vie?
D'un autre côté, par la nature ferme de son âme, par le
souvenir ardent et fier de sa naissance, par l'humiliation
de son mariage, par les sentiments nouveaux et extraor-
dinaires qu'il voyait en elle et qui entrouvraient, de
temps en temps, ce masque rouge de sang extravasé,
que les révoltes d'un cœur trop concentré avaient moulé
sur son visage, Jeanne offrait à l'abbé de la Croix-Jugan
un instrument que rien ne fausserait, et il l'avait saisi
comme tel. Ce Jéhoël, qui, à dix-huit ans, était resté
muet et indifférent à l'amour fauve et sans frein
d'Adélaïde Malgy, le moine blanc et pâle, qui semblait
l'archange impassible de l'orgie, tombé du ciel, mais
relevé au milieu de ceux qui chancelaient autour de lui,
devait être un de ces hommes mauvais à rencontrer
dans la vie pour les cœurs tendres qui savent aimer.
C'était une de ces âmes tout en esprit et en volonté,
composées avec un éther implacable, dont la pureté tue,
et qui n'étreignent, dans leurs ardeurs de feu blanc
comme le feu mystique, que des choses invisibles, une
cause, une idée, un pouvoir, une patrie! Les femmes,
leurs affections, leur destinée, ne pèsent rien dans les
vastes mains de ces hommes, vides ou pleines des
mondes qui les doivent remplir. Or, par cela même qu'il
était tout cela, Jéhoël ne pouvait-il donc pas, dans
l'intérêt de la cause à laquelle il s'était dévoué, et
quoique prêtre, et quoiqu'il n'eût pas voulu inspirer à
Jeanne une passion coupable, souffler de ses lèvres de
marbre dans la forge allumée de ce cœur qui se fondait

pour lui, malgré sa force, comme le fer finit par devenir fusible dans la flamme?

Car, il faut bien le dire, il faut bien lâcher le grand mot que j'ai retardé si longtemps : Jeanne-Madelaine aimait d'amour l'abbé Jéhoël de La Croix-Jugan. Que si, au lieu d'être une histoire, ceci avait le malheur d'être un roman, je serais forcé de sacrifier un peu de la vérité à la vraisemblance, et de montrer au moins, pour que cet amour ne fût pas traité d'impossible, comment et par quelles attractions une femme bien organisée, saine d'esprit, d'une âme forte et pure, avait pu s'éprendre du monstrueux défiguré de la Fosse. Je me trouverais obligé d'insister beaucoup sur la nature virile de Jeanne, de cette brave et simple femme d'action, pour qui le mot familièrement héroïque : « Un homme est toujours assez beau quand il ne fait pas peur à son cheval », semblait avoir été inventé. Dieu merci, toute cette psychologie est inutile. Je ne suis qu'un simple conteur [117]. L'amour de Jeanne, que je n'ai point à justifier, qu'il fût venu à travers l'horreur, à travers la pitié, à travers l'admiration, à travers vingt sentiments, impulsions ou obstacles, possédait le cœur de cette femme avec la furie d'une passion qui, comme la mer, a dévoré tout ce qui barrait son passage; et cet amour, auquel avait résisté longtemps Jeanne-Madelaine, commençait enfin d'apparaître aux yeux les moins clair-voyants. Extraordinaire même pour ceux à qui la réflexion enseigne quelle aliénation de toutes les facultés humaines est l'amour, que ne dut-il pas être pour les esprits qui entouraient Jeanne, pour tous ces paysans cotentinais parmi lesquels elle vivait! A ses propres yeux même, Jeanne-Madelaine dut pendant longtemps — ainsi qu'on l'a cru et qu'on le croyait encore du temps de maître Tainnebouy — être ensorcelée. La prédiction menaçante du berger s'était peu à peu

enfoncée dans son âme. D'abord elle en avait bravé et
insulté l'influence, mais la force de ce qu'elle éprouvait
l'y fit croire. Autrement, elle n'aurait rien compris à
tout ce qui se passait en elle. Quand elle pensait à
l'objet de son amour : « Suis-je dépravée? » se disait-
elle; et ce doute rendait son amour plus profond... plus
marqué du caractère de la bête dont il est parlé dans
l'Apocalypse [118], et qui, pour les âmes, est le sceau de la
damnation éternelle. L'histoire de la Malgy ne lui
sortait point de la pensée; elle se croyait réservée à une
fin pareille; mais, d'une autre trempe que cette fille
violente et faible, elle s'était *imposé le devoir* de cacher
la passion qui la minait et de ne révéler à personne
l'énigme cruelle de sa vie. Illusion commune aux âmes
fortes! On croit pouvoir cacher la folie de son cœur, et,
de fait, on la dissimule pendant un laps de temps qui
use la vie; mais tout à coup voilà que la honteuse folie a
paru; voilà que tout le monde en parle et que chacun
s'en récrie, sans qu'on sache même comment pareille
chose a pu arriver!

Et pour Jeanne ce moment-là était venu. A dater de
cette première révélation faite à la servante du curé
Caillemer par Nônon Cocouan, des bruits vagues, un
mot dit par-ci et par-là, des souffles plutôt que des
mots, mais des souffles qui vont tout à l'heure devenir
un orage, commencèrent à circuler sur la pauvre
Jeanne. D'abord on parla, comme Nônon, de chouannerie... Mais, comme le pays resta tranquille, comme
l'abbé de La Croix-Jugan ne fit aucune démonstration
extérieure qui prouvât que le chef des Chouans,
toujours soupçonné en lui, malgré son attitude de
pénitent, vivait et agissait, on perdit peu à peu l'idée
qu'on avait eue d'abord pour expliquer les espèces de
relations qui existaient entre lui et maîtresse Le
Hardouey. La cause royaliste était, en effet, désespérée,

et les efforts de cette âme à la Witikind [119] qui respirait
sous le capuchon ténébreux de l'ancien moine n'abou-
tirent jamais à réveiller autour de lui les âmes lassées
des gentilshommes, ses compagnons d'armes. Les jours
tombant les uns sur les autres sans amener d'événements, et les entrevues chez la Clotte entre l'abbé de La
Croix-Jugan et Jeanne restant aussi fréquentes que par
le passé, on vit des étonnements qui avaient l'air
sournois des soupçons. « Ma foi, — disaient beaucoup de
bonnes têtes, — maîtresse Le Hardouey a beau être une
fille de condition, une demoiselle de Feuardent, et
l'abbé de La Croix-Jugan une face criblée et couturée,
pire que si toutes les petites véroles de la terre y avaient
passé... le diable est bien malin, et, si j'étais maître
Thomas, je ne me soucierais guères des accointances de
ma femme avec ce prêtre qui, malgré ses airs d'aujour-
d'hui, n'a jamais beaucoup tenu à sa robe, puisqu'il s'est
défroqué si vite pour aller aux Chouans. » Ces sortes de
réflexions, faites en passant, finirent par acquérir une
consistance qu'involontairement la malheureuse Jeanne
augmenta. Elle souffrait alors des peines cruelles. Elle
était arrivée à cette crise de l'amour où les preuves du
dévouement ne suffisent plus à l'apaisement du sentiment qu'on éprouve. D'ailleurs, ces preuves elles-mêmes
devenaient impossibles à donner. Elle avait multiplié
pendant longtemps les courses les plus périlleuses, pour
le compte de cet abbé, qui ne pensait qu'à relever sa
cause abattue, portant des dépêches à la faire fusiller,
toute femme qu'elle fût, si elle eût été arrêtée. Quand, à
Blanchelande, on la croyait à Coutances pour quelque
affaire de son mari, elle était sur la côte, qui n'est
éloignée de Lessay que d'une faible distance, et elle
remettait elle-même aux hommes intrépides qui, comme
Quintal ou le fameux Des Touches lui-même, portaient
la correspondance du parti royaliste en Angleterre, les

lettres de l'abbé de La Croix-Jugan[120]. Cette vie
aventureuse et qui la soutenait n'était plus possible.
L'abbé avait perdu sa dernière espérance... et il avait
serré autour de lui, et avec la rage qui autrefois avait
armé son espingole, ce camail brûlant dans lequel il
faudrait désormais mourir! Jeanne sentait bien que
même l'œil de cet homme ne la regardait plus depuis
qu'il avait été obligé d'abandonner ses desseins. Avec
l'élévation de son caractère, et religieuse comme elle
l'était, elle dut terriblement souffrir des mouvements
désordonnés qui l'entraînaient vers ce prêtre, dont
l'âme était inaccessible. Elle se vit, au fond de son
cœur, déshonorée. De tels supplices ne se gardent pas
éternellement enfermés sous un *tour de gorge*, comme
l'avait dit maître Tainnebouy, et on ne put s'empêcher
de les voir, malgré les efforts de Jeanne-Madelaine pour
les cacher. Une fois aperçus, une fois cette grande
question posée dans Blanchelande : « Qu'a donc cette
pauvre maîtresse Le Hardouey? » Dieu sait tout ce
qu'on put ajouter. Sa pure renommée était flétrie. —
C'est précisément dans ce temps-là que maître Louis
avait connu Jeanne.

« Monsieur, — me racontait-il avec des accents que je
ne puis oublier, — je vous l'ai déjà dit, depuis bien
longtemps avant cette époque l'entendement n'y était
plus, et elle avait bien l'air de ce qu'elle était. J'ai vu
souvent qu'on lui parlait, et elle ne vous répondait pas;
mais elle vous regardait d'un grand œil mort, comme
celui d'une génisse abattue, elle qui avait eu des yeux à
casser toutes les vitres d'une cathédrale! Toute sa
faisance-valoir, qui était la plus considérable du pays,
ne lui était *de rien*. Elle aimait encore à monter sa
pouliche et à aller au marché; mais, à la maison, plus de
femme, Monsieur, plus de ménagère, plus de maîtresse
Le Hardouey, mais une arbalète rompue, une anatomie

dans un coin! Quand Le Hardouey, qui n'était pas, c'est
vrai, une grande sorte d'homme, mais qui l'aimait à sa
manière, après tout, comme la suite ne l'a que trop
prouvé, lui demandait ce qu'elle avait et pourquoi elle
était comme ça, elle disait qu'elle ne savait pas ce qui
lui bouillait dans la tête; et, par le bœuf de la sainte
crèche! elle était bien *fondée* à parler ainsi, car son
visage avait l'air d'une fournaise, vère! d'un four à
chaux qui flambe dans la nuit! Je suis bien souvent
resté devant à songer qu'elle était perdue. Maître Le
Hardouey la conduisit lui-même, et à plusieurs fois, aux
médecins de Coutances; mais les médecins ne pouvaient
rien à ce qui n'était pas une maladie d'homme ou de
femme, Monsieur! Et *à preuve* que le malin esprit était
fourré là-dedans et qu'elle savait la griffe qui l'avait
blessée et qui la tenait, c'est que le curé Caillemer lui
conseilla de faire une neuvaine à la bonne Vierge de la
Délivrance, et que, religieuse comme elle l'avait toujours été, elle ne voulut pas. C'était là le dernier degré
de sortilège et de misère, Monsieur : elle ne voulait pas
guérir! Elle aimait le sort qu'on lui avait jeté! Les uns
parlaient du berger du Vieux *Probylère*, les autres de
l'abbé de La Croix-Jugan, et, croyez-moi, Monsieur...
c'étaient de terribles et ordes remarques qu'on faisait
alors sur maîtresse Le Hardouey, à Blanchelande, au
bourg de Lessay et plus loin, — et je n'ai jamais su bien
tirer au clair ce qu'on racontait; mais, vrai comme nous
v'là dans c'te lande, pour qui, comme moi, nombre de
fois les vit à l'église, lui, cet abbé noir comme la nuée
dans sa stalle, et elle, rouge comme le feu de la honte
dans son banc, ne lisant plus dans son livre de messe,
debout quand il fallait être assise, assise quand il fallait
être à genoux, il n'y a pas moyen de penser que le
maître de cette misérable ensorcelée ait été un autre que
ce prêtre, qui semblait le démon en habit de prêtre,

et qui s'en venait braver Dieu jusque dans le chœur
de son église — sous la perche de son crucifix! »

X [121]

C'est à l'époque dont maître Louis Tainnebouy, le
brave fermier du Mont-de-Rauville, me parlait en ces
termes, qu'un soir la vieille Clotte, qui avait filé à sa
porte une bonne partie de la relevée, arrêta, fatiguée, le
mouvement de son rouet. Elle regarda autour d'elle et
appela la petite Ingou.

« Petiote! » — fit-elle.

Mais Petiote ne répondit pas. La maison de la Clotte,
détruite maintenant, s'élevait à peu de pieds de terre,
sur la route qui conduisait de Blanchelande au bourg de
Lessay, et elle n'avait pour voisinage, à deux ou trois
portées de fusil, sur le bord opposé du chemin, que la
chaumière de la mère Ingou, dont la petite fille venait,
chaque jour, aider la Clotte dans son pauvre ménage. Ce
jour-là, cette petite, qui avait de bonne heure rangé le
fuil de la vieille Clotte, tentée par la beauté de la soirée
et ces derniers rayons du soir qui conseillent le
vagabondage, avait pris ses sabots sans bride à chaque
main, et s'était mise à dévaler le bout de la route en
pente qui conduisait chez sa mère, élevant sous ses
pieds nus de ces tourbillons de poussière chers aux
enfants de tous les pays. C'était pour se procurer cette
joie d'enfant que la petite Ingou avait oublié de dire
« qu'elle s'en allait » à la Clotte, et n'avait pas pensé à
rentrer son rouet dans la maison. Or, la Clotte, infirme
et qui avait besoin de ses deux mains pour s'appuyer
sur son bâton et gagner péniblement le fond de sa

demeure, était tout à fait incapable de rentrer le rouet
dont elle s'était servie une partie du jour, à son seuil...
« Comment ferai-je? » se disait-elle, quand elle aperçut,
se dirigeant vers elle, maîtresse Le Hardouey.

Elle venait lentement, la pauvre Jeanne. Elle ne
marchait plus comme autrefois de ce pas ferme et
rapide qui avait été le sien. Il y avait dans sa démarche
quelque chose d'appesanti et de frappé, dont rien ne
peut donner l'idée. Sa grande coiffe blanche, ce cimier
de batiste qui allait si bien à sa physionomie décidée,
elle ne la portait plus haut et d'un front léger. Et,
sans les velours noirs qui la rattachaient sous le menton,
peut-être serait-elle tombée, tant la tête que cette coiffe
couvrait s'inclinait maintenant sous la pensée fixe
qu'elle emportait à son front, comme le taureau
emporte la hache qui l'a frappé! En voyant de loin
venir cette femme dont elle avait connu naguère la
beauté et surtout la force, les yeux secs de la fière
Clotilde Mauduit, qui avait pleuré, disait-elle, *toutes les
larmes de son corps sur les ruines de sa jeunesse,*
ressentirent la moiteur d'une dernière larme, la dernière
goutte de la pitié. Elle savait toute l'histoire de Jeanne.
Dès le premier jour, si on se le rappelle, elle avait
soupçonné tout ce que ce fatal indifférent de Jéhoël, qui
avait tué Dlaïde Malgy de désespoir, apporterait de
malheur à la fille de Loup de Feuardent, et elle l'en
avait avertie.

« Fuyez cet homme, — lui avait-elle dit pendant
quelque temps, avec l'espèce d'égarement qu'elle avait
parfois et que Jeanne-Madelaine croyait le résultat de
son caractère ardemment ulcéré et de la solitude
épouvantable de sa vie; — une voix m'avertit, la nuit,
quand je ne dors pas, une voix qui est la voix de Dlaïde,
que si vous ne fuyez pas cet homme il sera un jour votre
destin. Ne dites pas non, Jeanne de Feuardent! Est-ce

que la fille des gentilshommes, ces nobles époux de la guerre, aurait peur de quelques blessures sur un front qui sait les porter? Vous n'êtes pas un de ces faibles cœurs de femme éternellement tremblants devant des cicatrices et toujours prêts à s'évanouir dans une vaine horreur. Non! vous êtes une Feuardent; vous descendez d'une de ces races irlandaises, m'a dit votre père, dans lesquelles on faisait baiser la pointe d'une épée à l'enfant qui venait au monde, avant même qu'il eût goûté au lait maternel. Non, ce ne sont pas les coutures de l'acier sur un visage ouvert par les balles qui pourraient vous empêcher, vous, d'aimer Jéhoël! »

Jeanne ne la crut pas, ou la crut peut-être. Mais elle n'évita pas cet homme, à qui elle attachait un intérêt grandiose, idéal et passionné. Entre elle et lui il y avait, pour embellir cette face criblée, la tragédie de sa laideur même, le passé des ancêtres, le sang patricien qui se reconnaissait et s'élançait pour se rejoindre, des sentiments et un langage qu'elle ne connaissait pas dans la modeste sphère où elle vivait, mais qu'elle avait toujours rêvés. Elle vint plus souvent chez la Clotte. Il y vint aussi, et, comme je l'ai dit, il la dévoua à ses périlleux desseins. Ce fut alors que l'amour de Jeanne pour ce chef de guerre civile, grand à sa manière, comme ce Georges Cadoudal (dont on parlait beaucoup à cette époque [122]) l'était à la sienne, se creusa et s'envenima de douleur, de honte et de désespoir; car, si le chef chouan avait un instant caché le prêtre, le prêtre reparut bien vite, sévère, glacé, imperturbable, le Jéhoël enfin dont on pouvait dire ce que sainte Thérèse disait du Démon : « Le malheureux! il n'aime pas! » Les souffrances de Jeanne furent intolérables. Elle ne pouvait les confier qu'à la Clotte, qui lui avait prédit son malheur et raconté l'histoire de Dlaïde. C'était avec cette Paria des mépris de toute une contrée qu'elle se

dédommageait des impostures courageuses de sa fierté.
La Clotte, en effet, l'enthousiaste impénitente, la *Garce
de Haut-Mesnil*, comme disaient les paysans de ces
parages, comprenait seule cet amour, inacceptable aux
âmes religieuses et tranquilles qui devraient faire
l'opinion dans tous les pays.

Quant à l'abbé de La Croix-Jugan, lorsque les projets
qu'il avait si opiniâtrement préparés eurent été trahis
une fois de plus par la fortune de sa cause, devenu plus
farouche et plus noir que jamais, il cessa de venir chez
la Clotte. Il n'avait plus rien à y faire. Tout, pour lui,
n'était-il pas perdu?... Jeanne-Madelaine ne vit donc
qu'à l'église l'effrayant génie de sa destinée. La religion
s'était-elle ressaisie de ce prêtre, dont le sort des armes
ne voulait plus? Après avoir abdiqué l'espoir de vaincre,
comme Charles Quint l'ennui de régner, l'ancien moine
de Blanchelande se faisait-il, dans son propre cœur, un
cloître plus vaste et plus solitaire que celui qu'il avait
quitté dans sa jeunesse, et prenait-il, dans sa froide
stalle de chêne, la mesure du cercueil au fond duquel il
se couchait tout vivant en récitant sur lui-même les
prières des morts?... Qui sut jamais exactement ce qui
s'agita dans cette âme? Ce qui est incontestable, c'est
que le caractère funèbre et terrible de toute la personne
de l'abbé augmenta aux yeux des populations, qui
l'avaient toujours regardé comme un être à part et
redoutable, à mesure que la physionomie de Jeanne
marqua mieux les bouleversements et les dévorements
intérieurs auxquels elle était en proie, comme si plus la
victime était tourmentée, plus sinistre devenait le
bourreau!

Or, l'isolement dans lequel retomba volontairement le
noir abbé après la ruine de ses dernières espérances fut
la fin du courage de Jeanne. Mais la fin du courage chez
la fille de Louisine-à-la-hache était encore une chose

puissante. Elle était de ces natures à la Marius qui
prennent de leur sang dans leur main et le jettent en
mourant contre leur ennemi, fût-ce le ciel! Rien de
lâche ou d'élégiaque n'entrait dans la composition de
cette femme. Lorsque les derniers rayons du soir
teignaient d'un rose mélancolique sa coiffe blanche, sur
la route de Lessay, à cette heure où le jour se met en
harmonie avec les cœurs déchirés, elle ne sentait rien de
faible, rien de languissant, rien d'énervé en elle. La
pléthore de son cœur ressemblait à la pléthore brûlante
de son visage. Seulement, elle se disait, en appuyant sa
main ferme sur ce cœur qui lui battait jusque dans la
gorge, que le dernier bouillonnement allait en jaillir,
qu'après cela le volcan serait vide et ne fumerait peut-
être plus; et cette pensée, plus que tout le reste,
troublait et appesantissait sa démarche, car elle venait
de prendre la résolution définitive qui est l'acte suprême
de la volonté désespérée et qui produit sur l'âme
énergique l'effet de la mise en chapelle sur le condamné
espagnol [123].

« Ah! vous êtes là, mère Clotte! — fit-elle d'une voix
rauque et dure, la voix des grandes résolutions, en
atteignant la vieille filandière assise devant son rouet à
son seuil.

— Mon Dieu! qu'y a-t-il de nouveau, mademoiselle
de Feuardent? — s'écria tout à coup la Clotte frappée
de l'air et de la voix de Jeanne. — Vous n'êtes pas
comme tous les jours, ce soir, quoique tous les jours
soient tristes pour vous, ma noble fille. On dirait que
vous allez faire un malheur. Vous ressemblez comme
deux gouttes d'eau à l'image de la Judith qui tua
Holopherne, que j'ai à la tête de mon lit.

— Ah! — fit Jeanne avec une exaltation farouche et
ironique; — attendez, mère Clotte, je n'ai pas encore du
sang sur les mains, pour me comparer à une tueuse; je

n'en ai encore qu'à la figure, et c'est le mien, qui me brûle, mais qui ne coule pas... S'il eût coulé depuis qu'on l'y voit, je serais plus heureuse : je serais morte et à présent tranquille, comme Dlaïde Malgy, qui dort si bien dans sa tombe, là-bas! — ajouta-t-elle en tendant son bras qui tremblait vers la haie, par-dessus laquelle on voyait le toit bleu du clocher de Blanchelande, rongé par les violettes vapeurs du soir. — Non, ne me comparez pas à Judith, mère Clotte! Ne disent-ils pas que l'esprit de Dieu était en elle? C'est l'esprit du mal qui est en moi! et il est si fort ce soir, cet esprit du mal, connu de vous aussi, Clotilde Mauduit, dans votre jeunesse, que j'en veux finir avec la vie, avec la réserve, avec la fierté, avec la vertu, avec tout!

— Rentrons, ma fille, on pourrait nous entendre à cette porte, et on en dit assez sur vous à Blanchelande », fit la Clotte, presque maternelle.

Et la paralytique prit son bâton à côté d'elle, et, les deux mains dessus, elle passa le seuil de sa porte avec l'effort, douloureux à voir, d'une vieille couleuvre à moitié écrasée par une roue de charrette, qui traverse péniblement une ornière, et va regagner, en face, son buisson.

Jeanne-Madelaine prit le rouet et suivit la Clotte.

« Quenouille finie, — dit-elle en regardant l'ouvrage qu'avait fait la vieille femme, dont la journée avait été laborieuse, — fierté finie et vie finie. Tout finit donc, excepté de souffrir? Qui sait — continua-t-elle dans une rêverie sombre et en déposant le rouet à sa place ordinaire — si le fil roulé sur ce fuseau ne servira pas à tisser bientôt le drap mortuaire de Jeanne de Feuardent?...

— Oh! ma pauvre enfant, — dit la Clotte, — qu'est-ce donc que vous avez, ce soir?

— Je m'en vais vous le dire », — reprit Jeanne avec un air de mystère qui tenait du délire et du crime.

Elle s'assit, sur son escabeau, auprès de la Clotte, mit son coude sur son genou et sa joue de feu dans sa main, et, comme si elle allait commencer quelque récit extraordinaire :

« Écoutez, — dit-elle avec un regard fou. — J'aime un prêtre ; j'aime l'abbé Jéhoël de La Croix-Jugan [124] ! »

La Clotte joignit les deux mains avec angoisse.

« Hélas ! je le sais bien, — fit-elle ; — c'est de là que vient tout votre malheur.

— Oh ! je l'aime, et je suis damnée, — reprit la malheureuse, — car c'est un crime sans pardon que d'aimer un prêtre ! Dieu ne peut pas pardonner un tel sacrilège ! Je suis damnée ! mais je veux qu'il le soit aussi. Je veux qu'il tombe au fond de l'enfer avec moi. L'enfer sera bon alors ! il me vaudra mieux que la vie [125]... Lui qui ne sent rien de ce que j'éprouve, peut-être se doutera-t-il de ce que je souffre, quand les brasiers de l'enfer chaufferont enfin son terrible cœur ! Ah ! tu n'es pas un saint, Jéhoël : je t'entraînerai dans ma perdition éternelle [126] ! Ah ! Clotilde Mauduit, vous avez vu bien des choses affreuses dans votre jeunesse, mais jamais vous n'en avez vu comme celles qui se passeront près d'ici, ce soir. Vous n'avez qu'à écouter, si vous ne dormez pas cette nuit : vous entendrez l'âme de Dlaïde Malgy crier plus fort que toutes les orfraies de la chaussée de Broquebœuf.

— Taisez-vous, Jeanne de Feuardent, ma fille ! — interrompit la Clotte avec le geste et l'accent d'une toute-puissante tendresse ; et elle prit la tête de Jeanne-Madelaine et la serra contre son sein desséché, avec le mouvement de la mère qui s'empare d'un enfant qui saigne et veut l'empêcher de crier.

— Ah ! je vous fais l'effet d'une folle ! — dit plus

doucement Jeanne, que cette mâle caresse d'un cœur
dévoué apaisa, — et je le suis bien dans un sens, mais
dans l'autre je ne le suis pas... J'ai essayé de tout pour
être aimée de ce prêtre [127]. Il n'a pas même pris garde à
ce que je souffrais. Il m'a méprisée comme Dlaïde
Malgy, comme vous toutes, les filles de Haut-Mesnil,
qu'il a dédaignées. Eh bien! je vous vengerai toutes. Il
m'en coûtera ma part de paradis, mais je vous vengerai.
Oh! j'ai été plus folle que je ne le suis aujourd'hui, mère
Clotte. Il y a six mois, je ne vous l'ai pas dit alors... je
suis allée en cachette aux bergers. Je m'en étais
longtemps moquée, d'eux et de leurs sortilèges, mais j'y
suis allée, le front bas, le cœur bas... J'ai reconnu celui
que j'avais vu sous la porte du Vieux Presbytère, qui
m'avait fait cette menace que je n'ai jamais pu oublier.
Je l'ai prié, ce mendiant, ce vagabond, ce pâtre, comme
on ne doit prier que Dieu, d'avoir pitié de moi et de
m'ôter le sort qu'il m'avait jeté. J'ai usé mes genoux
devant lui, dans la poussière de la lande! J'en aurais
mangé, s'il l'avait voulu, de cette poussière [128]! Je lui ai
donné mes pendants d'oreilles, ma jeannette d'or, mon
esclavage [129], mon épinglette et de l'argent, et de tout, et
je lui aurais donné de mon sang pour qu'il me découvrît
un moyen de me faire aimer de Jéhoël, s'il y en avait.
Le misérable va-nu-pieds, après bien des refus, aiguisés
par la haine et par la vengeance, a fini par me dire qu'il
fallait porter une chemise sur ma poitrine, l'imbiber de
ma sueur et la faire porter à Jéhoël [130]. Le croiriez-vous,
mère Clotte?... Jeanne de Feuardent n'a pas pris cela
pour une injure! Elle a cru que c'était un conseil...
L'amour nous abêtit-il assez, nous autres femmes! J'ai
taillé et cousu de mes mains une chemise d'homme...
Mais la honte m'a prise dans ce fol ouvrage. La vertu de
ma vie ne s'est pas soulevée dans mon cœur et ne m'a
pas arrêtée. J'ai taillé et cousu de mes mains éperdues

cette chemise, et je l'ai portée sur ce corps que la seule
pensée de Jéhoël baignait de feu! je l'en ai imbibée,
traversée... Je l'aurais imbibée de mon sang si le berger
avait dit que c'était du sang qu'il fallait à la place de
sueur. Puis, un soir que la porte de la maison de Jéhoël
était entr'ouverte et que je l'avais entendu qui parlait
dans son écurie à ses chevaux, les seules créatures
vivantes qu'il ait l'air d'aimer, je m'y glissai comme une
voleuse et je jetai la chemise sur son lit, espérant qu'il
la mettrait (la trouvant sous sa main) sans y penser. La
mit-il? je ne sais. Mais, s'il l'a mise, il n'a pas mis
l'amour avec!

» Hélas! il ne m'aima pas davantage. « Il fallait
qu'elle n'eût pas séché », fit le berger en ricanant et en
me retournant ce couteau dans le cœur. C'était me
demander l'impossible. Le pâtureau se vengeait [131].
Mais la taie que j'avais sur les yeux tomba. Je n'allai
plus au berger. Et pourtant, la crédulité me tenait
toujours! Dans toutes les foires et les marchés je
consultais les tireuses de cartes. Elles ne disaient jamais
qu'une seule chose, c'est que j'aimais un homme brun
qui avait un *pouvoir supérieur au leur* et que cet homme
brun me tuerait. Ah! j'étais déjà tuée! Est-ce que je
suis cette Jeanne de Feuardent connue jadis à Blanchelande et à Lessay? Est-ce que ce malheureux visage,
affreux comme une apoplexie, dit que je suis une femme
vivante [132]?... Oui! je suis tuée. Jéhoël m'a tuée. Mais
moi, je lui tuerai son âme! Je ne finirai pas comme ce
misérable pigeon sans fiel de Dlaïde Malgy qui n'a su
que se rouler à des pieds d'homme et puis mourir! »

Un étrange sourire passa sur les lèvres de l'ancienne
odalisque des sultans de Haut-Mesnil, en entendant ce
cri de la femme qui sait la force de la tentation que son
péché a mise en elle.

« Insensée! — fit-elle, — insensée! tu ne connais donc
pas encore ce La Croix-Jugan? »

Et avec une force de regard et d'affirmation qui
troubla Jeanne, malgré le désordre de tout son être, elle
ajouta :

« Quand tu te mettrais encore plus bas que la Malgy
aux pieds de cet homme, tu ne pourras jamais ce que tu
veux!

— Ce n'est donc pas un homme? — dit Jeanne avec
un front de bronze, tant les sentiments purs de la
femme, le chaste honneur de toute sa vie, avaient
disparu dans les flammes d'une passion plus forte, hélas!
que quinze ans de sagesse et enflammée par dix-huit
mois d'atroces combats!

— C'est un prêtre, — répondit la Clotte.

— Les anges sont bien tombés! — dit Jeanne.

— Par orgueil, — répondit la vieille; — aucun n'est
tombé par amour [133]. »

Il y eut un moment de silence entre ces deux femmes.
La nuit, chargée de ses mauvaises pensées, commença
de pénétrer dans la chaumière de la Clotte.

« Il aime la vengeance, — fit profondément Jeanne-
Madelaine, — et je suis la femme d'un Bleu.

— Ce qu'il aime, qui le sait, ma fille? — répondit la
Clotte, plus profonde encore. — Il n'a jamais peut-être
aimé que sa cause, et sa cause n'est point dans tes bras!
Ah! s'il pouvait écraser tout ce qu'il y a de Bleus sous
ton matelas, peut-être s'y coucherait-il avec toi. Oui!
même au sortir de la messe, la bouche teinte du sang de
son Dieu qui le condamnerait [134]! Mais, à toi seule, tu
n'as à lui offrir qu'un cœur, qu'il dédaigne, dans sa
pensée de prêtre, comme une proie destinée aux vers du
cercueil.

— Et si tu te trompais, la Clotte? — fit Jeanne en
se levant impétueusement de son escabeau.

— Non, Jeanne de Feuardent, — fit la vieille Clotte avec un geste d'Hécube, — non, je ne me trompe point. Je le connais. Ne vous avilissez point pour cet homme. Gardez votre grand cœur. N'allez pas à la honte, ma fille, pour n'en rapporter que les rebuts du mépris. — Et elle saisit Jeanne par le bas de son tablier de cotonnade rouge pour l'empêcher de sortir.

— Ah! la vieillesse t'a donc rendue lâche, Clotilde Mauduit! — fit Jeanne exaspérée et en qui le dernier éclair de la raison s'éteignait. — Quand tu avais mon âge et que tu étais amoureuse, aurais-tu tremblé devant la honte, et t'aurait-on arrêtée en te parlant de mépris [135]? »

Et elle tira brusquement son tablier qui se déchira et dont le lambeau resta dans les mains crispées de la Clotte.

Elle s'était précipitée hors de la chaumière, comme une folle qui s'échapperait de l'hôpital.

XI

Le même soir, presque à la même heure où la Clotte, assise à sa porte, avait aperçu Jeanne-Madelaine qui s'en venait vers elle, maître Thomas Le Hardouey, monté sur sa forte jument d'allure, traversait la lande de Lessay. Il revenait de Coutances, où il avait passé plusieurs jours à s'entendre avec ces acquéreurs collectifs de propriétés dont l'association a porté plus tard le nom expressif de *Bande noire* [136]. Quoiqu'il eût fait avec ses associés ce qu'on appelle de bonnes affaires, et qu'il eût lieu de se féliciter, maître Thomas Le Hardouey n'avait pas cependant, ce jour-là, dans son air et sur son visage, le

je ne sais quoi d'inexprimable qui fait dire en toute sûreté
de conscience et de coup d'œil : « Voilà un heureux coquin
qui passe ! » Il est vrai qu'il n'avait jamais eu, ainsi que
maître Louis Tainnebouy, une de ces physionomies gaies
et franches qui sont comme la grande porte ouverte
d'une âme où chacun peut entrer.

Jamais, au contraire, plus que ce soir-là, sa figure
hargneuse et froncée n'avait mieux ressemblé aux fagots
d'orties et d'épines avec lesquels on bouche les trous d'une
haie contre les bestiaux. Ses traits durs, hâves et *gravés*,
n'étaient point adoucis par les tons de la lumière dorée
et chaude d'un soleil qui disparaissait à l'horizon de la
lande, comme un étincelant coureur qui l'avait traversée tout le jour. Depuis quelque temps, malgré l'état
florissant d'une fortune qui s'arrondissait, maître
Le Hardouey nourrissait une bilieuse humeur, causée
par la santé et par la situation d'esprit de sa femme. Il
l'avait plusieurs fois menée au médecin de Coutances,
qui n'avait pas compris grand-chose à la souffrance de
Jeanne, à cet état sans nom qui, comme toutes les
maladies dont la racine est dans nos âmes, trompe l'œil
borné de l'observation matérielle. « Qu'avait sa femme,
cette *perle des femmes*? » comme on disait dans le pays.
Telle était l'idée fixe de maître Thomas Le Hardouey.
Un jour, dans cette lande où il cheminait, il l'avait
surprise, assise par terre, son visage, ce visage presque
altier, tout en larmes, et pleurant comme Agar au
désert [137]. Et, quand il l'avait interrogée, elle avait eu
un *courroux* [138] dans lequel il la tint pour morte. C'est alors
qu'il prit le parti de ne plus lui adresser la moindre
question. Seulement, ce qu'il n'accepta pas avec cette
souterraine manière d'enrager, qui était toute la résignation de son caractère, ce fut de voir bientôt cette
ménagère incomparable, si vigilante et si active, se
déprendre peu à peu de tout ce qui avait rempli et

dominé sa vie, et laisser aller *tout à trac* au Clos. Jeanne, dévorée par une passion muette, était tombée dans une stupeur qui ressemblait presque à un commencement de paralysie. Ajoutez à tout cela ses visites à la Clotte, ses rencontres chez la vieille *lousée*, comme disait Le Hardouey dans son ancien langage de Jacobin, avec ce Chouan dont on glosait tant dans la contrée, et enfin les propos de chacun, ramassés en miettes, à droite et à gauche, et vous aurez le secret des ennuis qui s'épaississaient sur les sourcils barrés de maître Thomas.

Il tenait assez bien le milieu de la lande, et son cheval marchait d'un bon pas. Il ne voulait pas que la nuit le prît dans ces parages, alors au plus fort de leur mauvaise renommée, et dont l'aspect trouble encore aujourd'hui les cœurs les plus intrépides. Fort avancé du côté de Blanchelande, il calculait, en éperonnant sa monture, ce qui lui restait de jour pour sortir de cette étendue, après que le soleil, qui n'était plus qu'un point d'or tremblant à cette place de l'horizon où la terre et le ciel, a dit un grand paysagiste, *s'entre-baisent quand le temps est clair*, aurait entièrement disparu. La journée, qui avait été magnifique et torride, finissait sur l'Océan grisâtre, sans transparence et sans mobilité, de cette lande déserte, avec la langoureuse majesté de mélancolie qu'a la fin du jour sur la pleine mer. Aucun être vivant, homme ou bête, n'animait ce plan morne, semblable à l'épaisse superficie d'une cuve qui aurait jeté les écumes d'une liqueur vermeille par-dessus ses bords, aux horizons. Un silence profond régnait sur ces espaces que le pas de la jument d'allure et le bourdonnement monotone de quelque taon, qui la mordait à la crinière, troublaient seuls. Maître Thomas trottait, pensif, la tête plongée au creux de son estomac et le dos arrondi comme un sac de blé, lorsqu'une haleine du vent qui lui venait à la face lui apporta les sons brisés

d'une voix humaine et lui fit relever des yeux méfiants.
Il les tourna autour de lui, mais, de près ni de loin, il ne
vit que la lande, fuyante à l'œil, qui poudroyait. Tout
esprit fort que fût maître Le Hardouey, ces sons
humains sans personne, dans ces landages ouverts aux
chimères et aux monstres de l'imagination populaire,
produisirent sur ses sens un effet singulier et nouveau,
et le disposèrent sans nul doute à la scène inouïe qui
allait suivre. Plus il s'avançait, plus la voix s'élevait du
sentier que suivait son cheval aux oreilles frissonnantes,
qui titillaient et dansaient en vis-à-vis des nerfs tendus
du cavalier.

   La pourpre éclatante du couchant devenait d'un
rouge plus âpre, et plus cette rouge lumière brunissait,
plus la voix montait et devenait distincte, comme si de
tels sons sortissent de terre, de même que les feux follets
sortent des marais vers le soir. Ces sons, du reste,
étaient plus tristes qu'effrayants. Le Hardouey les avait
maintes fois entendus traîner aux lèvres des fileuses.
C'était une complainte de vagabond, dont il distingua
les couplets suivants :

> *Nous étions plus d' cinq cents gueux,*
> *Tous les cinq cents d'une bande.*
> *C'est moi qui suis l' plus heureux,*
> *Car c'est moi qui les commande!*
> *Mon trône est sous un buisson,*
> *J'ai pour sceptre mon bâton.*
>   *Toure loure la,*
> *La, la, la, la, la, la, la, la!*
>
> *Je rôde par tout chemin*
> *Et de village en village.*
> *L'un m' donne un morcet de pain,*
> *L'autre un morcet de fromage...*

Et quelquefois, par hasard,
Un petit morcel de lard...
   Toure loure la,
La, la, la, la, la, la, la, la!

Je ne crains pé, pour ma part,
De tumber dans la ruelle,
Ou qu' la chaleur de mes draps
Ne m'engendre la gravelle...
Je couche sur le pavé,
Ma besace à mon côté.
   Toure loure la,
La, la, la, la, la, la, la, la!

Au dernier *la* de ce couplet, Le Hardouey atteignait un de ces replis de terrain que j'avais, si on se le rappelle, remarqués dans ma traversée avec Louis Tainnebouy, et il avisa, très bien cachés par ce mouvement du sol, comme une barque est cachée par une houle, trois mauvaises mines d'hommes couchés ventre à terre, comme des reptiles. Malgré la chanson de pauvre que chantait l'un d'eux et le costume qu'ils portaient, et qui est le costume séculaire des mendiants dans le pays, ce n'étaient pas des mendiants, mais des bergers. Ils avaient la vareuse de toile écrue de la couleur du chanvre, les sabots sans bride garnis de foin, le grand chapeau jauni par les pluies, le bissac et les longs bâtons fourchus et ferrés. Des liens d'une paille dorée et luisante, solidement tressée, avec lesquels ils attachaient le porc indocile par le pied ou le bœuf têtu par les cornes, pour les conduire, se tordaient autour de leur avant-bras, comme de grossiers bracelets, et ils avaient aussi de ces liens qu'ils tressaient eux-mêmes en bandoulière par-dessus leurs bissacs, et autour de leurs reins par-dessus leur ceinture. A l'immobilité de leur

attitude, à leurs cheveux blonds comme l'écorce de
l'osier, à la somnolence de leurs regards vagues et
lourds, il était aisé de reconnaître les pâtres errants, les
lazzarones des landes normandes, les hommes du rien-
faire éternel.

Quand ils entendirent derrière eux, et près d'eux, les
pas du cheval de Le Hardouey, qui, sans les voir,
arrivait au trot sur leur groupe, le plus rapproché se
leva à demi en s'aidant de son bâton, qu'il dressa, et,
par ce geste, effraya la jument, qui fit un écart.

« Orvers *! — lui cria Thomas Le Hardouey en
reconnaissant la tribu errante qu'il avait bannie du
Clos, — est-ce pour faire broncher la monture des
honnêtes gens que vous vous couchez comme des chiens
ivres sur leur passage? Engeance maudite! le pays ne
sera donc jamais purgé de vous?... »

Mais celui qui s'était soulevé en s'appuyant sur son
bâton piqué en terre retomba et s'accroupit sur les
talons ferrés de ses sabots, en jetant sur Le Hardouey
un regard ouvert et fixe comme le regard d'un crapaud.
C'était le pâtre rencontré par Jeanne sous la porte du
Vieux Presbytère. Il portait une appellation mystérieuse comme lui et toute sa race. On l'appelait : « le
Pâtre. » Personne, dans la contrée, ne lui connaissait
d'autre nom, et peut-être n'en avait-il pas.

« Porqué que j' ne coucherions pas ichin? — répondit-
il. — La terre appartient à tout le monde! » — ajouta-
t-il avec une espèce de fierté barbare, comme s'il eût, du
fond de sa poussière, proclamé d'avance l'axiome
menaçant du Communisme moderne [139]. Accroupi,
comme il l'était, sur le talon de ses sabots, le bâton fiché
dans la terre comme une lance, la lance du partage, au
pied de laquelle on doit faire, un jour, l'expropriation

---

* Pour *orvets*, patois normand.

du genre humain, cet homme aurait frappé, sans doute,
l'œil d'un observateur ou d'un artiste. Ses deux
compagnons, étalés sur le ventre, comme des animaux
vautrés dans leur bauge ou les bêtes rampantes d'un
blason, ne bougeaient pas plus que des sphinx au désert
et guignaient le fermier à cheval, de leurs quatre yeux
effacés sous leurs sourcils blanchâtres. Maître Le Hardouey ne voyait dans tout cela, lui, que la réunion de
trois pâtres indolents, insolents, sournois, une vraie
lèpre humaine qu'il méprisait fort du haut de son cheval
et de sa propre vigueur; car il n'avait pas froid aux
yeux, maître Le Hardouey, et il savait enlever un
boisseau de froment sur les reins d'un cheval aussi
lestement qu'il en eût descendu sa femme dans ses
cottes bouffantes! Et c'est pourquoi ces trois fainéants,
au teint d'albinos, qui, de leurs longs corps de mol-
lusques, barraient le sentier à cet endroit de la lande, ne
l'effrayaient guère... Et pourtant... oui, pourtant...
était-ce l'heure? était-ce la réputation du lieu où il se
trouvait? étaient-ce les superstitions qui enveloppaient
ces pâtres contemplatifs, dont l'origine était aussi
inconnue que celle du vent ou que la demeure des
vieilles lunes?... mais il était certain que Le Hardouey
ne se sentait pas, sur sa selle à pommeau cuivré, aussi à
l'aise que sous la grande cheminée du Clos et devant un
pot de son fameux cidre en bouteille. Et vraiment, pour
lui comme pour un autre, ce groupe blafard, à ras de
terre, éclairé obliquement par un couchant d'un rouge
glauque, avait, dans sa tranquillité saisissante et ses
reflets de brique pilée, quelque chose de fascinateur.

« Allons! — dit-il, ne voulant que les effrayer et
réagissant contre l'impression glaçante qu'ils lui causaient, — allons, debout, Quatre-sous! En route, race de
vipères engourdies! Débarrassez-moi le passage, ou... »

Il n'acheva pas. Mais il fit claquer la longe de cuir

qu'il avait à la poignée de son pied de frène, et, de l'extrémité, il toucha même l'épaule du berger placé devant lui.

« Pas de jouerie de mains! — fit le pâtre, dans les yeux de qui passa une lueur de phosphore, — il y a du quemin à côté, maître Le Hardouey. Ne burguez [140] pas votre quevà sù nous, ou i'vous arrivera du malheu! »

Et, comme Le Hardouey poussait sa jument, il allongea son bâton ferré aux naseaux de la bête, qui recula en reniflant.

Le Hardouey blèmit de colère, et il releva son pied de frène en jurant le Saint Nom.

« J' n'avons pé paoù de vos colères de Talbot [141], maître Le Hardouey, — dit le berger avec le calme d'une joie concentrée et féroce, — car j' vous rendrons aussi aplati et le cœur aussi *bresillé* [142] que votre femme, qui était bien haute itou, lorsque j' voudrons.

— Ma femme? — dit Le Hardouey troublé et qui abaissa son bâton.

— Vère! votre femme, votre moitié d'arrogance et de tout, et dont la fierté est maintenant aussi *éblaquée* [143] que cha! — répondit-il en frappant de sa gaule ferrée une motte de terre qu'il pulvérisa. — D'mandez-lui si elle connaît le berger du *Vieux Probytère*, vous ouïrez ce qu'elle vous répondra!

— Chien de mendiant, — cria maître Thomas Le Hardouey, — quelle accointance peut-il y avoir entre ma femme et un pouilleux gardeur de cochons ladres comme toi?... »

Mais le berger ouvrit son bissac par devant et y prit, après avoir cherché, un objet qui brilla dans sa main terreuse.

« Connaissez-vous pas cha? » — fit-il.

Le soir avait encore assez de clarté pour que Le Hardouey discernât très bien une épinglette d'or émaillé

qu'il avait rapportée de la Guibray à sa femme et que
Jeanne avait l'habitude de porter, par-derrière, à la
calotte de sa coiffe.

« Où as-tu volé ça? — dit-il en descendant de sa
jument d'allure, avec le mouvement d'un homme pris
aux cheveux par une pensée qui va le traîner à l'enfer.

— Volé! — répondit le berger, qui se mit à ricaner.
— Vous savez si je l'ai volée, vous! vous autres, les fils!
— ajouta-t-il en se retournant vers ses compagnons, qui
se prirent à ricaner aussi du même rire guttural. —
Maîtresse Le Hardouey me l'a bien donnée elle-même,
au bout de la lande, contre la Butte-aux-Taupes, et m'a
assez *tourmenté-tourmenteras-tu* pour la prendre. Ah! la
fierté était partie. Elle *gimait* [144] alors comme une
pauvresse qui a faim et qui s'éplore à l'ue d'une farme.
Vère, elle avait faim itou, mais de quel choine! d'un
choine * bénit que tout le *pouvait* des bergers n'eût su
lui donner. »

Et il recommença son ricanement.

Thomas Le Hardouey n'avait que trop compris. La
sueur froide de l'outrage qu'il fallait cacher coulait sur
son visage bourrelé. Les propos qui lui étaient revenus
sur sa femme, vagues, il est vrai, sans consistance, sans
netteté, comme tous les propos qui reviennent, étaient
donc bien positifs et bien hardis, puisque ces misérables
bergers les répétaient. Le choine bénit, c'était l'odieux
prêtre! Et qui l'eût cru jamais? Jeanne-Madelaine, cette
femme d'un si grand sens autrefois, avait des rapports
avec ces bergers! Elle avait eu recours à leur assistance!
Humiliation des humiliations! Le couteau qui l'atteignait au cœur entrait jusqu'au manche, et il ne pouvait
le retirer!

« Tu mens! fils de gouge! — dit Le Hardouey, serrant

* *Choine*, pain, normand.

la poignée en cuir de son pied de frène dans sa main crispée ; — il faut que tu me prouves tout à l'heure ce que tu me dis.

— Vère ! — répondit l'imperturbable pâtre avec un feu étrange qui commença de s'allumer dans ses yeux verdâtres, comme on voit pointer un feu, le soir, derrière une vitre encrassée. — Mais qué que vous me payerez, maître Le Hardouey, si je vous montre que ce que je dis, c'est la pure et vraie vérité ?

— Ce que tu voudras ! — dit le paysan dévoré du désir qui perd ceux qui l'éprouvent, le désir de voir son destin.

— Eh bien ! — fit le berger, — approchez, maître, et guettez ichin ! »

Et il tira encore du bissac d'où il avait tiré l'épinglette un petit miroir, grand comme la *mirette* d'un barbier de village, entouré d'un plomb noirci et traversé d'une fente qui le coupait de gauche à droite. L'étamage en était livide et jetait un éclat cadavéreux. Il est vrai aussi que les empâtements rouges du couchant devenu venteux s'éteignaient et que la lande commençait d'être obscure.

« Qu'est-ce donc que tu tiens ? — dit Le Hardouey ; — on n'y voit plus.

— Buttez-vous là et guettez tout de même, — fit le pâtre, — ne vous lassez... »

Et les autres bergers, attirés par le charme, s'accroupirent auprès de leur compagnon, et tous les trois, avec maître Thomas, qui tenait passée à son bras la bride de sa jument, laquelle reculait et s'effarait, ils eurent bientôt rapproché leurs têtes au-dessus du miroir, plongé dans l'ombre de leurs grands chapeaux [145].

« Guettez toujours », — disait le pâtre.

Et il se mit à prononcer tout bas des mots étranges, inconnus à maître Thomas Le Hardouey, qui tremblait à claquer des dents, d'impatience, de curiosité, et, malgré ses muscles et son dédain grossier de toute croyance, d'une espèce de peur surnaturelle.

« Véy'ous quéque chose à cette heure? — dit le berger.

— Vère! — répondit Le Hardouey, immobile d'attention, appréhendé, — je commence...

— Dites ce que vous véyez, — reprit le pâtre.

— Ah! je vois... je vois comme une salle, — dit le gros propriétaire du Clos, — une salle que je ne connais pas... Tiens! il y fait le jour rouge qu'il faisait tout à l'heure dans la lande et qui n'y est plus.

— Guettez toujours, — reprenait monotonement le pâtre.

— Ah! maintenant, — dit Le Hardouey après un silence, — je vois du monde dans la salle. Ils sont deux et accotés à la cheminée. Mais ils ont le dos tourné, et le jour rouge qui éclairait la salle vient de mourir.

— Allez! guettez, ne vous lassez, — répétait toujours le berger qui tenait le miroir.

— V'là que je revois! — dit le fermier... — Il brille une flamme. On dirait qu'ils ont allumé quelque chose... Ah! c'est du feu dans la cheminée... — Mais la voix de Thomas Le Hardouey s'étrangla, et son corps eut des tremblements convulsifs.

— Il faut dire ce que vous véyez, — dit l'implacable pâtre, — autrement le sort va s'évanir.

— *C'est eux*, — fit Le Hardouey d'une voix faible comme celle d'un homme qui va passer. Que font-ils là-bas à ce feu qui flambe? Ah! ils ont remué... La broche est mise et tourne...

— Et qué qu'y a à c'te broche qui tourne?... — demanda le pâtre avec sa voix glacée, une voix de pierre, la voix du destin! — Ne vous lassez, que je vous dis... Guettez toujours, nous v'là à la fin.

— Je ne sais pas, — dit Le Hardouey qui pantelait,
— je ne sais pas... On dirait un cœur... Et, Dieu me
damne! je crois qu'il vient de tressauter sur la broche
quand ma femme l'a piqué de la pointe de son couteau.

— Vère, c'est un cœur qu'ils cuisent, — fit le pâtre,
— et ch'est le vôtre, maître Thomas Le Hardouey! »

La vision était si horrible que Le Hardouey se sentit
frappé d'un coup de massue à la tête, et il tomba à terre
comme un bœuf assommé. En tombant, il s'empêtra
dans les rênes de son cheval, qu'il retint ainsi du poids
de son corps, lequel était fort et puissant. Pas de doute
que, sans cet obstacle, le cheval épouvanté ne se fût
sauvé en faisant feu des quatre pieds, comme disait mon
ami Tainnebouy; car depuis longtemps l'ombrageux
animal ressentait toutes les allures de la peur et se
baignait dans son écume [146].

Lorsque maître Le Hardouey revint à lui, il était tard
et la nuit profonde. Les bergers sorciers avaient
disparu... Maître Le Hardouey vit un petit feu contre la
terre. Était-ce un morceau d'amadou laissé derrière eux
par les bergers après en avoir allumé leurs brûle-gueule
de cuivre? Il n'eut pas le courage d'aller éteindre, de son
soulier ferré, ce petit feu. Il voulut remonter à cheval,
mais il chercha longtemps l'étrier. Il tremblait, le cheval
aussi. Enfin, à force de tâtonnements dans ces ténèbres,
l'homme enfourcha le cheval. C'était le tremblement sur
le tremblement! Le cheval, qui sentait l'écurie, emporta
le cavalier comme une tempête emporte un fétu, et Le
Hardouey faillit casser sa bride quand il l'arrêta devant
la porte de la maison, moitié forge, moitié cabaret, qui
se trouvait sur le chemin, au sortir de la lande, et qu'on
appelait la forge à Dussaucey dans le pays.

Le vieux forgeron travaillait encore, quoiqu'il fût
près de dix heures du soir, car il avait une pacotille de

fers à livrer à un maréchal de Coutances pour le
lendemain.

Il a lui-même raconté qu'il ne reconnut pas la voix de
Le Hardouey quand celui-ci l'appela de la porte et qu'il
lui demanda un verre d'eau-de-vie. Le vieux forgeron
prit la bouteille sur la planche enfumée, versa la rasade
qu'on lui demandait et l'apporta à maître Thomas, qui
la but avidement sans descendre de l'étrier. Le cyclope
villageois avait posé sur la pierre de sa porte un bout de
chandelle grésillante et fumeuse, et c'est à cette lumière
tremblotante qu'il s'aperçut que la jument de Le
Hardouey découlait comme un linge qu'on a trempé
dans la rivière.

« A quoi donc avez-vous fourbu votre meilleure
jument comme la v'là?... » — fit-il au propriétaire du
Clos, qui ne répondit pas et qui, muet comme une
statue noire, tendit, d'un air funèbre, son verre vidé
pour qu'on le lui remplît encore. « C'était une pratique
que maître Le Hardouey, — avait raconté le vieux
forgeron lui-même à Louis Tainnebouy dans sa jeunesse, — et il était bien un brin quinteux à la façon des
grandes gens, quoiqu'il ne fût qu'un enrichi. Je lui
versai une seconde *laupette*, puis une troisième... mais il
les sifflait si vite qu'à la quatrième je le regardai
fixement et que je lui dis : « Vous soufflez, vous et la
jument, comme le grand soufflet de ma forge, et vous
buvez de l'eau-de-vie comme un fer rouge boirait de
l'eau de puits. Est-ce qu'il vous est arrivé quelque chose
à *tra* la lande, ce soir? » Mais brin de réponse. — Et il
sifflait toujours les taupettes, tant et si bien qu'il arriva
vite, de ce train-là, au fond du *bro** *. Quand il y fut :
« V'là qu'est tout », fis-je en *ricachant* [147], car je n'avais
pas trop l'envie de rire. Son air me glaçait comme

---

* *Bro* pour *broc*, prononciation normande.

verglas. « Cha fait tant, not' maître », lui dis-je. Mais il
ne mit pas tant seulement la main à l'escarcelle, et il
disparut comme l'éclair et comme si l'eau-de-vie qu'il
avait lampée eût passé dans le ventre de son quevà.
Après tout, je n'étais pas inquiet de la dépense. J'étions
gens de revue, comme on dit. Mais, quand je rentrai
dans la forge, j' dis à Pierre Cloud, mon apprenti, qui
était à l'enclume : « Dis donc, garçon ! bien sûr qu'il y a
queuque malheur qui couve à Blanchelande. Tu verras,
fils ! V'là Le Hardouey qui rentre au Clos, aussi effaré
qu'un Caïn. On jurerait qu'il porte un meurtre à
califourchon sur la jointure de ses sourcils. »

XII

Maître Thomas Le Hardouey, en rentrant au Clos,
n'y trouva à la place de sa femme qu'une grande
inquiétude, car Jeanne-Madelaine n'était pas ordinairement si tardive. Elle manquait depuis l'*Angelus*, qui
sonne à sept heures du soir. Comme on pensait qu'elle
s'était égarée, on avait envoyé plusieurs valets de
ferme la chercher avec des lanternes dans différentes
directions... Quand maître Thomas arriva dans la cour
du Clos, tout le monde remarqua qu'il ne descendit pas
de cheval pour demander sa femme, et que, brusquant
toutes les lamentations qu'il entendait faire à ses gens,
il sortit, ventre à terre, de la cour, sur la même jument
qui l'avait amené, en proie à une de ces colères sombres
qui mordent leurs lèvres en silence, mais qui ne disent
pas leur secret.

La maison où il *la* croyait et où il parvint d'un temps
de galop, plus noire que les ténèbres qui l'entouraient,

avait ses volets de chêne strictement fermés, et sa porte
aux vantaux épais ne laissait passer aucun liséré de
lumière qui accusât la vie de la veillée à l'intérieur. Le
Hardouey l'ébranla bientôt, mais en vain, des meilleurs
coups de pied de frêne qu'il eût jamais donnés de sa
poigne de Cotentinais. Il frappa ensuite aux volets
comme il avait frappé à la porte. Il appela, blasphéma,
maugréa, refrappa encore; mais coups et bruits heur-
taient la maison et le silence sans les entamer l'une et
l'autre. La maison résistait. Le silence reprenait plus
profond, après le bruit. L'eau-de-vie et la rage bouillon-
naient sous le cuir chevelu de maître Thomas. Il
s'épuisait en efforts terribles. Il essaya même de mettre
le feu à cette porte, ferme et dure comme une porte de
citadelle, avec son briquet et de l'amadou, mais
l'amadou s'éteignit. Alors une furie, comme les plus
violents n'en ont guères qu'une dans leur vie, le jeta
hors de lui. Cette broche qui tournait, ce cœur qui
cuisait ne quittaient pas sa pensée; il les voyait
toujours. Oui, il sentait réellement la pointe du couteau
de Jeanne dans son cœur vivant, comme cela avait eu
lieu dans le miroir, et il tressautait sous les coups dardés
du couteau, comme ce cœur rouge tressautait au feu de
son pal! Son cheval, qu'il n'avait pas attaché, retourna
tout seul au Clos.

   L'eau-de-vie qu'il avait bue, peut-être, et aussi la
rage impuissante, car rien ne fatigue le cerveau comme
l'impossibilité de s'assouvir, le firent au bout d'une
heure tomber dans un sommeil profond, une espèce de
sommeil apoplectique, sur la pierre même où il s'était
assis avec l'obstination d'un bouledogue, et il dormit là,
d'une seule traite, de ce sommeil sans rêve qui anéantit
l'être entier. Mais vers quatre heures, cet homme de la
campagne, toujours matinal, se réveilla sous le froid
aigu du matin. La rosée avait pénétré ses vêtements. Il

était cloué par des douleurs vives aux articulations. Quand il reprit sa connaissance, il ouvrit un œil hébété, dans lequel revenaient les flots d'une noire colère, sur cette maison où il croyait sa femme infidèle et le Chouan maudit. Chose singulière! depuis qu'il se croyait trahi par Jeanne, l'idée du Chouan étouffait en lui l'idée du prêtre, et c'était le Bleu, plus encore que le mari, qui aspirait à la vengeance. La maison du bonhomme Bouët, fieffée par l'abbé de La Croix-Jugan, apparaissait, aux premiers rayons de l'aurore, comme un coffret de pierres d'un granit bleuâtre, aux lignes nettes et fortes, sans vigne alentour. Elle semblait sommeiller sous ses volets fermés, comme une dormeuse sous ses paupières. Maître Thomas recommença de frapper à coups redoublés. Il fit plusieurs fois le tour de cette maison carrée, comme une bête fauve arrêtée par un mur, qui cherche à se couler par quelque fente. Cette maison semblait un tombeau qui n'avait plus rien de commun avec la vie. C'était une ironie pétrifiée. Ah! bien souvent les choses, avec leur calme éternel et stupide, nous insultent, nous, créatures de fange enflammée qui nous dissolvons vainement auprès, dans la fureur de nos désirs, et nous concevons alors l'histoire de ce fou sacrilège qui, dans un accès de ressentiment impie, tirait des coups de pistolet contre le ciel!

Vers cinq heures cependant, Thomas Le Hardouey aperçut la femme de ménage de l'abbé de La Croix-Jugan, la vieille Simone Mahé, du bas du bourg de Blanchelande, qui se dirigeait vers la maison dont il gardait et frappait la porte. « Ah! — dit-il, — cette damnée porte va enfin s'ouvrir! » L'étonnement de Simone Mahé ne fut pas médiocre en voyant maître Thomas à cette place.

« Tiens! — fit-elle, — est-ce que vous voulez quelque chose à M. l'abbé de La Croix-Jugan, maître Thomas

Le Hardouey? Il sera bien fâché de ne pas y être, mais il est parti d'hier soir pour Montsurvent.

— A quelle heure est-il parti? — dit Le Hardouey, qui se rappelait l'heure où il était dans la lande et où il regardait dans le fatal miroir des bergers.

— Ma fé, il était nuit close, — répondit la Mahé, — et il n'avait pas l'idée de bouger de chez lui de tout le soir. Je l'y avais laissé, disant son bréviaire au coin du feu; mais c'est un homme si agité, et dont la tête donne tant d'occupations à son corps, qu'il m'a souvent dit : « Je ne sortirai pas ce soir, Simone », que je l'ai trouvé parti, le lendemain, dès patron-jaquet, et la clef de la maison sous la pierre où il est convenu que j'la mettrons, pour la trouver, quand l'un des deux rentre. Seulement, c'te nuit, il n'est pas parti, comme une fumée, sans qu'on le voie et sans qu'on sache où il est allé, car j' l'ai rencontré vers dix heures sur son cheval noir qui passait dans le bas du bourg. J' reconnaîtrais le pas de son cheval et sa manière de renifler quand je n'y verrais goutte comme les taupes et quand je serais aveugle comme le fils Crépin, de sorte que je me dis en moi-même : « Ça doit être M. l'abbé de La Croix-Jugan qui passe là. » Lui qui y voit dans la nuit comme un cat, car il a été Chouan, vous savez! m'a dit avec cette voix du commandement qui vous coupe le sifflet quand il parle : « C'est toi, la Simone! Mᵐᵉ la comtesse de Montsurvent, qui est malade, vient de m'envoyer chercher, et je pars. Tu trouveras la clef à la place ordinaire. » T'nez, mon cher monsieur Le Hardouey, v'nez quant et moi, et regardez là... sous c'te pierre... Vous n'êtes pas un voleur, vous, et j' peux bien vous le dire... C'est là qu'il met toujours sa clef. Et, vous l' voyez, la v'là qui s'y trouve. » — Et, en effet, elle prit une clef sous une pierre qu'elle souleva dans le petit mur de la cour, et, l'ayant tournée dans la serrure, ils

entrèrent tous deux, lui comme elle. Elle, pour faire son
ménage accoutumé; lui, ne sachant trop à quel instinct
de défiance il obéissait, mais voulant voir.

C'était la construction élémentaire de toute maison
en Normandie, que la maison du bonhomme Bouët,
fieffée par l'abbé de La Croix-Jugan. Il y avait au rez-
de-chaussée tout simplement un petit corridor, avec
deux pièces, l'une à droite, l'autre à gauche, faisant
cuisine et salle, et au premier étage deux chambres à
coucher. Simone Mahé et Le Hardouey entrèrent dans
la salle d'en bas, et, quand elle eut poussé les volets de
la fenêtre, Le Hardouey, qui regardait autour de lui
avec une investigation ardente, reconnut cette salle du
miroir qui ne s'effaçait pas de sa mémoire et qu'il
revoyait toujours en fermant les yeux.

« Vous êtes pâle comme la mort, — dit Simone. —
Est-ce que vous auriez du mal chez vous, maître Le
Hardouey, que vous venez si matin pour parler à
M. l'abbé de La Croix-Jugan? Qué qu'il y a? Auriez-
vous des malades au Clos? Vous savez bien — ajouta-
t-elle avec l'air mystérieux qu'on prend en parlant de
choses redoutables — que M. l'abbé de La Croix-Jugan
ne confesse pas. Il est *suspens*. »

Mais Le Hardouey n'écoutait guère le bavardage de
la Mahé. Il s'était approché de la cheminée, et, du bout
de son pied de frène, il remuait fortement les cendres de
l'âtre avec un air si préoccupé et si farouche que la
Mahé commença d'avoir peur.

« Oui, — dit-il, se croyant seul et parlant haut,
comme dans les préoccupations terribles, — v'là le feu
dans lequel ils ont fait cuire mon cœur, et c'est sous ce
crucifix qu'ils l'ont mangé! »

Et, d'un coup de son pied de frène, il frappa le
crucifix avec furie, l'abattit, et, l'ayant poussé dans les
cendres, il sortit en poussant des jurements affreux. La

Mahé, comme elle disait, eut les bras et les jambes cassés par un tel spectacle. Elle crut que Le Hardouey était la proie de quelque abominable démon. Elle se signa de terreur, mais, sa peur devenant plus forte dans cette solitude, elle se hâta de s'en aller.

« Le lit n'est pas défait, — dit-elle, — et, si je restais là toute seule plus longtemps, je crois, sur mon âme, que j'en mourrais de frayeur. »

Et en s'en retournant elle rencontra la mère Ingou et sa fillette, qui toutes deux allaient laver leur pauvre linge au lavoir. Elles se souhaitèrent la bonne journée. Le lavoir n'était pas tout à fait sur la route qu'avait à suivre Simone Mahé pour regagner le bas du bourg, mais la flânerie, qui est aux vieilles femmes ce qu'est dans le nez du buffle l'anneau de fer par lequel on le mène, fit suivre à la Mahé le chemin du lavoir avec l'autre commère.

« Je sis de l'aisi [148], — lui dit-elle; — M. l'abbé de La Croix-Jugan est à Montsurvent depuis hier soir. Si vous v'lez que je vous aide, mère Ingou, je puis bien vous donner un coup de battoir. »

Et elle l'accompagna, moins pour l'aider, quoiqu'elle ne manquât pas de l'obligeance qu'ont les pauvres gens entre eux, que pour lui raconter ce qui lui démangeait la langue et ce qu'elle appelait la lubie de maître Thomas Le Hardouey.

« En vous en venant, — dit-elle, — vous n'avez pas rencontré maître Le Hardouey, mère Ingou?... Je l'ai trouvé, dès le réveil-minet, planté à la porte de M. l'abbé de La Croix-Jugan, plus pâle que le linge que vous avez sur le dos et les yeux tout troublés. « Qu'est-ce qu'un homme sans religion, un acquéreur de biens de prêtre, un terroriste, vient faire de si bonne heure chez M. de La Croix-Jugan? » que je me suis dit à mon à-part; mais, ma chère, les jambes me tremblent rien que d'y penser! C' n'était rien que l'air qu'il avait. Il est entré avec moi dans la salle de M. l'abbé, et alors!!!... »

Et elle raconta ce qu'elle avait vu, mais avec des circonstances nouvelles et plus horribles encore, écloses tout à coup sur cette langue de flânière, qui chante d'elle-même, comme les oiseaux, un langage dans lequel la responsabilité de ces pauvres diablesses (chrétiennement, il faut le croire du moins) n'est pour rien.

« Ah! — dit la mère Ingou, — j' crais ben qu' vous avez été épeurée! mais vous savez bien les diries, mère Mahé, sur la femme de maître Le Hardouey et sur l'abbé de La Croix-Jugan. Et c'était sans doute cha qui tenait Le Hardouey de si bon matin. »

Alors elles ne s'arrêtèrent plus. Elles se débondèrent. Comme tout le monde à Blanchelande et à Lessay, elles recevaient l'influence des bruits qui couraient sur l'ancien moine et sur cette maîtresse Le Hardouey qu'on avait vue si brillante de santé et d'entendement, et qui était tombée, sans qu'on sût même ce qu'elle avait, dans un état si digne de pitié. Elles interrogèrent l'enfant qui les suivait et qui portait le savon gris et les battoirs, sur le nombre de fois qu'elle avait vu Jeanne-Madelaine et l'abbé de La Croix-Jugan chez la Clotte, sur ce qu'ils faisaient quand ils y étaient ; mais la petite ne savait rien. L'imagination des deux vieilles ne chômait pas pour cela, et elle remplissait tous les vides qu'il y avait dans les dépositions de la jeune enfant.

C'est en commérant ainsi qu'elles arrivèrent enfin au lavoir, situé de côté sur la route, au bout d'un petit pré qui s'en allait en pente, jusqu'à ce lavoir naturel que les hommes n'avaient pas creusé et qui n'était qu'une mare d'eau de pluie, assez profonde, sur cailloutis.

« Tiens! il y a du monde déjà, si mes vieux yeux ne me trompent pas, — dit la mère Ingou en entrant dans

le pré; — la pierre est prise, et j'allons être obligées
d'espérer.

— C' n'est pas une lessivière, mère Ingou, — dit
Simone, — car, en venant, j'aurions entendu le bruit du
battoir.

— Nenni-da! c'est le pâtre du Vieux *Probytère* qui
aiguise son coutet sur la pierre du lavoir, — fit la petite
Ingou, dont les yeux d'émerillon dénichaient les plus
petits nids dans les arbres.

— I' ne s'en ira pas donc du pays? » — dit la mère
Mahé à sa compagnonne.

Ni l'une ni l'autre n'aimaient ces bergers suspects à
toute la contrée, mais la misère unit ses enfants et de
ses bras décharnés les rapproche dans la vie, comme sa
fille, la mort, étreint les siens dans le tombeau. Les
bergers errants causaient moins d'effroi à des porte-
haillons comme ces deux femmes qu'à ces riches qui
avaient des troupeaux de vaches dont ils pouvaient
tourner le lait par leurs maléfices, et des champs dont
ils versaient parfois le blé dans une nuit. Parce qu'un de
ces pâtres sinistres était là, au moment où elles le
croyaient peut-être bien loin, elles ne s'en effrayèrent
pas davantage, et elles descendirent la pente du pré
jusqu'à lui.

D'ailleurs, quand elles arrivèrent contre le lavoir, il
avait fini d'aiguiser son couteau sur la pierre où les
lavandières battent et tordent leur linge, et il l'essuyait
dans les herbes.

« Vous v'nez à bonne heure, la mère Ingou, — dit
alors le pâtre à la bonne femme, et si vous n'avez pas
paoù de tremper vot' linge dans de l'iau de mort, v'là
vot' pierre; lavez!

— Quéque vous voulez dire avec votre iau de mort,
berger? — dit la mère Ingou, laquelle ne manquait ni

d'un certain bon sens ni de courage. — Est-ce que vous pensez nous épeurer?

— Que nenni! — dit le pâtre, — faites ce qui vous plaira, mais je vous dis, mé, que si vous trempez votre linge ichin, i' sentira longtemps la charogne, et même quand il sera séquié!

— V'là de vilains propos si matin, sous cette sainte lumière bénie du bon Dieu! — dit la bonne femme avec une poésie naïve dont certainement elle ne se doutait pas. — Laissez-nous en paix, pâtre! J' n'ai jamais vu l'iau si belle qu'à ce matin. »

Et, de fait, le lavoir, encaissé par un côté dans l'herbe, étincelait de beaux reflets d'agate, sous le ciel d'opale d'une aube d'été. Sa surface lisse et pure n'avait ni une ride, ni une tache, ni une vapeur. Quant à l'autre côté du lavoir, comme l'eau de pluie qui le formait n'était pas contenue par un bassin pavé à cet effet, elle allait se perdre dans une espèce de grand fossé couvert de joncs, de cresson et de nénuphars.

« Vère, — reprit le berger pendant que la mère Ingou dénouait son paquet au bord du lavoir et que Simone Mahé et la petite, moins courageuses, commençaient de regarder avec inquiétude ce pâtre de malheur, planté là, debout, devant elles, — vère, l'iau est belle comme bien des choses au regard, mais au fond... mauvaise! Quand tout à l'heure j'affilais mon coutet sur c'te pierre, je m' disais : « V'là de l'iau qui sent la mort et qui gâtera mon pain », et v'là pourqué vous m'avez veu l'essuyer si fort dans les herbes et le piquer dans la terre, car la terre est bienfaisante, quand vous avez dévalé le pré. Créyez-mé si vou v'lez, mère Ingou, — fit-il en étendant son bâton vers le lavoir avec une assurance enflammée, — mais je suis sûr comme de ma vie qu'il y a quéque chose de mort, bète ou personne, qui commence de rouir [149] dans cette iau. »

Et se courbant, appuyé sur sa gaule, vers la **nappe** limpide, il prit de cette eau diaphane dans sa main, et l'approchant du visage de la mère Ingou :

« Les vieilles gens sont têtues! — fit-il avec ironie. — Mais, si vous n'êtes pas punaise, jugez vous-même, vieille mule, si cette iau ne sent pas à mâ.

— Allons donc! — dit la mère Ingou, — c'est ta main qui sent à mâ, pâtre! ce n'est pas l'iau. »

Et, relevant ses cottes, elle s'agenouilla près de la pierre polie et elle fit rouler dans l'eau une partie du linge qu'elle avait apporté sur son dos; puis, se retournant :

« Eh bien! — dit-elle à Simone et à sa fillette, — v' zètes donc figées? A l'ouvrage, Petiote! Sur mon salut, mère Mahé, j' vous créyais pus d' cœur que cha. »

Et elle se plongea les bras et les mains dans cette eau fraîche comme de la rosée et qui retomba, en mille rais d'argent, autour de son battoir.

Simone Mahé et la petite fille s'approchèrent et se décidèrent à suivre son exemple, mais elles ressemblaient à des chattes qui rencontrent une mare et qui ne savent comment s'y prendre pour ne pas mouiller leurs pattes en passant.

« Et où donc qu'il est, le pâtre? » — fit encore la mère Ingou en regardant derrière elle entre deux coups de battoir que l'écho matinal répéta.

Toutes trois regardèrent : il n'était plus là. Il avait disparu comme s'il s'était envolé.

« Il avait donc sous sa langue du *trèfle à quatre feuilles*, qui rend invisible, car il était là tout à l'heure et il n'y est plus, — dit la Mahé, visitée ce matin-là par tous les genres de terreur. Elle ressemblait à une vieille pelote couverte d'aiguilles, et dans laquelle on en pique toujours une de plus.

— Est-ce que vous créyez à toutes ces bêtises? —

répondit la mère Ingou, tordant son linge dans ses mains sèches. — Du trèfle à quatre feuilles!... qui en a jamais vu, du trèfle à quatre feuilles? En v'là une idée! A-t-on assez joqueté dans Blanchelande quand le bonhomme Bouët est allé, un jour, avec un de ces bergers qui font les sorciers, chercher de ce soi-disant trèfle et de la verveine [150] dans la Chesnaie Cent-sous, après minuit, au clair de la lune, et en marchant à reculons!

— Les risées n'y font rien, — dit la mère Mahé, — que vère, j'y crais, au trèfle à quatre feuilles! Et pourqué pas? Défunt mon père, qui n'était pas déniché d'hier matin, m'a dit bien des fois qu'il y en avait... »

Mais tout à coup elles furent interrompues par le rire guttural du berger. Il avait, sans qu'on le vît, tourné autour de la pièce d'eau, à moitié circulaire, et il montrait sa face blafarde par-dessus les roseaux qui, de ce côté, étaient d'une certaine hauteur.

« Oh! ohé! les buandières! — leur cria-t-il, — guettez ichin! et voyez si je n'avais pas raison de dire que l'iau était pourrie. Connaissez-vous cha? »

Et, par-dessus le lavoir, il leur tendit un objet blanc qui pendait à sa gaule ferrée.

« Sainte Vierge! — s'écria la mère Ingou, — c'est la coiffe de Jeanne Le Hardouey!

— Ah! que le bon Dieu ait pitié de nous! — ajouta Simone. — Il n'y a jamais eu qu'une coiffe pareille dans Blanchelande, et la v'là! Queu malheur! mon Dieu! Oh! c'est bien certain que celle qui la portait s'est périe et qu'elle doit être au fond du lavoir! »

Et au risque d'y tomber elles-mêmes, elles se penchèrent sur sa surface et atteignirent la coiffe déchirée et mouillée qui pendillait à la gaule ferrée du berger. Elles l'examinèrent. C'était en effet la coiffe de Jeanne, son fond piqué et brodé, ses grands papillons et ses belles dentelles de Caen. Elles la touchaient, l'appro-

chaient de leurs yeux, l'admiraient, puis se désolaient;
et bientôt, mêlant la perte de la femme à la perte de la
coiffe, elles se répandirent en toutes sortes de lamentations.

Quant au berger, il était entré dans l'eau jusqu'au
genou, et il sondait le lavoir, tout autour de lui, avec
son bâton.

« Elle n'est pas de votre côté. Elle est là... — cria-t-il
aux trois femmes qui s'éploraient sur l'autre bord. —
Elle est là! je la tiens! je la sens sous ma gaule. Allons,
mère Ingou, venez par ichin! vous êtes la plus cœurue
et la plus forte. Si je pouvais fourrer ma gaule par-
dessous elle, je la soulèverais des vases du fond et
l'approcherais du bord, qui n'est pas bien haut de ce
côté. P't-être que je l'aurions à nous deux. »

Et la mère Ingou laissa la coiffe aux mains de Simone
et de Petiote et courut au berger. Ce que celui-ci avait
prévu arriva. En s'efforçant beaucoup, il put soulever le
corps de la noyée et le ranger contre le bord.

« Attendez! je la vois! » — dit la mère Ingou, qui
écarta les roseaux; et, se couchant sur l'herbe et
plongeant ses mains dans l'eau du fossé, elle saisit par
les cheveux la pauvre Jeanne.

« Ah! comme elle pèse! » — fit-elle en appelant à son
aide l'enfant et Simone; et, toutes les trois, elles
parvinrent, avec l'aide du berger, à retirer le corps bleu
de Jeanne-Madelaine et à le coucher dans l'herbe du
pré.

« Eh bien, — dit le berger presque menaçant, — l'iau
mentait-elle? A présent, êtes-vous sûre de ce que je
disais, mère Ingou? Crairez-vous maintenant au *pouvait*
des pâtres? Elle itou — fit-il en montrant le cadavre de
Jeanne — n'y voulut pas craire, et elle a fini par
l'éprouver; et son mari, qui était encore plus rêche et

plus mauvais qu'elle, y crait, depuis hier au soir, pus
qu'au bon Dieu!

— Quéque vous v'lez dire par là, pàtre? — fit la
bonne femme.

— Je dis ce que je dis, — répondit le pàtre. — Les
Hardouey avaient chassé les bergers du Clos. Les
bergers se sont vengés *enui* *. V'là la femme nayée et
l'homme...

— Et l'homme?... — interrompit la Mahé, qui venait
de quitter, il n'y avait qu'un moment, maître Thomas
Le Hardouey.

— L'homme — continua le berger — court à cette
heure dans la campagne, comme un quevà qui a le
tintouin! »

Et les deux commères frissonnèrent. L'accent du
pàtre était plus terrible que le pouvoir dont il parlait et
auquel elles commençaient de croire, frappées qu'elles
étaient de l'horrible spectacle qu'elles avaient alors sous
les yeux.

« Vère, — s'écria-t-il, — la v'là morte, couchée à mes
pieds, orde de vase! — Et de son sabot impie il poussa
ce beau corps naguère debout et si fier. — Un jour, elle
avait cru tourner le sort et m'apaiser en m'offrant du
lard et du choine qu'elle m'eùt donné comme à un
mendiant, en cachette de son homme, mais je n'ai
voulu rin! rin que le sort... Un sort à li jeter! et elle l'a
eu! Ah! je savais ce qui la tenait, quand personne n'en
avait doutance de Blanchelande à Lessay. Je savais
qu'elle ferait une mauvaise fin... mais quand je repas-
sais mon coutet ichin et que je le purifiais dans la terre,
pour qu'il ne sentît pas la mort, j'ignorais que ce qui
pourrissait l'iau, ce fùt elle. Sans cha, je n'aurais pas
essuyé mon *allumelle;* j'aurais toujours voulu trouver

---

* *Aujourd'hui,* normand.

dessus le goût de la vengeance, plus fort que le goût de mon pain. »

Et il prit avec des mains frissonnantes le couteau dont il parlait, dans son bissac, l'ouvrit et le plongea impétueusement dans l'eau du lavoir. Il l'en retira ruisselant, l'y replongea encore. Jamais assassin enivré ne regarda sur le fer de son poignard couler le sang de sa victime comme il regarda l'eau qui roulait sur le manche et la lame de ce couteau ignoble et grossier. Puis, égaré, forcené, et comme délirant à cette vue, il l'approcha de ses lèvres, et, au risque de se les couper, il passa, sur toute la largeur de cette lame, une langue toute rutilante de la soif d'une vengeance infernale. Tout en la léchant, il l'accompagnait d'un grognement féroce. Avec sa tête carrée, ses poils hérissés et jaunes, et le mufle qu'il allongeait en buvant avidement cette eau qui avait une si effroyable saveur pour lui, il ressemblait à quelque loup égaré qui, traversant un bourg la nuit, se fût arrêté, en haletant, à laper la mare de sang filtrant sous la porte mal jointe de l'étal immonde d'un boucher.

« C'est bon, cha ! — dit-il. — C'est bon ! » — murmurait-il ; et, comme si ces quelques gouttes ramassées par sa langue avide eussent allumé en lui des soifs nouvelles plus difficiles à étancher, il prit, sans lâcher son couteau, de l'eau dans sa main, et il la but d'une longue haleine.

« Oh ! voilà le meilleur *baire* [151] que j'aie beu de ma vie ! — cria-t-il d'une voix éclatante, — et je le bais, — ajouta-t-il avec une épouvantable ironie, — à ta santé, Jeanne Le Hardouey, la damnée du prêtre ! Il a goût de ta chair maudite, et il serait encore meilleu si tu avais pourri pus longtemps dans cette iau où tu t'es nayée ! »

Et, affreuse libation ! il en but frénétiquement à plusieurs reprises. Il se baissait sur le lavoir pour la

puiser, et il se relevait et se baissait encore, et d'un
mouvement si convulsif qu'on eût dit qu'il avait les
trémoussements de la danse de Saint-Guy. Cette eau
l'enivrait. « *Supe! Supe!* » se disait-il en buvant et en se
parlant à lui-même dans son patois sauvage, « *supe!* » Sa
face de céruse écrasée avait une expression diabolique,
si bien que les vieilles crurent voir le Diable, qui,
d'ordinaire, ne rôde que la nuit sur la terre, se
manifester, pâle, sous cette lumière, en plein jour, et
elles s'enfuirent, laissant là leur linge, jusqu'à Blanchelande, pour chercher du secours.

XIII

La nouvelle de la mort de Jeanne Le Hardouey se
répandit dans Blanchelande avec la rapidité naturelle
aux événements tragiques qui viennent sur nous,
comme par les airs, tant les retentissements en sont
électriques et instantanés! Jeanne-Madelaine s'était-elle
noyée volontairement? Était-elle victime d'un désespoir, d'un accident, ou d'un crime? Questions qui se
posèrent, voilées et funèbres, dans tous les esprits,
problèmes qui se remuèrent avec une fiévreuse curiosité
dans toutes les conversations, et qui, à bien des années
de là, s'y agitaient encore avec une terreur indicible,
soit à la veillée des fileuses, soit aux champs sur le sillon
commencé, quand une circonstance remettait en
mémoire l'histoire mystérieuse de la femme à
maître Thomas Le Hardouey [152].

Lorsque la mère Ingou et la mère Mahé prirent la
fuite, épouvantées par l'action monstrueuse du berger,
pour aller chercher au bourg du secours, hélas! bien

inutile, la petite Ingou, qui partageait la terreur des
vieilles femmes, s'était enfuie avec elles, mais dans une
direction différente. Habituée au chemin qu'elle faisait
tous les jours, elle courut à la chaumine de la Clotte.

Quelle nuit celle-ci avait passée! Quand elle avait
voulu retenir Jeanne, elle avait bien senti l'amère parole
que la malheureuse lui avait jetée en s'arrachant de ses
bras. « J'ai ce que je mérite! — pensa-t-elle. — Est-ce à
moi de parler de vertu? » et tous les souvenirs de sa vie
lui étaient tombés sur le cœur. Paralysée, enchaînée à
son seuil depuis bien des années, que pouvait-elle faire :
empêcher, prévenir? Elle n'avait de puissant que le
cœur; et le cœur quand il est seul, si grand qu'il soit, est
inutile. Ah! ce qu'elle éprouva fut bien douloureux! Des
pressentiments sinistres s'étaient levés dans son âme.
L'insomnie visitait souvent son dur grabat avec tous les
spectres de sa jeunesse; mais, de ses longues nuits
passées sans sommeil, aucune n'avait eu le caractère de
cette nuit désolée. Ce n'était plus elle dont il était
question. C'était de la seule personne qu'elle respectât
et aimât dans la contrée. C'était de la seule âme qui se
fût intéressée à son sort et à sa solitude depuis que le
mépris et l'horreur du monde avaient étendu leurs
cruels déserts autour d'elle. Où Jeanne-Madelaine était-
elle allée? Qu'avait-elle fait? Cette passion dont elle
avait encore les cris dans les oreilles, et la Clotte
connaissait l'empire terrible des passions! allait-elle
perdre la pauvre Jeanne? A ces cris répondirent bientôt
les gémissements des orfraies, qui se mirent, tourterelles
effarées et hérissées de la tombe, à roucouler leurs
amours funèbres dans les ifs qui bordaient alors la
chaussée rompue de Broquebœuf. Comme toutes les
imaginations solitaires et près de la nature, la Clotte
était superstitieuse. Dans les plus grandes âmes, il y a

comme un repli de faiblesse où dorment les superstitions.

Inquiète, fébrile, retournée vainement d'un flanc sur
l'autre, elle se souleva et alluma son *grasset*. On croit,
dans les longues insomnies, brûler, consumer, à cette
lampe qu'on allume, les longues heures, les pensées
dévorantes, les souvenirs. On ne brûle rien. Pensées,
souvenirs, longues heures, rien ne disparaît. Tout vous
reste. Le grasset de la Clotte, avec sa lueur vacillante,
fut aussi sombre pour ses yeux que l'était pour ses
oreilles le cri rauque et lointain des orfraies expirant
tristement dans la nuit. La lumière elle-même doubla
les visions dont elle était obsédée. Cette image de
Judith qui tue Holopherne et qu'elle avait entre les
rideaux de son lit, cette image grossièrement enluminée
semblait s'animer sous son regard fasciné. L'épais
vermillon de cette image populaire ressemblait à du
sang liquide, du vrai sang! La Clotte, qui n'était pas
timide, frissonnait. Cette forte stoïcienne avait peur.
Elle souffla le grasset. Mais les ténèbres ne noient pas
nos rêves. La vision demeure au fond des yeux, au fond
du cœur, dans son impitoyable lumière. Assise sur son
lit, roulée dans sa méchante camisole, tunique de
Nessus de la misère et de l'abandon qu'elle ne devait
plus dépouiller, elle posa son front sur ses genoux
entrelacés de ses mains nouées, et resta ainsi, absorbée,
courbée, jusqu'au point du jour, quand la petite Ingou
tourna le loquet et qu'elle ouvrit brusquement la porte,
comme si elle avait été poursuivie :

« Quel bruit tu fais, — dit-elle, — Petiote! — Et,
voyant le visage de l'enfant, elle sentit que l'anxiété de
sa nuit se changeait en affreuse certitude.

— Ah! il y a du malheur dans Blanchelande! — fit-
elle.

— Il y a — dit la petite Ingou d'une voix saccadée

par l'émotion et par la course — que maîtresse Le
Hardouey est morte, et que je v'nons de la trouver au
fond du lavoir. »

Un cri qui n'était pas sénile, un cri de lionne qui se
réveillait, sortit de cette poitrine brisée et s'interrompit
sur les lèvres de la Clotte. Son buste incliné sur ses
genoux tomba, renversé en arrière, sur le lit, et la tête
s'enroula dans les couvertures, comme si une hache
invisible l'avait abattue d'un seul coup.

« Jésus-Marie! » s'écria l'enfant avec une angoisse
effarée qui fuyait la mort et qui semblait la retrouver.

Et elle s'approcha du lit d'où chaque jour elle aidait
la paralytique à descendre : et elle la vit, l'œil fixe, les
tempes blêmes, la ligne courbe de ses lèvres impassibles
et hautaines tremblante, tremblante comme quand le
sanglot qu'on dévore s'entasse dans nos cœurs et va en
sortir.

« Tenez! tenez! mère Clotte, — dit l'enfant, —
écoutez : voici l'agonie! »

Et, en effet, le vent qui venait du côté de Blanchelande apportait les sons de la cloche qui sonnait le
trépas de Jeanne-Madelaine avec ces intervalles
sublimes toujours plus longs à mesure qu'on avance
dans cette sonnerie lugubre qui semble distiller la mort
dans les airs et la verser par goutte, à chaque coup de
cloche, dans nos cœurs.

Rien, à ce moment, dans les campagnes toujours si
tranquilles d'ailleurs, n'empêchait d'entendre les sons
poignants de lenteur et brisés de silence qui finissent
par un tintement suprême et grêle comme le dernier
soupir de la vie au bord de l'éternité. Le matin, gris
avant d'être rose, commençait de s'emplir des premiers
rayons d'or de la journée et retenait encore quelque
chose du calme sonore et vibrant des nuits. Les sons de
la cloche mélancolique, toujours plus rares, passaient

par la porte laissée ouverte derrière la petite Ingou et
venaient mourir sur ce grabat, où un cœur altier, qui
avait résisté à tout, se brisait enfin dans les larmes et
allait comprendre ce qu'il n'avait jamais compris, le
besoin brûlant et affamé d'une prière.

La Clotte se souleva à ces sons qui disaient que
Jeanne ne se relèverait jamais plus

« Je ne suis pas digne de prier pour elle, — fit-elle
alors, comme si elle était seule ; — la pleurer, oui. — Et
elle passa ses mains sur ses yeux où montaient des
larmes, et elle regarda ses mains mouillées avec un
orgueil douloureux, comme si c'était une conquête pour
elle que des pleurs ! — Qui m'aurait dit pourtant que je
pleurerais encore ?... Mais prier pour elle, je ne puis, j'ai
été trop impie ; Dieu rirait de m'entendre si je priais ! Il
sait trop qui j'ai été et qui je suis, pour écouter cette
voix souillée qui ne lui a jamais rien demandé pour
Clotilde Mauduit, mais qui lui demanderait, si elle osait,
sa miséricorde pour Jeanne-Madelaine de Feuardent ! »

Et, comme la proie d'une idée subite : — « Écoute,
Petiote, — lui dit-elle en prenant les mains de l'enfant
dans les siennes, — tu vaux mieux que moi. Tu n'es
qu'une enfant ; tu as l'âme innocente : à ton âge, on me
disait que Dieu, venu sur la terre, aimait les enfants et
les exauçait. Agenouille-toi là et prie pour elle ! »

Et, avec ce geste souverain qu'elle avait toujours
gardé au sein des misères de sa vie, elle fit tomber
l'enfant à genoux au bord de son lit.

« Oui ! prie, — dit-elle d'une voix entrecoupée par ses
larmes, — je pleurerai pendant que tu prieras ! Mais
surtout prie haut, — continua-t-elle, s'exaltant dans sa
peine à mesure qu'elle parlait, — que je puisse
t'entendre ! Oui ! que je puisse t'entendre, si je ne puis
m'unir à toi. Ah ! parle-lui donc, — fit-elle impétueuse-

ment, — parle-lui, à ce Dieu des enfants, des purs, des patients, des doux, enfin de tout ce que je ne suis plus!

— C'est aussi le Dieu des misérables, — dit la petite fille, naïvement sublime et qui répétait simplement ce que son curé lui avait appris.

— Ah! c'est donc le mien! — fit la Clotte, qui sentit l'atteinte du coup de foudre que Dieu fait quelquefois partir des faibles lèvres d'un enfant. — Attends! attends! je m'en vais prier avec toi, ma fille... »

Et, s'appuyant sur l'épaule de l'enfant agenouillée, elle se jeta en bas de son lit. Paralytique dont l'àme était tout entière et qui retrouvait des organes, elle tomba à genoux près de la petite fille, et elles prièrent toutes les deux.

A ce moment-là, revenaient au lavoir la mère Ingou et la mère Mahé, accompagnées de tous les curieux de Blanchelande. Parmi ces curieux il y avait Barbe Causseron et Nônon Cocouan; Nônon véritablement désolée. Elles trouvèrent le cadavre de Jeanne toujours couché dans les hautes herbes, mais le berger, que les deux vieilles avaient fui, avait disparu. Seulement, avant de disparaître, l'horrible pàtre avait accompli sur le cadavre un de ces actes qui, quand ils ne sont pas un devoir pieux, sont un sacrilège. Il avait coupé les cheveux de Jeanne, ces longs cheveux châtains « qui lui faisaient — disait Louis Tainnebouy — le plus *reluisant* chignon qui ait jamais été retroussé sur la nuque d'une femme », et, pour les couper, il avait été obligé de se servir du seul instrument qu'il eût sous la main, de cette *allumelle* qu'il avait, on l'a vu, trempée dans l'eau du lavoir. Aussi les cheveux de Jeanne-Madelaine avaient-ils été « sciés comme une gerbe avec une mauvaise faucille », ajoutait l'herbager, et, par places, durement arrachés. Était-ce un trophée de vengeance que cette chevelure emportée par le pàtre errant pour la montrer

à sa tribu nomade, comme les Peaux-Rouges et tous les
sauvages, car, à une certaine profondeur, l'unité de la
race humaine se reconnaît par l'identité des coutumes?
Était-ce plutôt une convoitise d'âme sordide, qui
saisissait l'occasion de vendre cher une belle chevelure à
ces marchands de cheveux qui s'en vont, traversant les
campagnes et moissonnant, pour quelques pièces
d'argent, les chevelures des jeunes filles pauvres? ou
plutôt, comme le croyait maître Tainnebouy, ces
cheveux d'une femme *morte d'un sort* devaient-ils servir
à quelque sortilège et devenir dans les mains de ce
berger quelque redoutable talisman [153]? Ce fut Nônon
Cocouan qui la première s'aperçut du larcin fait à la
noble tête appuyée sur le gazon.

   « Ah! le pâtre s'est vengé jusqu'au bout! » — dit-elle.
En effet, ces cheveux coupés paraissaient à ces paysans
comme un meurtre de plus. Chacun d'eux commentait
cette mort soudaine et s'apitoyait sur le sort d'une
femme qui avait mérité l'affection de tous. Les gens du
Clos, au premier bruit de la mort de leur maîtresse,
étaient arrivés. Seul, le mari de Jeanne, maître Le
Hardouey, manquait encore. Reparti la veille, on le
sait, au moment où il rentrait au Clos d'un galop si
farouche, quand on lui avait dit sa femme absente, il
n'avait point reparu... Son cheval seul était revenu,
couvert de sueur, les crins hérissés, traînant sa bride
dans laquelle il se prenait les pieds en courant. Or,
comme maître Le Hardouey n'était point aimé dans
Blanchelande, on se demandait déjà à voix basse, et à
mots couverts, si cette mort de Jeanne n'était pas un
crime, et si le coupable n'était point ce mari qui ne se
trouvait pas...

   Depuis longtemps les bruits du pays avaient dû
mettre martel en tête à Le Hardouey. Cet homme, d'un
tempérament sombre, était plus bilieux, plus morose,

plus *grinchard* que jamais, disaient les commères, et, quoiqu'il pût cuver silencieusement une profonde jalousie, il pouvait également l'avoir laissée éclater en frappant quelque terrible coup. Une telle opinion, du reste, en rencontrait une autre dans les esprits. Cet ancien moine, chef de partisans, ce pénitent hautain auquel se rattachaient tant de sentiments et d'idées puissantes et vagues, ce Chouan qu'on accusait d'avoir troublé la vie de Jeanne et d'avoir, on ne sait comment, égaré sa raison, paraissait aussi capable de tout. S'il ne l'avait pas poussée avec la main du corps dans le lavoir où elle s'était noyée, il l'y avait précipitée avec la main de l'esprit en lui brisant le cœur de honte et de désespoir. De ces deux opinions, on n'aurait pas trop su laquelle devait l'emporter, mais toutes les deux mêlaient à l'expression des regrets donnés à la mort de Jeanne quelque chose de sinistrement soupçonneux et de menaçant, qui, échauffé comme il allait l'être, eût fait prévoir à un observateur la scène épouvantable qui devait avoir lieu le lendemain [154].

Cependant il fallait que le corps de Jeanne restât exposé dans la prairie jusqu'au moment où le médecin et le juge de paix de Blanchelande viendraient faire, conformément à la loi, ce qu'elle appelle énergiquement la *levée du cadavre*. Ces hommes et ces femmes, qui étaient accourus rassasier leur curiosité d'un spectacle inattendu et tragique, appelés aux champs par les travaux de la journée, se retirèrent donc peu à peu, parlant entre eux d'un événement dont ils devaient rechercher longtemps les causes. De ce flot de curieux écoulé, il ne demeura auprès du cadavre que le grand valet du Clos, chargé de veiller sur le corps de la morte jusqu'à l'arrivée du médecin et du juge de paix, et Nônon Cocouan, qui, d'un mouvement spontané, s'était proposée pour cette pieuse garde. Toute cette histoire

l'a dit assez : Nônon avait toujours été dévouée à
Jeanne. Dans ces derniers temps, elle l'avait vaillam-
ment défendue contre tous ceux qui l'accusaient d'avoir
oublié la sagesse de sa vie « dans des hantises de
perdition », et on entendait par là, à Blanchelande, ses
visites à la Clotte et ses obscures relations avec l'abbé
de La Croix-Jugan. Nônon, plus que personne, excepté
la Clotte peut-être, était touchée de cette mort subite,
et elle l'était deux fois, car les cœurs frappés se
devinent. Tout en défendant Jeanne, et quoiqu'elle
n'eût jamais reçu de confidence, Nônon avait reconnu
l'amour qui souffre, parce qu'autrefois, dans sa jeunesse, elle aussi l'avait éprouvé. La pauvre fille s'était
prise pour Jeanne-Madelaine d'un véritable fanatisme
de pitié silencieuse. Un grand respect l'avait empêchée
de lui en donner de ces muets et expressifs témoignages
qui pressent le cœur mais sans le blesser. Or, aujour-
d'hui qu'elle le pouvait, elle le faisait avec une ardeur
éplorée. Dévote comme elle l'était, elle croyait que
Jeanne-Madelaine la voyait de là-haut auprès de sa
dépouille sur la terre. Être vu de ceux qu'on a aimés
dans le silence et à qui on n'a pas pu dire dans la vie
comme on les aimait, ah! c'est là un de ces apaisements
célestes qui vengent de toutes les impossibilités de
l'existence, et que la Religion donne en prix à ceux qui
ont la foi! Nônon Cocouan sentait cet arôme de la bonté
de Dieu se mêler aux larmes qu'elle répandait sur
Jeanne, et les adoucir. La matinée s'avançait avec
splendeur. C'était une des plus belles journées d'été
qu'on eût vues depuis longtemps : l'air était pur; le
lavoir, diaphane; les herbes sentaient bon; la chaleur
montait dans les plantes; les insectes, attirés par
l'immobilité de Jeanne, bourdonnaient autour de ce
corps étendu avec une grâce de fleur coupée; et Nônon,
assise à côté et par moment agenouillée, tenant son

chapelet dans ses mains jointes, priait Celle qui a pitié encore lorsque Dieu ne se rappelle que sa justice ; car le don que Dieu a fait à sa Mère, c'est d'avoir pitié plus longtemps que lui ! De temps en temps, cette mystique de village élevait ses yeux, beaux encore et d'un bleu que le feu du cœur avait, en les incendiant autrefois, rendu plus macéré et plus chaste, vers cet autre bleu éternel que rien ne ternit, ni siècles ni orages ; vers ce ciel d'un azur étincelant alors, à travers lequel elle voyait Jeanne se pencher vers elle et affectueusement lui sourire. Assis comme elle, par terre, à quelque distance, le grand valet du Clos se tenait dans cette stupeur accablée que cause aux natures vulgaires le voisinage de la mort.

Pour le préserver d'un soleil qui devenait plus vif, Nônon avait recouvert le visage de Jeanne de ce tablier de cotonnade rouge que la Clotte avait déchiré en s'efforçant de la retenir. Seul lambeau de pourpre grossière que la destinée laissait, pour la couvrir, à cette fille noble qui avait emprisonné dans un corset de bure une âme patricienne longtemps contenue, longtemps surmontée, et qui tout à coup, éclatant à l'approche d'une âme de sa race, avait tué son bonheur et brisé sa vie !

Ce fut vers le soir qu'eut lieu la *levée du cadavre*. Après l'accomplissement de cet acte légal, le juge de paix ordonna au serviteur qui l'accompagnait et au grand valet du Clos de transporter Jeanne dans la maison la plus voisine de la prairie. L'enterrement de maîtresse Le Hardouey était fixé pour le lendemain, à l'église paroissiale de Blanchelande. Dans l'incertitude où l'on était sur le genre de mort de Jeanne, la charité du bon curé Caillemer n'eut point à s'affliger d'avoir à appliquer cette sévère et profonde loi canonique qui refuse la sépulture chrétienne à toute personne morte

d'un suicide et sans repentance. Il estimait beaucoup
Jeanne-Madelaine, qu'il appelait la nourrice de ses
pauvres, et il aurait eu le cœur déchiré de ne pas bénir
sa poussière. Dieu sauva donc à la tendresse du pasteur
cette rude épreuve, et Jeanne, justiciable du mystère de
sa mort à Dieu seul, put être déposée en terre sainte.

On l'y porta au milieu d'un concours immense de
gens venus des paroisses voisines de Lithaire et de
Neufmesnil. Les cloches de Blanchelande, qui, selon la
vieille coutume normande, avaient sonné tout le jour et
la veille, avaient appris à ces campagnes que « quelqu'un de riche » était mort. Les informations allant de
bouche en bouche, on avait bientôt su que c'était
maîtresse Le Hardouey. En Normandie, dans ma
jeunesse encore, de toutes les cérémonies qui attiraient
les populations aux églises, la plus solennelle et qui
remuait davantage l'imagination publique, c'étaient les
funérailles. Les indifférents y accouraient autant que les
intéressés; les impies, quoiqu'il y en eût moins qu'à
présent de cette race orgueilleuse et sotte, les impies
autant que les gens pieux. Ce n'était pas comme en
Écosse, où les repas funéraires pouvaient déterminer un
genre de concours sans élévation et sans pureté. En
Normandie, il n'y avait de repas, après l'enterrement,
que pour les prêtres. La foule, elle, s'en retournait, le
ventre vide, comme elle était venue, mais elle était
venue pour voir un de ces spectacles qui l'émouvaient et
l'édifiaient toujours, et elle s'en retournait la tête pleine
de bonnes pensées, quand ce n'était pas le cœur. Ce
jour-là, l'enterrement de maîtresse Le Hardouey n'attirait pas seulement parce qu'il était une cérémonie
religieuse, ou parce que la *décédée* était connue à dix
lieues à la ronde pour la reine des ménagères, mais aussi
parce que sa mort soudaine n'avait pas été naturelle, et
qu'il planait comme le nuage d'un crime au-dessus. On

vint donc aux obsèques de Jeanne encore plus pour
parler de sa mort extraordinaire et inexpliquée que pour
s'acquitter envers elle d'un dernier devoir. La *jaserie*, ce
mouvement éternel de la langue humaine, ne s'arrête ni
sur une tombe fermée ni en suivant un cercueil, et rien
ne glace, pas même la religion et la mort, l'implacable
curiosité qu'Ève a léguée à sa descendance. Pour la
première fois peut-être, le recueillement manqua à ces
paysans. Ce qui, surtout, les rendit distraits, parce que
cela leur paraissait étrange et terrible, à eux, qui
avaient au fond de leur cœur le respect de la famille,
comme le christianisme l'a fait, c'était de ne pas voir de
parents accompagner et suivre cette bière. La famille de
Jeanne de Feuardent, dont elle avait blessé l'orgueil
nobiliaire en épousant Thomas Le Hardouey, n'était
point venue à ses funérailles, et, d'un autre côté, les
parents de Le Hardouey, envieux de la fortune qu'il
avait amassée, et blessés aussi par son mariage, qui les
avait éloignés d'eux, n'avaient point paru dans le
cortège, malgré l'invitation qu'on avait eu soin de leur
adresser. Il y avait donc un assez grand espace entre la
bière, portée, selon l'usage du pays, par les domestiques
du Clos, sur des serviettes ouvrées dont ils tenaient les
extrémités deux par deux, et les pauvres de la paroisse,
qui, pour *six blancs* et un pain de quatre livres,
assistaient à la cérémonie, une torche de résine à la
main. De mémoire d'homme, à Blanchelande, on
n'avait vu d'enterrement où cet espace, réservé au
deuil, fût resté vide. On en faisait tout haut la
remarque. Maître Le Hardouey n'était pas rentré au
Clos. Tous les yeux étaient fixés sur la place qu'il aurait
dû occuper... Hélas! Il y avait un autre homme encore
que les regards de l'assistance cherchèrent plus d'une
fois en vain : c'était l'abbé de La Croix-Jugan. Parti
pour Montsurvent, la veille, ainsi que l'avait dit la

mère Mahé a Le Hardouey, il n'était point revenu de chez la comtesse Jacqueline. Pendant toute la funèbre cérémonie, sa stalle de chêne resta fermée dans le chœur, et le redoutable capuchon qu'on y voyait tous les dimanches ne s'y montra pas.

Fut-ce cette préoccupation de la foule, répartie entre ces deux absents, qui empêcha qu'on ne prît garde à une personne dont la présence, si elle avait été remarquée, eût semblé aussi extraordinaire que l'absence simultanée des deux autres?... En effet, impiété ou souffrance physique, la Clotte n'allait point à l'église. Il y avait plus de quinze ans qu'on ne l'y avait vue. Il est juste de dire aussi qu'on ne l'avait point vue ailleurs. Elle n'allait que jusqu'à son seuil. D'un esprit trop ferme pour insulter les choses saintes, la Clotte semblait les dédaigner, en ne les invoquant jamais dans sa vie. L'Hérodiade de Haut-Mesnil, qui avait eu avec les hommes toutes les férocités d'une beauté puissante comme un fléau, devenue l'ascète de la solitude et la Marie Égyptienne de l'orgueil blessé, n'avait pas soupçonné la force qu'elle aurait trouvée au pied d'une croix. Lorsque, dans sa tournée de Pâques, le curé Caillemer entrait et s'asseyait chez elle pour lui parler des consolations qu'elle puiserait dans l'accomplissement de ses devoirs de chrétienne, elle souriait avec une hauteur amère. Rachel égoïste et stérile, qui ne voulait pas être consolée parce que sa jeunesse et sa beauté n'étaient plus! Elle souriait aussi de l'humble prêtre, enfant de la paroisse, qu'elle avait vu grandir derrière la charrue, sur le sillon voisin, et qui ne portait pas sur son front la marque de noblesse, qui l'eût consacré, aux yeux d'une femme comme elle, plus que l'huile sainte du sacerdoce. Cette hauteur, ce sourire, cette fierté désespérée, mais sans une seule plainte, cette attitude éternelle, car il la retrouvait toujours la même à

chaque année, cette manière de vider son calice d'ab-
sinthe et de le tenir comme elle avait tenu le verre de
l'orgie au château de Haut-Mesnil, tout cela imposait au
curé et arrêtait sur sa lèvre timide la parole qui peut
convertir. Il le disait lui-même. Cette femme chargée
d'iniquités, au fond de sa masure délabrée et sous les
vêtements d'une pauvreté rigide, le troublait plus que la
comtesse de Montsurvent dans son château et sous le
dais féodal qu'elle avait eu le courage de rétablir dans la
salle de chêne sculpté de ses ancêtres, comme si la
trombe de la Révolution n'avait pas emporté tous les
droits et les signes qui représentaient ces droits! Pour
toutes ces raisons, le bon curé s'était bien souvent
demandé ce que deviendrait la vieille Clotte... et si,
après toute une vie de scandale et d'incrédulité orgueilleuse, il n'était pas grand temps, pour elle, de donner
l'exemple du repentir!

Et qui sait? l'heure peut-être était venue. La mort de
Jeanne, dernière goutte d'amertume, avait déjà fait
déborder ce cœur qui, pendant des années, avait porté
sa misère sans se pencher et sans trembler! Ce qu'elle
n'aurait point fait pour elle, cette femme, qui n'avait
jamais demandé quartier à Dieu, l'avait fait pour
Jeanne. Elle avait prié. Elle avait retrouvé l'humilité de
la prière et des larmes! Sous le coup de la mort de
Jeanne, elle s'était juré à elle-même que, malgré sa
paralysie, elle irait jusqu'à l'église de Blanchelande,
qu'elle accompagnerait jusqu'à sa tombe celle qu'elle
appelait *son enfant*, et que, si elle ne pouvait pas
marcher, elle s'y traînerait sur le cœur! Eh bien, ce
qu'elle s'était juré, elle l'accomplit! Le matin du jour
des funérailles, elle se leva dès l'aurore, s'habilla avec ce
qu'elle avait de plus noir dans ses vêtements, et, les
deux mains sur le bâton sans lequel elle ne pouvait faire
un seul pas, elle commença le pénible trajet qui, pour

elle, était un voyage. Il y avait environ une lieue de sa
chaumière au clocher de Blanchelande; mais une lieue
pour elle, c'était loin! Elle ne marchait pas; elle rampait
plutôt sur la partie morte de son être, que son buste
puissant et une volonté enthousiaste traînaient d'un
effort continu. Les poètes ont parlé quelquefois de
l'union de la mort et de la vie. Elle était l'image de
cette union, mais la vie était si intense dans sa poitrine
appuyée sur ses mains nerveuses, soutenues à leur tour
par son bâton noueux... qu'on aurait cru, à certains
moments, que cette vie descendait et la reprenait tout
entière. Elle allait bien lentement, mais enfin elle allait!
Son front s'empourprait de fatigue. Son austère visage
prenait des teintes de feu, comme un vase de bronze
rongé par une flamme intérieure dont les flancs
opaques, devenus transparents, se colorent.

Quelquefois, trahie par sa force, vaincue, mais non
désespérée, elle s'arrêtait, haletante, s'asseyait sur une
butte ou un tas de cailloux dans le chemin, puis se
relevait et poursuivait sa route pour se rasseoir encore
après quelques pas. Les heures s'écoulaient. La cloche
de Blanchelande sonna la messe funèbre. La malheureuse l'entendit presque avec égarement! Elle mesurait,
et de quel regard! à travers les airs, l'espace qui la
séparait de l'église, ce qui lui restait à dévorer par la
pensée et à traverser avec ses pieds lents et maudits!
« Oh! j'arriverai! » elle se l'était dit plus d'une fois avec
espérance. Maintenant elle se disait : « Arriverai-je à
temps? » Nul voyageur à cheval, nul fermier avec sa
charrette, qui, peut-être, eussent été touchés de l'énergie trompée de cette sublime infirme qui défaillait et
allait toujours, et qui l'auraient prise avec eux, ne
passèrent sur cette route solitaire. Ah! sa poitrine se
soulevait d'anxiété et de folle colère! Son cœur trépi-
gnait sur ses pieds morts! Bientôt elle ne put même plus

s'arrêter pour reprendre haleine, et comme elle était
brisée dans son corps et qu'elle tombait affaissée, ne
voulant pas être retardée par sa chute, l'héroïque
volontaire se mit à marcher sur les mains, à travers les
pierres, tenant dans ses dents le bâton dont elle ne
pouvait se séparer et qu'elle mordait avec une exaspéra-
tion convulsive... Dieu, sans doute, eut pitié de tant de
courage et permit qu'elle arrivât à l'église de Blanchelande avant que la messe ne fût dite.

Quand, à moitié morte, elle franchit la grille du
cimetière, le prêtre qui officiait chantait la Préface.
L'église était trop pleine pour qu'elle pût y pénétrer.
Aussi resta-t-elle au seuil d'une des petites portes latérales
qui s'ouvrait dans une chapelle de la Vierge, et là, accroupie sur le talon de ses sabots, derrière quelques femmes
plantées debout et qui regardaient dans cette chapelle,
elle mêla sa prière et sa désolation intérieure à la
magnifique psalmodie que l'Église chante sur ses morts,
et au croassement des corbeaux dont les noires volées
tournaient alors autour du clocher retentissant. Comme
elle agissait au nom d'un devoir et que, d'ailleurs, elle
était toujours la fière Clotte, elle ne parla point à ces
femmes qui, le dos tourné, chuchotaient entre elles et
s'entretenaient de la morte, de maître Thomas Le
Hardouey et de l'abbé de La Croix-Jugan. Et voilà
pourquoi aussi, quand elle se leva, d'accroupie qu'elle
était, avant que la messe fût finie, elle put échapper au
regard de ces femmes qui ne l'avaient pas remarquée.

Cependant, la messe étant dite, les porteurs reprirent
la bière sur les tréteaux où elle avait été déposée, les
prêtres se mirent à monter la nef en chantant les
derniers psaumes et débouchèrent par le portail, suivis
de la foule, dans le cimetière, où la fosse creusée
attendait le cercueil. Instant pathétique et redoutable!
Le cœur de l'homme le plus fort n'y résiste pas, lorsque,

rangés en cercle, leurs cierges éteints, au bord de la
tombe entr'ouverte, les prêtres versent l'eau bénite,
dans un *requiescat* suprème, sur la bière dépouillée de sa
draperie noire et sur laquelle la terre, poussée par les
bèches, croule avec un bruit lamentable et sourd. On
était parvenu à ce moment terrible, et jusque-là rien
n'avait troublé l'imposante et navrante cérémonie.
Seulement, quand le clergé, ayant béni le cercueil, se fut
retiré, après un *Amen* suivi d'un morne et vaste silence,
laissant la foule groupée autour de la fosse qu'on
remplissait et jetant à son tour l'eau sainte, comme il
l'avait fait avant elle, une femme, qui était agenouillée
sur la terre relevée de la fosse, et à laquelle personne
n'avait fait attention, se leva péniblement, et, se
plaçant derrière l'homme qui aspergeait alors la tombe,
s'avança pour prendre le goupillon qu'il tenait; mais, au
moment de le lui remettre, l'homme regarda la main
tendue vers lui et l'ètre à qui appartenait cette main.

« Oh! — dit-il en tressaillant, — la Clotte! »

Et, comme si cette main tendue eût été pestiférée, il
recula avec horreur.

« Que viens-tu faire ici, vieille Tousée? — poursuivit-
il, — et pour quel nouveau malheur es-tu donc sortie
de ton trou? »

Le nom de la Clotte, sa présence inattendue, l'accent
et le geste de cet homme firent passer dans la foule cette
vibration attentive qui précède, comme un avertisse-
ment de ce qui va suivre, les grandes scènes et les
grands malheurs.

La Clotte avait pâli à ce nom de Tousée qui lui
rappelait brutalement un outrage qu'elle n'avait jamais
pu oublier. Mais, comme si elle n'eût pas entendu, ou
comme si la douleur de la mort de Jeanne l'eût
désarmée de toute colère :

« Donne! que je la bénisse, — fit-elle lentement, — et

n'insulte pas la vieillesse en présence de la mort », —
ajouta-t-elle avec une ferme douceur et une imposante
mélancolie.

Mais l'homme à qui elle parlait était d'une nature
rude et grossière, et les habitudes de son métier
augmentaient encore sa férocité habituelle. C'était un
boucher de Blanchelande, élevé dans l'exécration de la
Clotte. Il s'appelait Augé. Son père, boucher comme lui,
était un des quatre qui l'avaient liée au poteau du
marché et qui avaient fait tomber sous d'ignobles
ciseaux, en 1793, une chevelure dont elle avait été bien
fière. Cet homme était mort de mort violente peu de
temps après son injure, et sa mort, imputée vaguement
à la Clotte par des parents superstitieux, passionnés, et
en qui les haines de parti s'ajoutaient encore à l'autre
haine, devait rendre le fils implacable.

« Non! — dit-il, — tu ferais tourner l'eau bénite,
vieille sorcière! tu ne mets jamais le pied à l'église, et te
v'là! Es-tu effrontée! Et est-ce pour maléficier aussi son
cadavre que tu t'en viens, toi qui ne peux plus traîner tes
os, à l'enterrement d'une femme que tu as ensorcelée, et
qui n'est morte peut-être que parce qu'elle avait la
faiblesse de te hanter? »

L'idée qu'il exprimait saisit tout à coup cette foule,
qui avait connu Jeanne si malheureuse et qui n'avait pu
s'expliquer ni l'égarement de sa pensée, ni la violence de
son teint, ni sa mort aussi mystérieuse que les derniers
temps de sa vie. Un long et confus murmure circula
parmi ces têtes pressées dans le cimetière et qu'un pâle
rayon de soleil éclairait. A travers ce grondement
instinctif, les mots de *sorcière* et d'*ensorcelée* s'entendirent comme des cris sourds qui menaçaient d'être
perçants tout à l'heure... Étoupes qui commençaient de
prendre et qui allaient mettre tout à feu.

Il n'y avait plus là de prêtres; ils étaient rentrés dans

l'église; il n'y avait plus là d'homme qui, par l'autorité
de sa parole et de son caractère, pùt s'opposer à cette
foule et l'arrèter en la dominant. La Clotte vit-elle le
péril qui l'entourait dans les plis épais de cette vaste
ceinture d'hommes irrités, ignorants, et depuis des
années sans liens avec elle, avec elle qui les regardait du
haut de son isolement comme on regarde du haut d'une
tour?

Mais, si elle le vit, son sang d'autrefois, son vieux
sang de concubine des seigneurs du pays monta à sa
joue sillonnée comme une lueur dernière, en présence de
ces hommes qui, pour elle, était des manants et qui
commençaient de s'agiter. Appuyée sur son bàton
d'épine, à trois pas de cette fosse entr'ouverte, elle jeta
à Augé, le boucher, un de ces regards comme elle en
avait dans sa jeunesse quand, posée sur la croupe du
cheval de Sang-d'Aiglon de Haut-Mesnil, elle passait
dans le bourg de Blanchelande, scandalisé et silencieux.

« Tais-toi, fils de bourreau, — dit-elle; — cela n'a pas
tant porté bonheur à ton père de toucher à la tète de
Clotilde Mauduit!

— Ah! j'achèverai l'œuvre de mon père! — fit le
boucher mis hors de lui par le mot de la Clotte. — Il ne
t'a que rasée, vieille louve, mais moi, je te prendrai par
la *tignasse* et je t'*écalerai* comme un mouton. »

Et, joignant le geste à la menace, il leva sa main
épaisse, accoutumée à prendre le bœuf par les cornes
pour le contenir sous le couteau. La tète menacée resta
droite... Mais un coup la sauva de l'injure. Une pierre
lancée du sein de cette foule, que l'inflexible dédain de
la Clotte outrait, atteignit son front, d'où le sang jaillit,
et la renversa.

Mais renversée, les yeux pleins du sang de son front
ouvert, elle se releva sur ses poignets de toute la
hauteur de son buste.

« Lâches! » — cria-t-elle, quand une seconde pierre, sifflant d'un autre côté de la foule, la frappa de nouveau à la poitrine et marqua d'une large rosace de sang le mouchoir noir qui couvrait la place de son sein.

Ce sang eut, comme toujours, sa fascination cruelle. Au lieu de calmer cette foule, il l'enivra et lui donna la soif avec l'ivresse. Des cris : « *A mort, la vieille sorcière!* » s'élevèrent et couvrirent bientôt les autres cris de ceux qui disaient : « *Arrêtez! non! ne la tuez pas!* » Le vertige descendait et s'étendait, contagieux, dans ces têtes rapprochées, dans toutes ces poitrines qui se touchaient. Le flot de la foule remuait et ondulait, compacte à tout étouffer. Nulle fuite n'était possible qu'à ceux qui étaient placés au dernier rang de cette *tassée* d'hommes; et ceux-là curieux, et qui discernaient mal ce qui se passait au bord de la fosse, regardaient par-dessus les épaules des autres et augmentaient la poussée. Le curé et les prêtres, qui entendirent les cris de cette foule en émeute, sortirent de l'église et voulurent pénétrer jusqu'à la tombe, théâtre d'un drame qui devenait sanglant. Ils ne le purent. « Rentrez, monsieur le curé, — disaient des voix; —vous n'avez que faire là! C'est la sorcière de la Clotte, c'est cette *profaneuse* dont on fait justice! Je vous rendrons demain votre cimetière purifié. »

Et, en disant cela, chacun jetait son caillou du côté de la Clotte, au risque de blesser ceux qui étaient rangés près d'elle. La seconde pierre, qui avait brisé sa poitrine, l'avait roulée dans la poussière, abattue aux pieds d'Augé, mais non évanouie. Impatient de se mêler à ce martyre, mais trop près d'elle pour la lapider, le boucher poussa du pied ce corps terrassé.

Alors, comme la tête coupée de Charlotte Corday qui rouvrit les yeux quand le soufflet du bourreau souilla sa

joue virginale, la Clotte rouvrit ses yeux pleins de sang
à l'outrage d'Augé, et d'une voix défaillante :

« Augé, — dit-elle, — je vais mourir; mais je te
pardonne si tu veux me traîner jusqu'à la fosse de
Mlle de Feuardent et m'y jeter avec elle, pour que la
vassale dorme avec les maîtres qu'elle a tant aimés!

— I' g'n'a pus de maîtres ni de demoiselles de
Feuardent, — répondit Augé, redevenu Bleu tout à
coup et brûlant des passions de son père. — Non! tu ne
seras pas enterrée avec celle que tu as envoûtée par tes
sortilèges, fille maudite du diable, et je te donnerai à
mes chiens! »

Et il la refrappa de son soulier ferré au-dessus du
cœur. Puis, avec une voix éclatante :

« La v'là écrasée dans son venin, la vipère! — fit-il.
— Allons, garçons! qui a une claie que je puissions
traîner sa carcasse dessus? »

La question glissa de bouche en bouche, et soudain,
avec cette électricité qui est plus rapide et encore plus
incompréhensible que la foudre, des centaines de bras
rapportèrent pour réponse, en la passant des uns aux
autres, la grille du cimetière, arrachée de ses gonds, sur
laquelle on jeta le corps inanimé de la Clotte. Des
hommes haletants s'attelèrent à cette grille et se mirent
à traîner, comme des chevaux sauvages ou des tigres, le
char de vengeance et d'ignominie, qui prit le galop sur
les tombes, sur les pierres, avec son fardeau. Éperdus de
férocité, de haine, de peur révoltée, car l'homme réagit
contre la peur de son âme, et alors il devient fou
d'audace! ils passèrent comme le vent rugissant d'une
trombe devant le portail de l'église, où se tenaient les
prêtres rigides d'horreur et livides; et renversant tout
sur leur passage, en proie à ce *delirium tremens* des
foules redevenues animales et sourdes comme les fléaux,
ils traversèrent en hurlant la bourgade épouvantée et

prirent le chemin de la lande... Où allaient-ils? ils ne le savaient pas. Ils allaient comme va l'ouragan. Ils allaient comme la lave s'écoule.

Seulement, chose moins rare qu'on ne croirait si on connaissait les convulsifs changements des masses, à mesure qu'ils s'avançaient dans leur exécution terrible ils devenaient moins nombreux, moins ardents, moins furieux. Cette foule, cette légion, cet immense animal multiple, à plusieurs têtes, à plusieurs bras, perdait de sa toison d'hommes aux halliers du chemin. Ses rangs s'éclaircissaient. On voyait les uns se détacher des autres et s'enfuir en silence. On en voyait rester au détour d'une route et ne pas rejoindre la troupe effrénée et clamante, pris de frisson, de remords, d'horreur lentement venue, mais enfin ressentie et glacée. Ce n'était plus qu'une poignée d'hommes, la lie du flot qui écumait il n'y avait qu'un moment. La conscience du crime revenait sur eux, sur ce fond et bas-fond humain qui s'opiniâtre au crime quand les coups de violence sont passés! et toujours allant, mais moins vite, elle grandit si fort en eux, cette conscience, qu'elle les arrêta court, de son bras fort et froid comme l'acier. La peur du crime qu'ils venaient de commettre, et qui peu à peu avait décimé leur nombre, prit aussi ces derniers qui traînaient sur sa claie de fer cette femme tuée par eux, assassinée! Une autre peur s'ajouta à cette peur. Ils entraient dans la lande, la lande, le terrain des mystères, la possession des esprits, la lande incessamment arpentée par les pâtres rôdeurs et sorciers! Ils n'osèrent plus regarder ce cadavre souillé de sang et de boue qui leur battait les talons[155]. Ils le laissèrent et s'enfuirent, se dispersant comme les nuées qui ont versé le ravage sur une contrée se dispersent sans qu'on sache où elles ont passé[156].

Le silence s'étendit dans ces campagnes, devenues

tout à coup solitaires. Il était d'autant plus profond
qu'il succédait à des cris. Le clocher de Blanchelande,
dont la sonnerie bruyante s'était arrêtée après vingt-
quatre heures de continuelles volées, ne fut plus qu'une
flèche muette sur laquelle l'ombre montait à mesure que
le soleil penchait à l'horizon. Nul bruit ne venait du
bourg. L'affreux spectacle qui l'avait sillonné, comme une
vision de sang et de colère, avait laissé comme le
poids d'une consternation sur ces maisons dont la
terreur du matin semblait encore garder les portes.
L'après-midi s'allongea dans une morne tristesse; et,
quand le soir de ce jour de funeste mémoire commença
de tomber sur la terre, on n'entendit, dans les lointains
bleuâtres, ni le chant mélancoliquement joyeux des
vachères, ni les cris des enfants au seuil des portes, ni
les claquements fringants du fouet des meuniers rega-
gnant le moulin, assis sur leurs sacs, les pieds ballant au
flanc de leurs juments d'allure. On eût dit Blanchelande
mort au bout de sa chaussée... Pour qui pratiquait ce
pays d'ordinaire vivant et animé à ces heures, il y avait
quelque chose d'extraordinaire qui ne se voyait pas,
mais qui se sentait... L'abbé de La Croix-Jugan, revenant ce soir-là de chez la comtesse Jacqueline, eut peut-
être le sentiment que j'essaye de faire comprendre. Il
avait traversé la lande de Lessay sur sa pouliche, noire
comme ses vêtements, et, depuis qu'il s'avançait vers
l'endroit de cette lande où la solitude finissait, il n'avait
rencontré âme qui vive. Tout à coup son ardente
monture, qui portait au vent, fit un écart et se cabra en
hennissant... Cela le tira de sa rêverie, car cet homme
renversé sous les débris d'une cause ruinée, cette espèce
de Marius vaincu, trouvait son marais de Minturnes
dans l'abîme de sa propre pensée... Il regarda alors
l'obstacle qui faisait dresser le crin sur le cou de sa noire
pouliche, et il vit, devant les pieds levés de l'animal, la

Clotte sanglante, inanimée, étendue dans la route sur sa claie d'acier.

« Voilà de la besogne de Bleus! — dit-il, mettant le doigt sur la moitié de la vérité par le fait de sa préoccupation éternelle, — les bandits auront tué la vieille Chouanne. »

Et il vida l'étrier, s'approcha du corps de la Clotte, ôta son gant de daim et tourna vers lui la face saignante. Un instant s'écoula, il interrogea les artères. Par un prodige de force vitale comme il s'en rencontre parfois dans d'exceptionnelles organisations, la Clotte, évanouie, remua. Elle n'était pas encore morte, mais elle se mourait.

« Clotilde Mauduit! — fit le prêtre de sa voix sonore.

— Qui m'appelle? — murmura-t-elle d'une voix faible. — Qui? Je n'y vois plus.

— C'est Jéhoël de La Croix-Jugan, Clotilde, — répondit l'abbé. Et il la souleva et lui appuya la tête contre une butte. — Oui! c'est moi. Reconnais-moi, Clotilde. Je viens pour te sauver.

— Non! — dit-elle, toujours faible, et elle sourit d'un dédain qui n'avait plus d'amertume, — vous venez pour me voir mourir... Ils m'ont tuée...

— Qui t'a tuée? qui? — dit impétueusement le prêtre. — Ce sont les Bleus, n'est-ce pas, ma fille? — insista-t-il avec une ardeur dans laquelle brûlait toute sa haine.

— Les Bleus! — fit-elle comme égarée, — les Bleus! Augé, c'est un Bleu; c'est le fils de son père. Mais tous y étaient... tous m'ont accablée... Blanchelande... tout entier. »

Sa voix devint inintelligible; les noms ne sortaient plus. Seul, son menton remuait encore... Elle ramenait sa main à sa poitrine et faisait ce geste épouvantable de ceux qui agonisent, quand ils semblent écarter de leurs

doigts convulsifs les araignées de leur cercueil. Qui a vu
mourir connaît cette effroyable trépidation.

L'abbé la connaissait. Il voyait que la mort était
proche.

Il interrogea encore la mourante, mais elle ne
l'entendit pas. Elle avait l'absorption de l'agonie... Lui,
qui ne savait pas la raison de cette mort terrible qu'il
avait là devant les yeux, pensait aux Bleus, sa fixe
pensée, et il se disait que tout crime de parti pouvait
rallumer la guerre éteinte. Le cadavre mutilé de la
vieille Clotte lui paraissait aussi bon qu'un autre pour
mettre au bout d'une fourche et faire un drapeau qui
ramenât les paysans normands au combat.

« Que se passe-t-il donc? » — fit-il avec explosion,
déjà frémissant, palpitant et frappant la terre de ses
bottes à l'écuyère aux éperons d'argent. Le chef,
l'inflexible partisan, se dressa, redevenu indomptable,
dans le prêtre, et, oubliant, lui, le ministre d'un Dieu de
miséricorde, qu'il y avait là une mourante qui n'était
pas encore trépassée, il s'enleva à cheval comme s'il eût
entendu battre la charge. Lorsqu'il retomba sur sa selle,
sa main caressa fiévreusement la crosse des pistolets qui
garnissaient les fontes... Le soleil, qui se couchait en
face de lui, éclairait en plein son visage cerclé de sa
jugulaire de velours noir et haché par d'infernales
blessures, auxquelles le feu de sa pensée faisait monter
cette écarlate qu'un aveugle célèbre comparait au son
de la trompette. Il enfonça ses éperons dans les flancs
de la pouliche, qui bondit à casser sa sangle. Par un
mouvement plus prompt que la pensée, il tira un des
pistolets de ses fontes et le leva en l'air, le doigt à la
languette, comme si l'ennemi avait été à quatre pas,
visionnaire à force de belliqueuse espérance! Ces pistolets étaient ses vieux compagnons. Ils n'avaient, durant
la guerre, jamais quitté sa ceinture. Quand la mère

Hecquet l'avait sauvé, elle les avait enfouis dans sa cabane. C'étaient ses pistolets de Chouan. Sur leur canon rayé, il y avait une croix ancrée de fleurs de lys qui disait que le Chouan se battait pour le Sauveur, son Dieu, et son seigneur le roi de France.

Cette croix que le soleil couchant fit étinceler à ses yeux lui rappela l'austère devoir de toute sa vie, auquel il avait si souvent manqué.

« Ah! — dit-il, replongeant l'arme aux fontes de la selle, — tu seras donc toujours le même pécheur, insensé Jéhoël! La soif de sang de l'ennemi desséchera donc toujours ta bouche impie! Tu oublieras donc toujours que tu es un prêtre! Cette femme va mourir et tu songes à tuer, au lieu de lui parler de son Dieu et de l'absoudre. A bas de cheval, bourreau, et prie! »

Et il descendit de sa pouliche comme la première fois.

« Clotilde Mauduit, es-tu morte? » — lui dit-il en s'approchant d'elle.

Fut-ce une convulsion suprême, mais elle se tordit sur la poussière comme une branche de bois sec dans le feu. Il semblait que la voix du prêtre galvanisât sa dernière heure.

« Si tu m'entends, — dit-il, — ô ma fille! pense au Dieu terrible vers lequel tu t'en vas monter. Fais, par la pensée, un acte de contrition, ô pécheresse! et, quoique indigne moi-même et pénitent, mais prêtre du Dieu qui lie et qui délie, je vais t'absoudre et te bénir. »

Et, les mains étendues, il prononça lentement les paroles sacramentelles de l'absolution sur ce front offusqué déjà des ombres de la mort. Singulier prêtre, qui rappelait ces évêques de Pologne, lesquels disent la messe, bottés et éperonnés comme des soldats, avec des pistolets sur l'autel. Jamais être plus hautain debout n'avait récité de plus miséricordieuses paroles sur un être plus hautain renversé. Quand ce fut fini : « Elle a

passé », dit-il, et il détacha son manteau et l'étendit sur
le cadavre. Puis il prit deux branches cassées dans un
ravin et les posa en forme de croix par-dessus le
manteau. Le soleil s'était couché dans un banc de
brume sombre : « Adieu, Clotilde Mauduit, — dit-il. —
O complice de ma folle jeunesse, te voilà ensevelie de
mes mains! Si un grand cœur sauvait, tu serais sauvée;
mais l'orgueil a égaré ta vie comme la mienne. Dors en
paix, cette nuit, sous le manteau du moine de Blanchelande. Nous viendrons te chercher demain. » Il remonta
à cheval, regarda encore cette forme noire qui jonchait
le sol. Son cheval, qui connaissait son genou impérieux,
frémissait d'être contenu et voulait s'élancer, mais il le
retenait... Sa main baissée sur le pommeau de la selle
rencontra par hasard la crosse des pistolets : « Taisez-
vous, — dit-il, — tentations de guerre! » Et, conduisant
au pas cette pouliche qu'il précipitait d'ordinaire dans
des galops qu'on appelait insensés, il s'en alla, récitant à
demi-voix, dans les ombres qui tombaient, les prières
qu'on dit pour les morts.

XIV

Il était nuit noire quand l'abbé de La Croix-Jugan
traversa Blanchelande et rentra dans sa maison, sise
à l'écart du bourg. Il n'avait rencontré personne. En
Normandie, comme ils disent, les paysans se couchent
avec les poules, et, d'ailleurs, la scène effrayante du
matin avait vidé la rue de Blanchelande, car les
hommes se blottissent dans leur maison comme les bêtes
dans leur tanière, quand ils ont peur. Rappelé par la
mort de la Clotte au sentiment de ses devoirs de prêtre,

l'abbé de La Croix-Jugan attendit le lendemain, malgré
les impatiences naturelles à son caractère, pour s'informer d'un événement dans lequel l'ardeur de sa tête lui
avait fait entrevoir la possibilité d'une reprise d'armes.
Il sut alors, par la mère Mahé, les détails des horribles
catastrophes qui venaient de plonger Blanchelande dans
la stupéfaction et l'effroi.

L'une de ces catastrophes avait un tel caractère que
l'autorité, qui se refaisait alors en France, au sortir de la
Révolution, dut s'inquiéter et sévir. Les meurtriers de
la Clotte furent poursuivis. Augé, qui fut jugé selon les
lois du temps, passa plusieurs mois dans les prisons de
Coutances. Quant à ses complices, ils étaient trop
nombreux pour pouvoir être poursuivis. La législation
était énervée, et, en frappant sur une trop grande
surface, on aurait craint de rallumer une guerre dans un
pays dont on n'était pas sûr. Quant à la mort de
Jeanne Le Hardouey, on la considéra comme un suicide. Nulle charge, en effet, au sens précis de la loi, ne
s'élevait contre personne. La seule chose qui, dans le
mystère profond de la mort de Jeanne, ressemblât à une
présomption, fut la disparition de maître Thomas
Le Hardouey. S'il était entièrement innocent du
meurtre de sa femme, pourquoi avait-il quitté si
soudainement un pays où il avait de gros biens et sa
bonne terre du Clos, l'admiration et la jalousie des
autres cultivateurs du Cotentin?

Était-il mort? S'il l'était, pourquoi sa famille n'avait-
elle pas entendu parler de son décès? S'il vivait, et si
réellement, coupable ou non, il avait craint d'être
inquiété sur le meurtre de sa femme, les jours et les
mois s'accumulant les uns sur les autres avec l'oubli à
leur suite et les distractions qui forment le train de la
vie et empêchent les hommes de penser longtemps à la
même chose, pourquoi ne reparaissait-il pas? Plusieurs

disaient l'avoir vu aux îles, à l'île d'Aurigny et à
Guernesey, mais ils n'avaient pas osé lui parler. Était-
ce une vérité? Était-ce une méprise, ou une vanterie?
car il est des gens qui ont toujours vu ce dont on parle,
pour peu qu'ils aient fait quatre pas. Dans tous les cas,
maître Le Hardouey restait absent. On mit ses biens
sous le séquestre, et un si long temps s'écoula qu'on
finit par désespérer de son retour.

Mais ce que le train ordinaire de la vie ne diminua
point et n'emporta point comme le reste, ce fut
l'impression de terreur mystérieuse, redoublée encore
par les événements de cette histoire, qu'inspirait à tout
le pays le grand abbé de La Croix-Jugan. Si, comme
maître Thomas Le Hardouey, l'abbé avait quitté la
contrée, peut-être aurait-on perdu à peu près ces idées
qui, dans l'opinion générale du pays, avaient fait de lui
la cause du malheur de Jeanne-Madelaine. Mais il resta
sous les yeux qu'il avait attirés-si longtemps et dont il
semblait braver la méfiance. Cette circonstance de son
séjour à Blanchelande, l'inflexible solitude dans laquelle
il continua de vivre, et, qu'on me passe le mot, la
noirceur de sa physionomie, sur laquelle des ténèbres
nouvelles s'épaississaient de plus en plus, voilà ce qui
fixa et dut éterniser à Blanchelande et à Lessay la
croyance au pouvoir occulte et mauvais que l'abbé
avait exercé sur Jeanne, croyance que maître Louis
Tainnebouy avait trouvée établie dans tous les esprits.
La mort de Jeanne avait-elle atteint l'âme du prêtre?

« Quand vous lui avez appris qu'elle *s'était périe*, —
avait dit Nônon à la mère Mahé un matin qu'elles
puisaient de l'eau au puits Colibeaux — qué qu'vous
avez remarqué en lui, mère Mahé?

— *Ren pus* qu'à l'ordinaire, — répondit la mère
Mahé. — Il était dans son grand fauteuil, au bord de
l'âtre. *Mè*, j'étais assise sur mes sabots, et je soufflais le

feu. J'avais sa voix qui me parlait au-dessus de ma tête et je n'osais guères me retourner pour le voir, car, quoiqu'un chien regarde bien un évêque, che n'est pas un homme bien commode à dévisager. I'm'demanda qué qu'il était arrivé à la Clotte, et quand j'lui eus dit qu'elle avait eu le cœur d'aller à l'enterrement de maîtresse Le Hardouey, et que ch'était au *bénissement* de la tombe qu'ils avaient commencé à la *pierrer*, oh! alors... savait-il déjà c'te mort de maîtresse Le Hardouey, ou l'ignorait-il? mais *mè* qui m'attendais à un apitoiement de la part de qui, comme lui, avait connu, et trop connu maîtresse Le Hardouey, je fus toute saisie du silence qui se fit dans la salle, car il ne répondit pas tant seulement une miette de parole. Le bois qui prenait craquait, craquait, et je soufflais toujours. La flamme ronflait; mais je n'entendais que cha, et *i' n'* remuait pas pus qu'une borne; si bien que *j' m'* risquai à m'retourner, mais je n' m'y attardai guères, ma pauvre Nônon, quand j'eus vu ses deux yeux de *cat* sauvage. Je virai encore un *tantet* dans la salle; mais ses yeux et son corps ne bougèrent, et je le laissai regardant toujours le feu avec ses deux yeux fixes, qui auraient mieux valu que mes vieux soufflets pour allumer mon fagot.

— V'là tout? — fit Nônon triste et déçue.

— V'là tout, vère! — reprit la Mahé en laissant glisser la chaîne du puits, qui emporta le seau au fond du trou frais et sonore, en retentissant le long de ses parois verdies.

— Il n'est donc pas une créature comme les autres? » — dit Nônon rêveuse, son beau bras que dessinait la manche étroite de son *juste* [157] appuyé à sa cruche de grès, placée sur la margelle du puits.

Et elle emporta lentement la cruche remplie, pensant que de tous ceux qui avaient aimé Jeanne-Madelaine de

Feuardent elle était la seule, elle, qui l'eût aimée et ne lui eût pas fait de mal.

Et peut-être avait-elle raison. En effet, la Clotte avait profondément aimé Jeanne-Madelaine, mais son affection avait eu son danger pour la malheureuse femme. Elle avait exalté des facultés et des regrets inutiles, par le respect passionné qu'elle avait pour l'ancien nom de Feuardent. Il n'est pas douteux, pour ceux qui savent la tyrannie des habitudes de notre âme, que cette exaltation, entretenue par les conversations de la Clotte, n'ait prédisposé Jeanne-Madelaine au triste amour qui finit sa vie. Quant à l'abbé lui-même, à cette âme fermée comme une forteresse sans meurtrières et qui ne donnait à personne le droit de voir dans ses pensées et ses sentiments, est-il téméraire de croire qu'il avait eu pour Jeanne de Feuardent ce sentiment que les âmes dominatrices éprouvent pour les âmes dévouées qui les servent? Il est vrai qu'à l'époque de la mort de Jeanne le dévouement de cette noble femme était devenu inutile par le fait d'une pacification que tous les efforts et les vastes intrigues de l'ancien moine ne purent empêcher. Mais, quoi qu'il en fût, du reste, la vie de l'abbé n'en subit aucune modification extérieure, et l'on ne put tirer d'induction nouvelle d'habitudes qui ne changèrent pas. L'abbé de La Croix-Jugan resta ce qu'on l'avait toujours connu, et ni plus ni moins. Cloîtré dans sa maison de granit bleuâtre, où il ne recevait personne, il n'en sortait que pour aller à Montsurvent, dont les tourelles, disaient les Bleus du pays, renfermaient encore plus d'un nid de chouettes royalistes; mais jamais il n'y passait de semaine entière, car une des prescriptions de la pénitence qui lui avait été infligée était d'assister à tous les offices du dimanche dans l'église paroissiale de Blanchelande, et non ailleurs. Que de fois, quand on le croyait retenu à Montsurvent par une de

ces circonstances inconnues qu'on prenait toujours pour
des complots, on le vit apparaître au chœur, sa place
ordinaire, enveloppé dans sa fière capuce : et les éperons
qui relevaient les bords de son aube et de son manteau
disaient assez qu'il venait de quitter la selle. Les
paysans se montraient les uns aux autres ces éperons si
peu faits pour chausser les talons d'un prêtre, et que
celui-ci faisait vibrer d'un pas si hardi et si ferme! Hors
ces absences de quelques jours, l'abbé Jéhoël, ce sombre
oisif auquel l'imagination du peuple ne comprenait rien,
tuait le temps de ses jours vides à se promener, des
heures durant, les bras croisés et la tête basse, d'un
bout de la salle à l'autre bout. On l'y apercevait à
travers les vitres de ses fenêtres; et il lassa plus d'une
fois la patience de ceux qui, de loin, regardaient cet
éternel et noir promeneur.

Souvent aussi il montait à cheval, au déclin du jour,
et il s'enfonçait intrépidement dans cette lande de
Lessay qui faisait tout trembler à dix lieues alentour.
Comme on procédait par étonnement et par questions à
propos d'un pareil homme, on se demandait ce qu'il
allait chercher dans ce désert, à des heures si tardives,
et d'où il ne revenait que dans la nuit avancée, et si
avancée qu'on ne l'en voyait pas revenir. Seulement on
se disait dans le bourg, d'une porte à l'autre, le matin :
« Avez-vous entendu c'te nuit la pouliche de l'abbé de
La Croix-Jugan? » Les bonnes têtes du pays, qui
croyaient que jamais l'ancien moine de Blanchelande ne
parviendrait à se dépouiller de sa vieille peau de
partisan, avaient plusieurs fois essayé de le suivre et de
l'épier de loin dans ses promenades vespérales et
nocturnes, afin de s'assurer si, dans ce steppe immense
et désert, il ne se tenait pas, comme autrefois il s'en
était tenu, des conseils de guerre au clair de lune ou

dans les ombres. Mais la pouliche noire de l'abbé de La Croix-Jugan allait comme si elle eût eu la foudre dans les veines et désorientait bientôt le regard en se perdant dans ces espaces. Et par ce côté, comme par tous les autres, l'ancien moine de Blanchelande restait la formidable énigme dont maître Louis Tainnebouy, bien des années après sa mort aussi mystérieuse que sa vie, n'avait pas encore trouvé le mot.

Or, une de ces nuits, m'affirma maître Tainnebouy sur le dire des pâtres qui l'avaient raconté quelque temps après le dénoûment de cette histoire, une de ces nuits pendant lesquelles l'abbé de La Croix-Jugan errait dans la lande selon ses coutumes, plusieurs de la tribu de ces bergers sans feu ni lieu, qu'on prenait pour des coureurs de sabbat, se trouvaient assis en rond sur des pierres carrées qu'ils avaient roulées avec leurs sabots jusqu'au pied d'un petit tertre qu'on appelait la *Butte aux sorciers*. Quand ils n'avaient pas de troupeaux à conduire et par conséquent d'étables à partager avec les moutons qu'ils rentraient le soir, les bergers couchaient dans la lande, à la belle étoile. S'il faisait froid ou humide, ils y formaient une espèce de tente basse et grossière avec leurs limousines et la toile de leurs longs bissacs étendus sur leurs bâtons ferrés, plantés dans le sol. Cette nuit-là, ils avaient allumé du feu avec des plaques de marc de cidre, ramassées aux portes des pressoirs, et de la tourbe volée dans les fermes, et ils se chauffaient à ce feu sans flamme qui ne donne qu'une braise rouge et fumeuse, mais persistante. La lune, dans son premier quartier, s'était couchée de bonne heure.

« La blafarde n'est plus là! — dit l'un d'eux. — L'abbé doit être dans la lande. C'est lui qui l'aura épeurée.

— Vère! — dit un autre, qui colla son oreille contre

la terre, — j'ouïs du côté du sû * les pas de son quevâ, mais il est loin! »

Et il écouta encore.

« Tiens! — dit-il, — il y a un autre pas pus près, et un pas d'homme; quelqu'un de hardi pour rôder dans la lande à pareille heure après nous et cet enragé d'abbé de La Croix-Jugan! »

Et, comme il cessait de parler, les deux chiens qui dormaient au bord de la braise, le nez allongé sur leurs pattes, se mirent à grogner.

« Paix, Gueule-Noire! — dit le pâtre qui avait parlé le premier et qui n'était autre que le pâtre du Vieux Presbytère. — I gn'y a pas de moutons à voler, mes bêtes; dormez. »

Il faisait noir comme dans la gueule de ce chien qu'il venait de nommer Gueule-Noire, et qui portait ce signe caractéristique de la férocité de sa race. Les bergers virent une ombre vague qui se dessinait assez près d'eux dans le clair-obscur d'un ciel brun. Seulement, comme la pureté de l'air dans la nuit double la valeur du son et en rend distinctes les moindres nuances :

« Il est donc toujours de ce monde, cet abbé de La Croix-Jugan? — dit une voix derrière les bergers, — et vous, qui savez tout, pâtureaux du diable, diriez-vous, à qui vous payerait bien cette bonne nouvelle, s'il doit prochainement en sortir?

— Ah! vous v'là donc revenu! maître Le Hardouey, — fit le pâtre sans même se retourner du côté de la voix, et les mains toujours étendues sur la braise, — v'là treize mois que le Clos chôme de vous! Que vous êtes donc *tardif*, maître! et comme les os de votre femme sont devenus mous en vous *espérant!* »

Était-ce vraiment Le Hardouey qui était là dans

* *Sû* pour *sud*.

l'ombre? On aurait pu en douter, car il était violent et il ne répondait pas.

« Ah! j'nous sommes donc ramolli itou » — reprit le pâtre, continuant son abominable ironie et reprenant le cœur de cet homme silencieux, comme Ugolin le crâne de son ennemi, pour y renfoncer une dent insatiable [158].

Si c'était Le Hardouey, cet homme carabiné de corps et d'âme, disait Tainnebouy, pour renvoyer l'injure et la payer comptant, sur place, à celui qui la lui jetait, il était donc bien changé pour ne pas bouillir de colère en entendant les provocantes et dérisoires paroles de ce misérable berger!

« Tais-toi, damné! — finit-il par dire d'un ton brisé... mais avec une amère mélancolie, — les morts sont les morts... et les vivants, on croit qu'ils vivent et les vers y sont, quoiqu'ils parlent et remuent encore. J'ne suis pas venu pour parler avec toi de *celle* qui est morte...

— Porqué donc que vous êtes venu? — dit le berger, incisif et calme comme la Puissance, toujours assis sur sa pierre et les mains étendues sur son brasier.

— Je suis venu, — répondit alors Thomas Le Hardouey, d'une voix où la résolution comprimait de rauques tremblements, — pour vendre mon âme à Satan, ton maître, pâtre! J'ai cru longtemps qu'il n'y avait pas d'âme, qu'il n'y avait pas de Satan non plus. Mais ce que les prêtres n'avaient jamais su faire, tu l'as fait, toi! Je crois au démon, et je crois à vos sortilèges, canailles de l'enfer! On a tort de vous mépriser, de vous regarder comme de la vermine... de hausser les épaules quand on vous appelle des sorciers. Vous m'avez bien forcé à croire les bruits qui disaient ce que vous étiez... Vous avez du *pouvoir*. Je l'ai éprouvé... Eh bien! je viens livrer ma vie et mon âme, pour toute l'éternité, au Maudit, votre maître, si vous voulez jeter un de vos sorts à cet être exécré d'abbé de La Croix-Jugan! »

Les trois bergers se mirent à ricaner avec mépris en se regardant de leurs yeux luisants aux reflets incertains du brasier.

« Si vous n'avez que cha à nous dire, maître Le Hardouey, — reprit le berger du Vieux Presbytère, — vous pouvez vous en retourner au pays d'où vous venez et ne jamais remettre le pied dans la lande, car les sorts ne peuvent rien sur l'abbé de La Croix-Jugan.

— Vous n'avez donc pas de pouvoir? — dit Le Hardouey; — vous n'êtes donc plus que des valets d'étable, de sales racleurs de *ordet* [159] à cochon?

— Du pouvai! j' n'en avons pas contre li, — dit le pâtre, — il a sur li un signe plus fort que nous!

— Quel signe? — repartit l'ancien propriétaire du Clos. — Est-ce son bréviaire, ou sa tonsure de prêtre?... »

Mais les bergers restèrent dans le silence, indifférents à ce que disait Le Hardouey de la perte de leur pouvoir et à ses insultantes déductions.

« Sans-cœur! » fit-il.

Mais ils laissèrent tomber l'injure, opiniâtrement silencieux et immobiles comme les pierres sur lesquelles ils étaient assis.

« Ah! du moins, — continua Le Hardouey après une pause, — si vous ne pouvez faire de lui ce que vous avez fait de moi et... d'elle, n'pouvez-vous me montrer son destin dans votre miroir et m'dire s'il doit charger la terre du poids de son corps encore bien longtemps? »

Le silence et l'immobilité des bergers avaient quelque chose de plus irritant, de plus insolent, de plus implacable que les plus outrageantes paroles. C'était comme l'indifférence de ce sourd destin qui vous écrase sans entendre tomber vos débris!

« Brutes! — reprit Thomas Le Hardouey, — vous ne répondez donc pas? — Et sa voix monta jusqu'aux

éclats de la colère! — Eh bien, je me passerai de vous!
et l'expression dont il se servit, il l'accompagna d'un
blasphème. — Gardez vos miroirs et vos sorcelleries. Je
saurai à moi tout seul quel jour il doit mourir, cet abbé
de La Croix-Jugan!

— Demandez-li, maître Thomas, — fit le berger d'un
ton de sarcasme. — Le v'là qui vient! Entend'vous
hennir sa pouliche? »

Et, en effet, le cavalier et le cheval, lancés à triple
galop, passèrent dans l'obscurité comme un tourbillon,
et frisèrent de si près les pâtres et Le Hardouey qu'ils
sentirent la ventilation de ce rapide passage, et qu'elle
courut sur la braise en une petite flamme qui s'éteignit
aussitôt.

« Tâchez donc de le rattraper, maître Thomas! » —
cria le berger, qui prenait un plaisir cruel à souffler la
colère de Le Hardouey.

Celui-ci frappa de son bâton une pierre du chemin,
qui jeta du feu et se brisa sous la force du coup.

« Vère! — reprit le pâtre, — frappez les pierres. Les
chiens les mordent, et votre furie n'a pas plus de sens
que la colère des chiens. Crayez-vous qu'un homme
comme cet abbé, pus soldat que prêtre, *s'abat* sous un
pied de frêne comme un *faraud* des foires de Varanguebec ou de Créance? *I gn'y* a qu'une balle qui puisse tuer
un La Croix-Jugan, maître Thomas! et des balles, les
Bleus n'en fondent pus!

— *C'est-il* là le *pronostic* sur l'abbé, pâtre? — fit
Le Hardouey en crispant sa rude main sur l'épaule du
berger et en le secouant comme une branche. Ses yeux,
dilatés par un désir exalté jusqu'à la folie, brillaient
dans l'ombre comme deux charbons.

— Vère! — dit le pâtre, auquel tant de violence
arrachait l'oracle, — il a entre les deux sourcils l'M qui
dit qu'on mourra d'une mort terrible. Il mourra comme

il a vécu. Les balles ont déjà fait un lit sur sa face à la dernière qui s'y couchera, pour le coucher sous elle à jamais. Ch'est le *bruman* * dès balles! mais la mariée peut tarder à venir à c'te heure où les Chouans et les Bleus ne s'envoient plus de plomb, comme au temps passé, dans l'air des nuits!

— Ah! j'en trouverai, moi! — s'écria maître Le Hardouey avec la joie d'un homme en qui se coulait, à la fin, l'idée d'une vengeance certaine, qu'aucun événement ne dérangerait, puisque c'était une destinée; — j'en trouverai, pâtre, quand je devrais l'arracher avec mes ongles des vitres de l'église de Blanchelande et le mâcher pour le mouler en balle, comme un mastic, avec mes dents. En attendant, v'là pour ta peine, puisque enfin tu as *causé*, bouche tètue! »

Et il jeta, au milieu du cercle des bergers, quelque chose qui retentit comme de l'argent en tombant dans le feu qui s'éparpilla... Puis il s'éloigna, grand train, dans la lande, s'y fondant presque, tant il fit peu de bruit, en s'y perdant! Il en connaissait les espaces et les sentiers pleins de trahisons. Que de préoccupations et d'images cruelles l'y avaient suivi déjà! Cette nuit-là, la lande à l'effrayante physionomie lui avait dit son dernier mot avec le dernier mot du pâtre. Il la traversait le cœur si plein qu'il ne dut pas entendre la vieille mélopée patoise des bergers, qui se mirent à la chanter hypocritement, en comptant peut-être les pièces qu'ils avaient retirées du feu :

> *Tire lire lire, ma cauche (ma chausse) étrille!*
> *Tire lire lire, raccommod'-l'an (la)!*
> *Tire lire lire, j' n'ai pas d'aiguille!*
> *Tire lire lire, achete-z-en!*
> *Tire lire lire, j' n'ai pas d'argent!* etc., etc.

---

* *Brumun*, fiancé, l'homme de la *bru*.

Quand ils racontèrent cette histoire à maître Tainnebouy, ils dirent qu'ils avaient laissé l'argent dans la
braise, les coutumes de leur tribu ne leur permettant
pas de prendre d'argent pour aucune *pronostication*.
Comme on ne l'y retrouva point, et que pourtant on
retrouvait ordinairement très bien, au matin, les ronds
de cendre qui marquaient, dans la lande, les places où
les bergers avaient allumé leur tourbe pendant la nuit,
on dit que ce feu des sorciers, très parent du feu de
l'enfer, l'avait fait fondre, à moins pourtant que
quelque passant discret ne l'eût ramassé sans se vanter
de son aubaine. Car la Normandie n'en est plus tout à
fait au temps de son glorieux Duc, où l'on pouvait
suspendre à la branche d'un chêne, quand on passait
par une forêt, un bracelet d'or ou un collier d'argent,
gênant pour la route, et, un an après, les y retrouver [160] !

Ceci se passait vers la fin du carême de 18... Les
bergers, de leur naturel peu communicatifs avec les
populations défiantes qui les employaient par habitude
ou par terreur, ne dirent point alors qu'ils avaient vu
Le Hardouey dans la lande (ce qu'ils dirent plus tard);
et nulle part, ni à Blanchelande ni à Lessay, on ne se
douta que le mari de Jeanne eût reparu, même pour une
heure, dans le pays.

Cependant, le jour de Pâques arriva, et cette année il
dut être plus solennel à Blanchelande que dans toutes
les paroisses voisines. Voici pourquoi. Le temps de la
pénitence que ses supérieurs ecclésiastiques avaient
infligée à l'abbé de La Croix-Jugan était écoulé. Trois
ans de la vie extérieurement régulière qu'il avait menée
à Blanchelande avaient paru une expiation suffisante de
sa vie de partisan et de son suicide. Dans l'esprit de
ceux qui avaient le droit de le juger, les bruits qui
avaient couru sur l'ancien moine et sur Jeanne ne

méritaient aucune croyance. Or, quand il n'y a point de motif réel de scandale, l'Église est trop forte et trop maternelle dans sa justice pour tenir compte d'une opinion qui ne serait plus que du respect humain à la manière du monde si on l'écoutait. Elle prononce alors avec sa majesté ordinaire : « Malheur à celui qui se scandalise! » et résiste à la furie des langues et à leur confusion. Telle avait été sa conduite avec l'abbé de La Croix-Jugan. Elle ne l'avait pas tiré de Blanchelande pour l'envoyer sur un autre point du diocèse où il n'eût scandalisé personne, disaient les gens à sagesse mondaine qui ne comprennent rien aux profondes pratiques de l'Église. Calme, imperturbable, informée, elle avait, au bout de ces trois ans, remis à l'abbé ses pleins pouvoirs de prêtre, et c'était lui qui devait chanter la grand'messe à Pâques dans l'église de Blanchelande, après une si longue interruption dans l'exercice de son ministère sacré.

Quand on sut cette nouvelle dans le pays, on se promit bien d'assister à cette messe célébrée par le moine chouan dont les blessures et la vie, mal éclairée des reflets d'incendie d'une guerre éteinte, avaient passionné la contrée d'une curiosité mêlée d'effroi. L'évêque de Coutances serait venu lui-même célébrer sa messe épiscopale à Blanchelande, qu'il n'eût point excité de curiosité comparable à celle que l'abbé de La Croix-Jugan inspirait. Taillé lui-même pour être évêque; de nom, de caractère et de capacité, disait-on, à s'élever aux premiers rangs dans l'Église, il ne resterait pas, sans doute, à Blanchelande. L'imagination populaire couvrait déjà du manteau de pourpre du cardinalat cette arrogante épaule qui brisait enfin la cagoule noire de la pénitence, comme le mouvement puissant d'un lion crève les toiles insultantes de fragilité dans lesquelles on le croyait pris. La comtesse de Montsurvent,

qui ne quittait jamais son château et qui n'entendait de
prières que dans sa chapelle, vint à cette messe, où
toute la noblesse des environs se donna rendez-vous
pour honorer dans la personne de l'abbé, le gentilhomme et le chef de guerre.

Le jour de Pâques tombait fort tard cette année-là.
On était en avril, le 16 d'avril, car cette date est restée
célèbre. C'était une belle journée de printemps, me dit
la vieille comtesse centenaire quand je lui en parlai et
qu'elle me mit les lambeaux de ses souvenirs par-dessus
l'histoire de mon brave herbager Tainnebouy. L'église
de Blanchelande avait peine à contenir la foule qui se
pressait sous ses arceaux. Il fait toujours beau temps le
jour de Pâques, affirment, avec une superstition chrétienne qui ne manque pas de grâce, les paysans du
Cotentin. Ils associent dans leur esprit la résurrection
du Christ avec la résurrection de la nature, et acceptent
comme un immuable fait, qui a sa loi dans leur
croyance, la simultanéité que l'Église a établie entre les
fêtes de son rituel et le mouvement des saisons. Les
neiges de Noël, la bise plaintive du Vendredi Saint, le
soleil de Pâques sont des expressions proverbiales dans
le Cotentin. Le soleil brillait donc, ce jour-là, et éclairait
l'église de ses premiers joyeux rayons, qui ne sont pas
les mêmes que ceux des autres jours de l'année. O
charme emporté des premiers jours, qui n'est si doux
que parce qu'il est si vite dissipé et que la mémoire en
est plus lointaine!

Tous les bancs de l'église étaient occupés par les
familles qui les louent à l'année. Revêtus de leurs plus
beaux habits, les paysans se pressaient jusque dans les
chapelles latérales, et on ne voyait de tous côtés que
ceintures et gilets rouges aux boutons de cuivre, la
parure séculaire de ces farauds Bas-Normands. Dans la
grande allée de la nef, ce n'était qu'une mer un peu

houleuse de ces coiffes qu'on appela plus tard du nom
éblouissant de *comètes*, et qui donnaient aux jeunes filles
du pays un air de mutinerie héroïque qu'aucune autre
coiffure de femme n'a jamais donné comme celle-là !
Toutes ces coiffes blanches si rapprochées les unes des
autres, qu'un prédicateur de mauvaise humeur comparait assez exactement, un jour, à une troupe d'oies dans
un marais, étaient agitées par le désir de voir enfin une
fois sans son capuchon ce fameux abbé de la Goule-
Fracassée, comme on disait dans le pays. Surnom
populaire qu'à une autre époque sa race aurait gardé s'il
n'avait pas été le dernier de sa race ! Le seul banc qui
fût vide dans cette foule de bancs qui regorgeaient était
le banc, fermé à la clef, de maîtresse Le Hardouey. On
n'y avait plus revu personne depuis la mort de la femme
et l'inexplicable disparition du mari. Ce banc vide
rappelait, ce dimanche-là mieux que jamais, toute
l'histoire que j'ai racontée. Il faisait penser davantage à
cette *morte*, à laquelle on pensait toujours et dont le
souvenir amenait infailliblement dans l'esprit l'idée de
l'abbé de La Croix-Jugan, de ce moine blanc de
l'abbaye en ruines, qui allait chanter la grand'messe
pour la première fois. On pensait que la tragédie de
l'ensorcellement de Jeanne avait commencé à ce banc, à
une procession comme celle-ci, et que le malheur était
venu de ce premier regard, sorti de *ces trous par lesquels*,
dit Bossuet, *Dieu verse la lumière dans la tête de l'homme*,
et qui, sous le front balafré du prêtre et la pointe de son
capuchon, semblaient deux soupiraux de l'enfer : *la
bouche en feu du four du Diable*, disaient ces paysans qui
savaient peindre avec un mot, comme Zurbaran avec un
trait. Quand on se reportait aux bruits qui avaient
couru sur l'abbé, et dont l'écho ne mourait pas, on était
haletant de voir *quelle mine* il aurait, en passant le long
du banc de sa *victime* (car on la croyait sa victime), le

jour où il allait dire la messe et consacrer le corps et le
sang de Notre-Seigneur Jésus-Christ. C'était une
épreuve! Il se jouait donc dans toutes ces têtes un
drame dont le dernier acte était arrivé et qui touchait
au dénoûment. Aussi me serait-il impossible de peindre
l'espèce de frémissement de curiosité qui circula soudainement dans cette foule quand la rouge bannière de
la paroisse, qui devait ouvrir la marche de la procession,
commença de flotter à l'entrée du chœur, et que les
premiers tintements de la sonnette annoncèrent, au
portail, que la procession allait sortir. Qui ne sait,
d'ailleurs, l'amour éternel de l'homme pour les spectacles et même pour les spectacles qu'il a déjà vus?
Cette bannière, qui ne sort guères qu'aux grandes fêtes,
et de laquelle tombent, comme de ses glands d'or et de
soie vermeille, je ne sais quelle influence de joie et de
triomphe sur les fidèles, la croix d'argent, avec son
velarium brodé par des mains virginales, cette espèce
d'obélisque de cire blanche qu'on appelle le cierge pascal
et qui domine la croix de sa pointe allumée, les
primevères qui jonchaient la nef, ces premières primevères de l'année que les prêtres étendent sur les
autels lavés du Vendredi Saint et dont les débris
odorants de la veille se mêlaient à la forte et tonique
senteur du buis coupé, tous ces détails avaient aussi leur
émotion sainte. La procession étincelait d'ornements
magnifiques donnés par la comtesse de Montsurvent et
qu'on portait alors pour la première fois. Elle avait
voulu que son grand abbé de La Croix-Jugan (c'est
ainsi qu'elle avait coutume de l'appeler) ne dît sa
première messe depuis sa pénitence que dans une
pourpre et une splendeur dignes de lui! Comme il est
d'usage, il venait le dernier dans cette foule solennelle,
précédé du curé de Varenguebec et de l'abbé Caillemer,
tous deux en dalmatique, car ils devaient l'assister

comme diacre et sous-diacre à l'autel. La foule tendait
le cou sur son passage, et plusieurs jeunes filles
montèrent même sur les banquettes de leurs bancs
lorsqu'il s'avança dans la nef. Le jour bleu qui entrait
alors par le portail tout grand ouvert et qui répandait
ses clartés jusqu'au fond du chœur dans son mystère de
vitraux sombres, et tournait ses blancheurs vives
autour des piliers, frappait bien en face ce visage
extraordinaire qu'on voulait voir, tout en frémissant de
le regarder, et qui produisait la magnétique horreur des
abîmes. Seulement (sans y penser assurément) l'abbé de
La Croix-Jugan devait impatienter cette curiosité,
avide de le contempler enfin dans l'ensemble de son
atterrante physionomie. Comme officiant, il portait
l'étole, l'aube et la chape, mais il avait gardé son
capuchon noir en agrafant sa chape par-dessus en sorte
que sa tête n'avait point quitté son encadrement
habituel, fermé par la barre de velours noir de l'espèce
de mentonnière qu'il portait toujours.

« Qui fut bien surpris et eut le nez cassé? — me dit
maître Tainnebouy, qui prétendait tenir tous ces détails
de Nônon elle-même, — ce furent les filles de Blanchelande, Monsieur! Quand il passa auprès du banc de la
malheureuse dont il avait causé la perte, on ne s'aperçut
pas tant seulement qu'il eût un cœur à l'air de son
visage. On n'y vit rien, ni *stringo* ni *stringuette*, et on se
demanda tout bas s'il avait une licence du pape, le
vieux diable, pour dire la messe en capuchon. Mais ne
vous tourmentez, Monsieur! la suite prouva bien qu'il
n'en avait pas; et les filles et les gars de Blanchelande,
et bien d'autres, en virent plus long à c'te messe-là
qu'ils n'auraient voulu. »

Ainsi, pour un moment, la curiosité et l'attente
universelle furent trompées. L'abbé de La Croix-Jugan
n'avait rien de nouveau que sa chape fermée sur sa

poitrine par une agrafe de pierres précieuses, d'un éclat
prodigieux aux yeux de ces paysans éblouis.

« D'aucunes fois, depuis, j'ons bien regardé! ce tas de
pierreries n'a *éclaffé* [161] com' cha sur la poitrine de nos
prêtres », disaient-ils à la comtesse de Montsurvent, qui
expliquait le phénomène un peu par l'imagination, un
peu par le manteau du capuchon qui faisait repoussoir
au blanc éclat des pierreries, mais qui ne pouvait
s'empêcher de sourire de ces incroyables superstitions.

La procession fit le tour de l'église, le long des murs
du cimetière, et rentra par le portail, qui resta ouvert. Il
y avait tant de monde à Blanchelande ce jour-là, et le
temps était si doux et presque si chaud, que beaucoup
de personnes se groupèrent au portail et, de là,
entendirent la messe. Il y en avait jusque sous l'if
planté en face du portail.

Cependant, après le temps mis à chanter l'*Introït*,
pendant lequel l'officiant va revêtir les ornements
sacrés, les portes de la sacristie s'ouvrirent, et l'abbé de
La Croix-Jugan, précédé des enfants de chœur portant
les flambeaux, des thuriféraires et des diacres, apparut
sur le seuil, en chasuble, et marcha lentement vers
l'autel. Le mouvement de curiosité qui avait eu lieu
dans l'église quand la procession était passée recommença, mais pour cette fois sans déception. Le capuchon avait disparu, et la tête idéale de l'abbé put être
vue sans aucun voile...

Jamais la fantaisie d'un statuaire, le rêve d'un grand
artiste devenu fou, n'auraient combiné ce que le hasard
d'une charge d'espingole et le déchirement des bandelettes de ses blessures par la main des Bleus avaient
produit sur cette figure, autrefois si divinement belle
qu'on la comparait à celle du martial Archange des
batailles. Les plus célèbres blessures dont parle l'Histoire, qu'étaient-elles auprès des vestiges impliqués sur

le visage de l'abbé de La Croix-Jugan, auprès de ces
stigmates qui disaient si atrocement le mot sublime du
duc de Guise à son fils :

« Il faut que les fils des grandes races sachent se bâtir
des renommées sur les ruines de leur propre corps! »

Pour la première fois, on jugeait dans toute sa
splendeur foudroyée le désastre de cette tête, ordinairement à moitié cachée, mais déjà, par ce qu'on en voyait,
terrifiante! Les cheveux, coupés très courts, de l'abbé,
envahis par les premiers flocons d'une neige prématu-
rée, miroitaient sur ses tempes et découvraient les plans
de ses joues livides, labourées par le fer. C'était tout un
massacre, me dit Tainnebouy avec une poésie sauvage,
mais ce *massacre* exprimait un si implacable défi au
destin, que si les yeux s'en détournaient, c'était presque
comme les yeux de Moïse se détournèrent du buisson
ardent qui contenait Dieu! Il y avait, en effet, à force
d'âme comme un dieu en cet homme plus haut que la
vie, et qui semblait avoir vaincu la mort en lui
résistant. Quoiqu'il se disposât à offrir le Saint Sacrifice
et qu'il s'avançât les yeux baissés, l'air recueilli et les
mains jointes, ces mains qui avaient porté l'épée
interdite aux prêtres, et dont le galbe nerveux et veiné
révélait la puissance des éperviers dans leurs étreintes, il
était toujours le chef fait pour commander et entraîner
à sa suite. Avec sa grande taille, la blancheur flamboyante de sa chasuble lamée d'or, que le soleil,
tombant par une des fenêtres du chœur, sembla tout à
coup embraser, il ne paraissait plus un homme, mais la
colonne de flammes qui marchait en avant d'Israël et
qui le guidait au désert. La vieille comtesse de
Montsurvent parlait encore de ce moment-là, du fond
de ses cent ans, comme s'il eût été devant elle, quand
Blanchelande agenouillé vit ce prêtre, colossal de

physionomie, se placer au pied de l'autel et commencer cette messe fatale qu'il ne devait pas finir.

Nul, alors, ne pensa à ses crimes. Nul n'osa garder dans un repli de son âme subjuguée une mauvaise pensée contre lui. Il était digne des pouvoirs que lui avait remis l'Église, et le calme de sa grandeur, quand il monta les marches de l'autel, répondit de son innocence. Impression éphémère, mais pour le moment toute-puissante! On oublia Jeanne Le Hardouey. On oublia tout ce qu'on croyait il n'y avait qu'un moment encore.

Entrevu à l'autel à travers la fumée d'azur des encensoirs, qui vomissaient des langues de feu de leurs urnes d'argent balancées devant sa terrible face, sur laquelle le sentiment de la messe qu'il chantait commençait de jeter des éclairs inconnus qui s'y fixaient comme des rayons d'auréole et faisaient pâlir l'éclat des flambeaux, il était le point culminant et concentrique où l'attention fervente et respectueuse de la foule venait aboutir. Le timbre profond de sa voix retentissait dans toutes les poitrines. La lenteur de son geste, sa lèvre inspirée, la manière dont il se retournait, les bras ouverts, vers les fidèles, pour leur envoyer la paix du Seigneur, toutes ces sublimes attitudes du prêtre qui prie et qui va consacrer, et dans lesquelles le sublime de sa personne, à lui, s'incarnait avec une si magnifique harmonie, prenaient ces paysans hostiles et fondaient leur hostilité au point qu'il n'y paraissait plus...

La messe s'avançait cependant, au milieu des *alleluia* d'enthousiasme de ce grand jour... Il avait chanté la Préface. Les prêtres qui l'assistaient dirent plus tard que jamais ils n'avaient entendu sortir de tels accents d'une bouche de chair. Ce n'était pas le chant du cygne, de ce mol oiseau de la terre qui n'a point sa place dans le ciel chrétien, mais les derniers cris de l'aigle de l'Évangéliste, qui allait s'élever vers les Cimes Éternelles, puisqu'il allait mourir. Il consacra, dirent-ils encore, comme les Saints consacrent; et vraiment, s'il avait jamais été coupable, ils le crurent plus que pardonné. Ils crurent que le charbon d'Isaïe avait tout consumé du vieil homme dans sa purification dévorante [162], quand, à genoux près de lui et tenant le bord de sa tunique de pontife, les diacres le virent élever l'hostie sans tache, de ses deux mains tendues vers Dieu. Toute la foule était prosternée dans une adoration muette. L'*O salutaris hostia!* allait sortir, avec sa voix d'argent, de cet auguste et profond silence... Elle ne sortit pas... Un coup de fusil partit du portail ouvert, et l'abbé de La Croix-Jugan tomba la tête sur l'autel.

Il était mort.

Des cris d'effroi traversèrent la foule, aigus, brefs, et tout s'arrêta, même la cloche qui sonnait le sacrement de la messe et qui se tut, comme si le froid d'une terreur immense était monté jusque dans le clocher et l'eût saisie!

Ah! qui pourrait raconter dignement cette scène unique dans les plus épouvantables spectacles? L'abbé de La Croix-Jugan, abattu sur l'autel, arraché par les diacres de l'entablement sacré qu'il souillait de son sang, et couché sur les dernières marches, dans ses vêtements sacerdotaux, au milieu des prêtres éperdus et des flambeaux renversés; la foule soulevée, toutes les têtes tournées, les uns voulant voir ce qui se passait à l'autel, les autres regardant d'où le coup de feu était parti; le double reflux de cette foule, qui oscillait du chœur au portail, tout cela formait un inexprimable désordre, comme si l'incendie eût éclaté dans l'église ou que la foudre eût fondu les plombs du clocher!

« L'abbé de La Croix-Jugan vient d'être assassiné! » Tel fut le mot qui vola de bouche en bouche. La comtesse de Montsurvent, qui avait le courage de ceux de sa maison, tenta de pénétrer jusqu'au chœur, mais ne put percer la foule amoncelée.

« Fermez les portes! arrêtez l'assassin! » criaient les voix. Mais on n'avait vu ni arme ni homme. Le coup de fusil avait été entendu. Il était parti du portail, tiré probablement par-dessus la tête des fidèles prosternés; et celui qui l'avait tiré avait pu s'enfuir, grâce au premier moment de surprise et de confusion. On le cherchait, on s'interrogeait.

Le chaos s'emparait de cette église, qui résonnait, il n'y avait que quelques minutes, des chants joyeux d'*alleluia*... Il y avait deux scènes distinctes dans ce chaos : la foule qui se gonflait au portail; et à la grille du sanctuaire, dans le chœur, les prêtres jetés hors de leurs stalles, et les chantres, pâles, épouvantés, entourant le corps inanimé, et les deux diacres, debout auprès, pâles comme des linceuls, en proie à l'indignation et à l'horreur! Un crime affreux aboutissait à un sacrilège! L'hostie, teinte du sang, était tombée à côté du calice. Le curé de Varenguebec la prit et communia.

Alors, ce curé de Varanguebec, qui était un homme puissant, un robuste prêtre, commanda le silence, d'une voix tonnante, et, chose étrange, due, sans nul doute, à l'impression d'un tel spectacle, il l'obtint. Puis il dépouilla sa dalmatique, et n'ayant plus que son aube, tachée du sang qui avait jailli de tous côtés sur l'autel, il monta en chaire et dit :

« Mes frères, l'église est profanée. L'abbé de La Croix-Jugan vient d'être assassiné en offrant le divin sacrifice. Nous allons emporter son corps au presbytère et nous en ferons l'inhumation à la paroisse de Neufmesnil. L'église de Blanchelande va rester fermée jusqu'au moment où Notre Seigneur de Coutances viendra solennellement la rouvrir et la purifier. Lui seul, de sa droite épiscopale, et non pas nous, humble prêtre,

peut laver ici la place d'un détestable sacrilège. Allez,
mes frères, rentrez dans vos maisons, consternés et
recueillis. Les jugements de Dieu sont terribles, et ses
voies cachées. Allez, la messe est dite : *Ite, missa est!* »

Et il descendit de la chaire. Le silence le plus profond
continua de régner dans l'assemblée, qui s'écoula, mais
avec lenteur. Les plus curieux restèrent à voir les
prêtres éteindre les flambeaux et voiler le saint tabernacle. On éteignit jusqu'à la lampe du chœur, cette
lampe qui brûlait nuit et jour, image de l'Adoration
perpétuelle. Puis les prêtres enlevèrent sur leurs bras
entrelacés le corps de l'abbé de La Croix-Jugan, dans sa
chasuble sanglante, en récitant à voix basse le *De
profundis*. Resté le dernier sur le seuil de l'église déserte,
le curé Caillemer en ferma les portes, comme sous les
sept sceaux de la colère du Seigneur. Arrêtées un
moment dans le cimetière, quelques personnes furent
sommées d'en sortir, et les grilles en furent fermées,
comme les portes de l'église l'avaient été. Étrange et
formidable jour de Pâques! le souvenir saisissant devait
s'en transmettre à la génération suivante. On eût dit
qu'on remontait au Moyen Age et que la paroisse de
Blanchelande avait été mise en interdit.

XV

Ce ne fut que quarante jours après cet effroyable
drame, dont le récit, même dans la bouche du paysan
qui me le fit, me sembla aussi pathétique que celui du
meurtre de ce Médicis frappé dans l'église de Florence
lors de la conjuration des Pazzi, laquelle a fourni aux
historiens italiens l'occasion d'une si terrible page [163],

que l'évêque de Coutances, accompagné d'un clergé nombreux, vint rouvrir et reconsacrer l'église de Blanchelande ; cérémonie imposante, dont la solennité devait rendre plus profond encore dans tous les esprits le souvenir de cette fameuse fête de Pâques interrompue par un meurtre.

Quant au *meurtrier*, tout le monde crut que c'était maître Thomas Le Hardouey ; mais de preuve certaine et matérielle que cela fût, on n'en eut jamais. Les bergers racontèrent ce qui s'était passé, la nuit, dans la lande ; mais ils haïssaient Le Hardouey, et peut-être se vengeaient-ils de lui jusque sur sa mémoire. Disaient-ils vrai ? C'étaient des païens auxquels il ne fallait pas trop ajouter foi.

Le Hardouey, assurément, avait plus que personne un intérêt de vengeance à tuer l'abbé de La Croix-Jugan. Le lingot de plomb qui avait traversé de part en part la tête de l'abbé, et qui était allé frapper la base d'un grand chandelier d'argent placé à gauche du tabernacle, fut reconnu pour être un morceau de plomb arraché d'une des fenêtres du chœur avec la pointe d'un couteau ; et cette circonstance parut confirmer le récit des pâtres.

Ainsi Le Hardouey avait fait ce qu'il avait dit ; car on reconnut encore que le plomb avait été mâché avec les dents, soit pour le forcer à entrer dans le canon du fusil, soit pour en rendre la blessure mortelle [164]. Excepté cette notion incertaine, tous les renseignements manquèrent à la justice. Interrogées par elle, les personnes qui entendaient la messe au portail (et c'étaient des femmes pour la plupart) répondirent n'avoir entendu que l'arme à feu par-dessus leurs têtes, agenouillées qu'elles étaient et le front baissé au moment de l'Élévation.

Leur surprise, leur effroi avaient été si grands, que

l'homme qui avait tiré le coup de fusil avait eu le temps de courir jusqu'à l'échalier du cimetière et de le franchir avant d'être reconnu. Seule, une vieille mendiante, qui ne pouvait s'agenouiller à cause de l'état de ses pauvres jambes, et qui était restée debout, les mains à son bâton et les reins contre le tronc noir de l'if, vit tout à coup au portail un large dos d'homme, et au-dessus de ce dos un bout de fusil couché en joue et qui brillait au soleil. Quand le coup fut parti, l'homme se retourna, mais il avait, dit-elle, un crêpe noir sur la figure, et il *s'ensauvait* comme un *cat poursuivi par un quien*. Tout cela, ajouta-t-elle, eut lieu si vite, et elle avait été *si saisie*, qu'elle n'avait pas même pu crier.

Si c'était Le Hardouey, du reste, on ne le découvrit ni à Blanchelande, ni à Lessay, ni dans aucune des paroisses voisines, et sa disparition, qui a toujours duré depuis ce temps, demeura aussi mystérieuse qu'elle l'avait été après la mort de sa femme. Seulement, *s'il était resté dans l'esprit du monde,* disait Tainnebouy, que l'abbé de La Croix-Jugan avait *maléficié* Jeanne-Madelaine, il resta aussi acquis à l'opinion de toute la contrée que Le Hardouey avait été l'assassin, par vengeance, de l'ancien moine [165].

Telle avait été l'histoire de maître Louis Tainnebouy sur cet abbé de La Croix-Jugan, dont le nom était resté dans le pays l'objet d'une tradition sinistre. Je l'ai dit déjà, mais il me paraît nécessaire d'insister : le fermier du Mont-de-Rauville omit dans son récit bien des traits que je dus plus tard à la comtesse Jacqueline de Montsurvent ; seulement, ces détails, qui tenaient tous à la manière de voir et de sentir de la comtesse et à sa hauteur de situation sociale, ne portaient nullement sur le fond et les circonstances dramatiques de l'histoire que mon Cotentinais m'avait racontée. A cet égard l'identité

était complète; seule, la manière d'envisager ces circonstances était différente.

Et cependant, dans les idées de la centenaire féodale,
de cette décrépite à qui la vieillesse avait arraché les
dernières exaltations, s'il y en avait jamais eu dans ce
caractère, auquel les guerres civiles avaient donné le fil
et le froid de l'acier, l'abbé de La Croix-Jugan était,
autant que dans les appréciations de l'honnête fermier,
un de ces personnages énigmatiques et redoutables qui,
une fois vus, ne peuvent s'oublier.

Maître Tainnebouy en parlait beaucoup par ouï-dire,
et pour l'avoir entr'aperçu une ou deux fois du bout de
l'église de Blanchelande à l'autre bout, mais la vieille
comtesse l'avait connu... Elle ne l'avait pas seulement
vu à cette distance qui transforme les bâtons flottants;
elle l'avait coudoyé dans cet implacable plain-pied de
la vie qui renverse les piédestaux et rapetisse les plus
grands hommes :

« Voyez-vous cette place? — me disait-elle le jour
que je lui en parlai, et elle me désignait de son doigt,
blanc comme la cire et chargé de bagues jusqu'à la
première phalange, une espèce de chaire en ébène, de
forme séculaire, placée en face de son dais; — c'était là
qu'il s'asseyait quand il venait à Montsurvent. Personne
ne s'y mettra plus désormais. Il a passé là bien des
heures! Lorsqu'il arrivait dans la cour, moi qui suis
toujours seule dans cette salle vide, avec les portraits
des Montsurvent et des Toustain (c'était une Toustain [166] que la vieille comtesse Jacqueline), je reconnais-
sais le bruit du sabot de son cheval, et je tressaillais
dans mes vieux os sans moelle et dans mes dentelles
rousses, comme une fiancée qui eût attendu son fiancé.
N'étions-nous pas fiancés aux mêmes choses mortes? Le
vieux Soutyras, car tout est vieux autour de moi,
l'annonçait, en soulevant devant lui, d'un bras trem-

blant de la terreur qu'il inspirait à tous, la portière que
voilà là-bas, et alors il entrait, le front sous sa cape, et il
s'en venait me baiser de ses lèvres mutilées cette main
solitaire, à laquelle les baisers du respect ont manqué
depuis que la vieillesse et la Révolution sont tombées
sur ma tête chenue. Puis il s'asseyait... et, après
quelques mots, il s'abîmait dans son silence et moi dans
le mien! Car, depuis que la Chouannerie était finie et
qu'il n'y avait plus d'espoir de soulèvement dans cette
misérable contrée où les paysans ne se battent que pour
leur fumier, il n'avait plus rien à m'apprendre, et nous
n'avions plus besoin de parler.

— Quoi! comtesse, — m'écriai-je, croyant qu'au
moins cette intimité grandiosement sévère entre cet
homme si viril, vaincu, et cette femme dépossédée de
tout, excepté de la vie, laissait échapper dans cette
solitude de fiers cris de rage et de regret, — vous ne
parliez même pas! Et vous avez ainsi vécu pendant des
années!

— Seulement deux ans, — fit-elle, — le temps qu'il
demeura à Blanchelande, quand toute espérance fut
perdue, jusqu'à sa mort... Qu'avions-nous à nous dire?
Sans parler, nous nous entendions... Si, pourtant! il me
parla encore une fois, — fit-elle en se ravisant et en
baissant un chef qui branlait, comme si elle eût cherché
un objet perdu entre son busc et sa poitrine, par un
dernier mouvement de femme qui cherche ses souvenirs
là où elle mettait ses lettres d'amour dans sa jeunesse,
— ce fut quand ce malheureux et fatal duc d'Enghien... »

Elle hésitait, et cette hésitation me parut si sublime
que je lui épargnai la peine d'achever.

« Oui, lui dis-je, — je comprends...

— Ah! oui, vous comprenez, — dit-elle avec un
vague éclair au fond de son regard d'un bleu froid et

effacé, nageant dans un blanc presque sépulcral, —
vous comprenez; mais je puis bien le dire : cent ans de
douleur pavent la bouche pour tout prononcer. »

Elle s'arrêta, puis elle reprit :

« Ce jour-là, il vint plus tôt qu'à l'ordinaire. Il ne
m'embrassa pas la main, et il me dit : « Le duc
d'Enghien est mort, fusillé dans les fossés de Vin-
cennes... Les royalistes n'auront pas le cœur de le
venger [167]! » Moi, je poussai un cri, mon dernier cri! Il me
donna les détails de cette mort terrible, et il marchait
de long en large en me les donnant. Quand ce fut fini, il
s'assit et reprit son silence, qu'il n'a pas rompu
désormais. Aussi, — ajouta-t-elle encore après une
pause, — il n'y a pas grande différence pour moi qu'il
soit vivant ou qu'il soit mort, comme il l'est maintenant. Les vieillards vivent dans leur pensée. Je le vois
toujours!... Demandez à la Vasselin, si je ne lui ai pas
dit bien souvent, le soir, à l'heure où elle vient
m'apporter mon sirop d'oranges amères : « Dis donc,
Vasselin, n'y a-t-il personne, là... sur la chaise noire? Je
crois toujours que l'abbé de La Croix-Jugan y est
assis!... »

En vérité, ce silence de trappiste étendu entre ces
deux solitaires restés les derniers d'une société qui
n'était plus, cette amitié ou cette habitude d'un homme
de venir s'asseoir régulièrement à la même place, et qui
frappait de la contagion de son silence une femme assez
hautaine pour que rien jamais pût beaucoup influer sur
elle, oui, en vérité, tout cela fut comme le dernier coup
d'ongle du peintre qui m'acheva et me fit tourner cette
figure de l'abbé de La Croix-Jugan, de cet être taillé
pour terrasser l'imagination des autres et compter
parmi ces individualités exceptionnelles qui peuvent ne
pas trouver leur cadre dans l'histoire écrite, mais qui le
retrouvent dans l'histoire qui ne s'écrit pas, car l'His-

toire a ses rhapsodes comme la Poésie. Homères cachés
et collectifs, qui s'en vont semant leur légende dans
l'esprit des foules! Les générations qui se succèdent
viennent pendant longtemps brouter ce cytise merveilleux d'une lèvre naïve et ravie, jusqu'à l'heure où la
dernière feuille est emportée par la dernière mémoire, et
où l'oubli s'empare à jamais de tout ce qui fut poétique
et grand parmi les hommes.

XVI

Pour l'abbé de La Croix-Jugan, la légende vint après
l'histoire.

« J'avoue [168], — dis-je à l'herbager cotentinais quand
il eut fini son récit tragique, — j'avoue que voilà
d'étranges et d'horribles choses [169]; mais quel rapport,
maître Louis Tainnebouy, cette messe de Pâques a-
t-elle avec celle que nous avons entendu sonner il y a
deux heures, et que vous avez nommée la messe de
l'abbé de La Croix-Jugan?

— Quel rapport il y a, Monsieur? — fit maître
Tainnebouy, — il n'est pas bien difficile de l'apercevoir
après ce que j'ai tant ouï raconter...

— Et qu'avez-vous donc entendu, maître Louis? —
repartis-je, — car je veux, puisque vous m'en avez tant
dit, tout savoir de ce qui tient à l'histoire de l'abbé de
La Croix-Jugan.

— Vous êtes dans votre droit, Monsieur, — fit le
Cotentinais, dont la parole n'avait pas le même degré de
vivacité qu'elle avait quand il me racontait son histoire.
— D'ailleurs, vous avez entendu les neuf coups de
Blanchelande, il faut bien que vous sachiez pourquoi ils

ont sonné. Puisque je vous ai dit tout ceci, il faut bien que j'achève, quoique p't-être il aurait mieux valu ne pas commencer. »

Il était évident que le fermier du Mont-de-Rauville, cette bonne tête si raisonnable, si calme et d'un sens si affermi par la pratique de la vie, était la proie d'une terreur secrète, qui venait sans doute de l'enfant qu'il avait perdu au berceau après avoir entendu sonner les neuf coups de Blanchelande, et que, dans tous les cas, pour une raison ou pour une autre, il se repentait d'avoir comméré sur les morts.

Il surmonta pourtant sa répugnance, et il reprit :

« Il y avait un an, jour pour jour, que l'abbé de La Croix-Jugan était décédé : on était donc au jour de Pâques de l'année ensuivant. L'année s'était passée à beaucoup *causer* de lui et à la veillée dans les fermes, et en revenant, sur le tard, des foires et des marchés, et partout...

» C'était une *dierie* qui ne finissait pas, et dont j'ai eu moi-même les oreilles diantrement battues et rebattues dans ma jeunesse. Que oui, cette *dierie* a duré longtemps!

» J'ai vu, dans ces époques-là, et à Lessay, un tauret blanc qui avait des cornes noires entrelacées et recourbées sur son mufle comme l'ancien capuchon du moine, et qu'on appelait pour cette raison *le moine de Blanchelande*, tant on était imbu de l'histoire de l'abbé de La Croix-Jugan! Le surnom, du reste, avait porté malheur à la bête, car elle s'était éventrée sur le pieu ferré d'une barrière dans un accès de fureur, et d'aucuns disaient qu'on avait eu tort et grand tort, et qu'on en avait été puni, d'avoir donné à un animâ un surnom qui avait été le nom d'un prêtre.

» On était donc au jour de Pâques, et M. le curé Caillemer avait recommandé au prône du matin cet abbé

de La Croix-Jugan, dont la mort avait tant *épanté* [170]
Blanchelande. Les esprits étaient plus pleins de lui que
jamais.

» Pierre Cloud, ce compagnon à Dussacey le forgeron,
qui avait tant versé de *taupettes* à Le Hardouey le soir
qu'il rentra au Clos pour n'y pas retrouver sa femme,
s'en revenait de Lessay, où il avait passé la journée et
où il s'était attardé un peu trop à *pinter* avec de bons
garçons... Mais il n'en avait pas pris assez pour ne pas
voir sa route; et d'ailleurs ceux qui l'ont accusé d'avoir
un coup de soleil dans les yeux sont depuis convenus
qu'il avait dit la pure et sainte vérité, et que ses yeux
n'avaient pas été *égalués* [171].

» Il faisait une nuitée noire comme suie, mais biau
temps tout de même, et Pierre Cloud marchait bien
tranquille et p't-être de tous les gens de Blanchelande
celui qui pensait le moins à l'abbé de La Croix-Jugan. Il
était parti de la veille au soir et n'avait, par conséquent,
pas assisté au prône du curé Caillemer, ni entendu
parler dans les cabarets de Blanchelande, comme on en
parlait ce jour-là, de l'ancien moine, assassiné il y avait
juste un an... Or, comme il n'était pas loin du cimetière,
qu'il était obligé de traverser pour arriver au bourg, et
qu'il longeait la haie d'épines plantée sur le mur du
jardin d'Amant Hébert, le gros liquoriste du bourg, qui
fournissait à tous les prêtres du canton, il entendit
sonner ces neuf coups de cloche que j'avons, c'te nuit,
entendus sonner dans la lande, et il s'arrêta, comme
vous itou vous avez fait, Monsieur.

» J'ai entendu dire à lui-même que ces neuf coups lui
figèrent sa sueur au dos et qu'il se laissa choir par terre,
faites excuse, Monsieur, comme si le battant de la
cloche lui était tombé sur la tête, dru comme sur
l'enclume le marteau!

» Mais comme la cloche se tut et ne rebougea plus, et

qu'il ne pouvait rester là jusqu'au jour pendant que sa
femme l'*espérait* au logis, il crut avoir trop levé le coude
avec les amis de Lessay, et il se remit en route pour
Blanchelande, quand, arrivé à l'échalier du cimetière, il
sentit un diable de tremblement dans ses mollets et
r'marqua une grande lumière qui éclairait les trois
fenêtres du chœur de l'église.

» Il pensa d'abord que c'était la lampe qui envoyait
c'te lueur aux vitres; mais la lampe ne pouvait pas
donner une clarté si rouge « qu'elle ressemblait au feu
de ma forge », me dit-il quand j'en devisâmes tous les
deux. Ces vitraux qui flamboyaient lui firent croire qu'il
n'avait pas rêvé quand il avait entendu la cloche :

« — Je ne suis pas pus aveugle que *jodu* [172], —
pensa-t-il. — Qué qu'il y a donc dans l'église, à pareille
heure, pour qu'il y brille une telle lumière, d'autant
qu'elle est silencieuse, la vieille église, comme après
complies, et que les autres fenêtres de ses bas-côtés ne
laissent passer brin de clarté? J' sommes entre le
dimanche et le lundi de Pâques, mais i' se commence
à être tard pour le Salut. Qué qu'il y a donc? »

» Et il restait effarouché sur son échalier, guettant,
sur les herbes des tombes, qu'elle rougissait, c'te lueur
violente qui allait p't-être casser en mille pièces les
vitraux tout contre lesquels elle paraissait allumée...

« — Mais, tiens! — dit-il, — les prêtres ont des idées
à eux, qui ne sont pas comme les autres. Qu'est-ce qui
sait ce qu'ils forgent dans l'église à c'te heure où l'on
dort partout? Je veux vais à cha! »

» Et i'dévala de l'échalier et s'avança résolument
tout près du portail.

» Je vous l'ai dit, Monsieur; c'était l'ancien portail
arraché aux décombres de l'abbaye. Les Bleus l'avaient
percé de plus d'une balle, il était criblé de trous par
lesquels on pouvait ajuster son œil. Pierre Cloud y

guetta donc, comme il avait guetté tant de fois, en rôdant par là, le dimanche, quand il voulait savoir où l'on en était de la messe, et alors il vit une chose qui lui dressa le poil sur le corps, comme à un hérisson saisi par une couleuvre. Il vit, nettement, par le dos, l'abbé de La Croix-Jugan debout au pied du maître-autel. Il n'y avait personne dans l'église, noire comme un bois, avec ses colonnes. Mais l'autel était éclairé, et c'était la lueur des flambeaux qui faisait ce rouge des fenêtres que Pierre Cloud avait aperçu de l'échalier. L'abbé de La Croix-Jugan était, comme il y avait un an à pareil jour, sans capuchon et la tête nue; mais cette tête, dont Pierre Cloud ne voyait en ce moment que la nuque, avait du sang à la tonsure, et ce sang, qui plaquait aussi la chasuble, n'était pas frais et coulant, comme il était, il y avait un an, lorsque les prêtres l'avaient emporté dans leurs bras.

» — Je ne me souviens pas — disait Pierre Cloud — d'avoir eu jamais bien grand'peur dans ma vie, mais cette fois j'étais *épanté*. J'entendais une voix qui me disait tout bas : — « En v'là assez, garçon ! » et qui m'conseillait de m'en aller. Mais j'étais fiché comme un poteau en terre, à ce damné portail, et j'étais *ardé* du désir de voir... Il n'y avait que lui à l'autel... Ni répondant, ni diacre, ni *chœuret*. Il était seul. Il sonna lui-même la clochette d'argent qui était sur les marches quand il commença l'*Introibo*. Il se répondait à lui-même comme s'il avait été deux personnages ! Au *Kyrie eleison*, il ne chanta pas... C'était une messe basse qu'il disait... et il allait vite. Moi, je ne pensais rien qu'à regarder. Toute ma vie se ramassait dans ce trou de portail... Tout à coup, au premier *Dominus vobiscum* qui l'obligea à se retourner, je fus forcé de me fourrer les doigts dans les trous qui *vironnaient* [173] celui par lequel je guettais, pour ne pas tomber à la renverse... Je vis

que sa face était encore plus horrible qu'elle n'avait été
de son vivant, car elle était toute semblable à celles qui
roulent dans les cimetières quand on creuse les vieilles
fosses et qu'on y déterre d'anciens os. Seulement les
blessures qui avaient *foui* la face de l'abbé étaient
engravées dans ses os. Les yeux seuls y étaient vivants,
comme dans une tête de chair, et ils brûlaient comme
deux chandelles. Ah! je crus qu'ils voyaient mon œil à
travers le trou du portail, et que leur feu allait
m'éborgner en me brûlant... Mais j'étais endiablé de
voir jusqu'au bout... et je regardais! Il continua de
marmotter sa prière, se répondant toujours et sonnant
aux endroits où il fallait sonner; mais pus il s'avançait,
pus il se troublait... Il s'embarrassait, il s'arrêtait... On
eût gagé qu'il avait oublié sa science... Vère! i' n' savait
pus! Néanmoins il allait encore, butant à tout mot
comme un bègue, et reprenant... quand, arrivé à la
préface, il s'arrêta court... Il prit sa tête de mort dans
ses mains d'*esquelette*, comme un homme perdu qui
cherche à se rappeler une chose qui peut le sauver et qui
ne se la rappelle pas! Une espèce de *courroux*[174] lui
creva la poitrine... Il voulut consacrer, mais il laissa
choir le calice sur l'autel... Il le touchait comme s'il lui
eût dévoré les mains. Il avait l'air de devenir fou. Vère!
un mort fou! Est-ce que les morts peuvent devenir fous
jamais? Ch'était pus qu'horrible! J'm'attendais à voir le
démon sortir de dessous l'autel, se jeter sur lui et le
remporter! Les dernières fois qu'il se retourna, il avait
des larmes, de grosses larmes qui ressemblaient à du
plomb fondu, le long de son visage. Il pleurait, ah! mais
il pleurait comme s'il avait été vivant! « C'est Dieu qui
le punit, — me dis-je, — et quelle punition!... » Et les
mauvaises pensées me revinrent : vous savez, toutes ces
affreusetés qu'on avait traînées sur la renommée de ce
prêtre et de Jeanne Le Hardouey. Sans doute qu'il était

damné, mais il souffrait à faire pitié au démon lui-
même. Vère! par saint Paterne, évêque d'Avranches,
c'était pis pour lui que l'enfer, c'te messe qu'il s'entêtait
à achever et qui lui tournait dans la mémoire et sur les
lèvres! Il en avait comme une manière de sueur de sang
mêlée à ses larmes qui ruisselaient, éclairées par les
cierges, sur sa face et presque sur sa poitrine, comme du
plomb dans la rigole d'un moule à balles ou du vitriol.
Quand je vous dirais qu'il recommença pus de vingt fois
c'te messe impossible, j'ne vous mentirais pas. Il s'y
épuisait. Il en avait la *broue* [175] à la bouche comme un
homme qui tombe de haut mal; mais il ne tombait pas,
il restait droit. Il priait toujours, mais il brouillait
toujours sa messe, et, de temps en temps, il tordait ses
bras au-dessus de sa tête et les dressait vers le
tabernacle comme deux tenailles, comme s'il eût
demandé grâce à un Dieu irrité qui n'écoutait pas!

» J'étais si appréhendé par un tel spectacle que je ne
m'en allai point. J'oubliai tout, ma femme qui attendait, l'heure qu'il était, et je restai collé à ce portail
jusqu'au jour... Car il n'y eut qu'au jour que ce terrible
diseur de messe rentra dans la sacristie, toujours
pleurant, et sans avoir jamais pu aller plus loin que la
Consécration... Les portes de la sacristie s'ouvrirent
d'elles-mêmes devant lui, en tournant lentement sur
leurs gonds comme s'ils avaient été de laine huilée... Les
cierges s'éteignirent, comme les portes de la sacristie
s'étaient ouvertes, sans personne! La nef commençait
de blanchir. Tout était, dans l'église, tranquille et
comme à l'ordinaire. Je m'en allai *de delà*, moulu de
corps et d'esprit... et de tout cha je ne dis mot à ma
femme. C'est pus tard que j'en *causai* pour ma part,
parce qu'on en *causait* dans la paroisse.

» Un matin, le sacristain Grouard avait, à l'*ouverture*,
trouvé dans les bénitiers des portes l'eau bénite qui

bouillait, en fumant, comme du goudron. Ce ne fut que
peu à peu qu'elle s'apaisa et se refroidit; mais il paraît
que pendant la messe de ce prêtre maudit elle bouillait
toujours! »

» Tel fut le dire de Pierre Cloud lui-même, — ajouta
maître Louis Tainnebouy dont la voix avait subi, en me
les répétant, les mêmes altérations que quand il avait
commencé de me parler de cette messe nocturne, — et
voilà, Monsieur, ce qu'on appelle la messe de l'abbé de
La Croix-Jugan! »

J'avoue que cette dernière partie de l'histoire, cette
expiation surnaturelle, me sembla plus tragique que
l'histoire elle-même. Était-ce l'heure à laquelle un
croyant à cette épouvantable vision me la racontait?
Était-ce le théâtre de cette dramatique histoire, que
nous foulions alors sous nos pieds? Étaient-ce les neuf
coups entendus et dont les ondes sonores frappaient
encore à nos oreilles et versaient par là le froid à nos
cœurs? Était-ce enfin tout cela combiné et confondu en
moi qui m'associait à l'impression vraie de cet homme si
robuste de corps et d'esprit? Mais je conviens que je
cessai d'être un instant du xixe siècle, et que je crus à
tout ce que m'avait dit Tainnebouy, comme il y croyait.

Plus tard, j'ai voulu me justifier ma croyance, par
une suite des habitudes et des manies de ce triste temps,
et je revins vivre quelques mois dans les environs de
Blanchelande. J'étais déterminé à passer une nuit aux
trous du portail, comme Pierre Cloud, le forgeron, et à
voir de mes yeux ce qu'il avait vu. Mais comme les
époques étaient fort irrégulières et distantes auxquelles
sonnaient les neuf coups de la messe de l'abbé de La
Croix-Jugan, quoiqu'on les entendît retentir parfois
encore, me dirent les anciens du pays, mes affaires
m'ayant obligé à quitter la contrée, je ne pus jamais
réaliser mon projet

DOSSIER

VIE DE BARBEY D'AUREVILLY

1808. — *2 novembre* : naissance à Saint-Sauveur-le-Vicomte de
Jules-Amédée Barbey. Sa famille, de récente noblesse, est très
royaliste. On vit dans le souvenir du passé et tout
particulièrement de la chouannerie. Un des oncles de
l'enfant aurait disparu pendant ces guerres et son parrain y
aurait joué un rôle important. Ce sont des légendes. Mais
Barbey s'en souviendra.
Il passe son enfance à Saint-Sauveur et dans la petite ville,
toute proche, de Valognes.

1824. — Barbey publie sa première œuvre, un poème, *Aux
héros des Thermopyles*, dédié à Casimir Delavigne.

1827. — Il vient achever ses études à Paris, au collège
Stanislas.

1829. — Barbey revient à Saint-Sauveur; il voudrait, contre la
volonté de son père, faire une carrière militaire; mais il cède
et accepte de faire son droit à Caen. Il regrettera longtemps
de n'avoir pu réaliser le rêve de sa jeunesse.

1830-1831. — Aventure sentimentale malheureuse. Rencontre
avec Guillaume-Stanislas Trebutien, alors libraire à Caen,
qui devient vite un ami intime. Barbey écrit sa première
nouvelle, *Le Cachet d'onyx*.

1832. — *Léa*, nouvelle.

1833. — Barbey s'installe à Paris.

1834. — Composition de *La Bague d'Annibal*.

1835. — Composition d'*Amaïdée*, poème en prose et d'un
roman, *Germaine* ou *La Pitié*, qui ne sera publié qu'en 1883,
sous le titre de *Ce qui ne meurt pas*.

1836. — Barbey commence le premier *Memorandum*. Séjour à

Saint-Sauveur; demi-rupture avec sa famille; il ne reviendra
en Normandie qu'en 1856.

1837. — Brouille avec Trebutien. Barbey commence *L'Amour
impossible*. Il mène pendant des années une vie difficile;
harcelé par les difficultés pécuniaires, il fait des tentatives
diverses dans le journalisme, sans succès.

1840. — Barbey achève *L'Amour impossible*.

1841. — Publication de *L'Amour impossible*. Réconciliation
avec Trebutien; les deux amis échangeront, jusqu'en 1858,
une correspondance des plus intéressantes.
Barbey cherche à se faire connaître : il collabore à divers
journaux.

1845. — Publication de l'étude sur le dandysme. Barbey
commence *Une vieille maîtresse*.

1846. — La fondation avec un groupe d'amis, rencontrés dans
le salon de Mme de Maistre, de la *Société catholique*, précipite
une évolution commencée depuis longtemps. Barbey se
convertit, intellectuellement du moins; il attendra presque
dix ans avant de pratiquer.

1847. — *4 avril :* premier numéro de *La Revue du Monde
catholique*, dont Barbey est rédacteur en chef.

1848-1849. — Il prépare *Les Prophètes du passé*, achève *Une
vieille maîtresse*, conçoit l'idée d'une série de romans
normands pour lesquels il prend des notes et qui devaient
porter le titre collectif d'*Ouest*. Il écrit encore *Le Dessous de
cartes d'une partie de whist*, qui prendra place dans *Les
Diaboliques*, et commence peut-être *L'Ensorcelée*.

1850. — Collaboration à *La Mode*, journal légitimiste, dans
lequel Barbey publie des articles politiques. Rédaction de
L'Ensorcelée.

1851. — Publication presque simultanée des *Prophètes du
passé* et d'*Une vieille maîtresse*. Rencontre, chez Mme de
Maistre, de la baronne de Bouglon, l'Ange blanc, future
fiancée de Barbey. Le mariage projeté n'aura jamais lieu.

1852. — Barbey commence *Le Chevalier des Touches*. Premier
article au *Pays;* il donnera à ce journal pendant dix ans des
articles de critique littéraire.

1854. — Publication de *L'Ensorcelée*.

1855. — Barbey poursuit la rédaction du *Chevalier des
Touches*, commence *Un prêtre marié*. Retour à la pratique
religieuse.

1856. — Réconciliation avec ses parents; voyage en Normandie. Barbey passe quelques jours à Caen auprès de Trebutien

et va voir Destouches à l'asile du Bon-Sauveur; il écrit alors le troisième *Memorandum*.

1858. — Rupture définitive avec Trebutien.

1860. — Le premier recueil d'articles, premier volume des *Œuvres et les Hommes* paraît.

1862. — Articles contre *Les Misérables*, qui font scandale. Rupture avec *Le Pays*. Barbey se réfugie à la Bastide-d'Armagnac, auprès de Mme de Bouglon. Il revient au roman, travaille au *Chevalier des Touches* et au *Prêtre marié*.

1863. — Collaboration au *Figaro*, au *Nain jaune;* y paraissent *Les Quarante Médaillons de l'Académie*, et, en feuilleton, *Le Chevalier des Touches*.

1864. — Barbey achève *Un prêtre marié*. Publication du *Chevalier des Touches* en volume.

1865. — Édition d'*Un prêtre marié*.

1866. — Barbey travaille aux *Diaboliques*.

1867-1870. — Nombreuses collaborations à des journaux.

1871. — Dès la fin du siège, d'Aurevilly quitte Paris. Il passe quelques semaines à Saint-Sauveur, puis à Valognes, où il achève *Les Diaboliques*.

1872. — Retour à Paris. Collaboration au *Constitutionnel*, où Barbey fera la critique littéraire jusqu'à sa mort.

1874. — Publication des *Diaboliques*, qui entraîne un procès. Barbey ne l'évitera qu'en retirant l'ouvrage de la vente.

1880. — Barbey écrit *Une histoire sans nom*, corrige *Germaine*, qui devient *Ce qui ne meurt pas*.

1881. — Barbey achève *Une histoire sans nom*.

1882. — Publication en feuilleton, puis en volume, d'*Une histoire sans nom*. La critique accueille assez bien ce roman.

1883. — *Ce qui ne meurt pas* paraît en feuilleton, dans *Gil Blas*, et en volume. Publication des troisième et quatrième *Memoranda*, préfacés par Bourget.

1886. — Publication d'*Une page d'histoire*.

1889. — *23 avril*, au matin : mort de Barbey d'Aurevilly.

NOTICE

I. — GENÈSE DU ROMAN

La composition

C'est en décembre 1849 que Barbey parle pour la première fois de ce roman à son ami Trebutien :

> *Je viens de vous dire, cher ami, que j'ai quelques travaux en train. Il est un livre surtout parmi les autres que je veux recommander à vos bontés paternelles. Ce livre est un livre profondément normand. Or vous êtes Normand, un savant Normand, un membre de la Société des Antiquaires de Normandie. Vous pouvez donc m'être immensément utile. Le livre que je pourrais (pour vous en donner une idée) comparer aux* Chroniques de la Canongate *(avec des différences de faire, de couleur, de sujet, etc.) contient réunis par un nœud plusieurs romans d'invention et d'observation, mais dont les mœurs et l'époque sont celles de la* Guerre des Chouans *de notre pays. Fils de Chouan moi-même, ou plutôt neveu de Chouans, élevé dans la maison paternelle, avec un père qui respire le feu sacré des anciens jours, je sais beaucoup sur cette époque et sur mon pays en général, mais comme je tiens à savoir le plus possible, et surtout à faire œuvre Normande, je m'adresse à vous pour tous les renseignements que vous voudrez bien me donner.*

Toute cette lettre est essentielle. Barbey demande à Trebutien des renseignements, une bibliographie, mais aussi des traditions, des « commérages », « tout ce qui peut bien ne pas avoir l'exactitude du fait brut, mais qui a la grande vérité humaine d'imagination, le sentiment de la réalité de mœurs et d'histoire ».

Je pense qu'à cette date nous avons affaire à une « nébuleuse ». D'Aurevilly rêve l'ensemble de ces romans normands — dont plusieurs ne seront pas écrits; il parle en effet de Destouches, de Mme de Vaubadon, demande des précisions sur l'abbaye de Blanchelande (*L'Ensorcelée*)... Ce qu'il a saisi alors, c'est une idée générale, une méthode aussi : il s'explique sur « le livre, dit-il, que j'ai sur le métier » : « Les Personnages historiques n'y sont pas en première ligne (ce sont les personnages d'invention), mais je veux qu'on les y voie passer dans les lointains avec leurs grandes mines, rendues plus idéales encore, dans cette vapeur des lointains qui grandit tout et semble l'Auréole du Mystère. » « Je fais — conclut-il — de l'histoire de mœurs, entrelacée à du drame. » « Le livre portera pour tout titre le mot : *Ouest.* »

Ces grands projets sont liés à la « conversion », aux réflexions de Barbey depuis quelques mois. Lorsque éclate la révolution de 1848, d'Aurevilly est rédacteur en chef de *La Revue du Monde catholique;* dans la confusion qui suit les journées de février, il tente de s'adapter à la situation nouvelle, préside même un club d'ouvriers. Cela dure quelques semaines, la *Revue* doit cesser sa parution, Barbey disparaît. Il met à profit les mois qui suivent pour lire, réfléchir, travailler à son œuvre. Ses lectures sont variées, mêlées; l'histoire l'attire, mais aussi les mémoires, les ouvrages scientifiques, ou philosophiques... Inconsciemment peut-être dans les premiers mois, il prépare ainsi *Les Prophètes du passé,* un grand article sur Jacques II Stuart, *Le Dessous de cartes d'une partie de whist* et *L'Ensorcelée.* Le lien qui unit ces œuvres si différentes est dans le refus du présent dont chacune à sa manière témoigne. Écœuré par son temps, Barbey se tourne vers le passé, s'attarde complaisamment à de mélancoliques rêveries, dont naîtra ce projet de peindre la guerre des Chouans.

On peut, dans son carnet de notes inédit, saisir la naissance même de ce projet, les influences qui jouèrent. D'Aurevilly lit — ou relit — Balzac; c'est une lecture assez systématique dans laquelle les *Études philosophiques* prennent une place toute particulière. Ceci pourrait expliquer l'importance du fantastique dans *L'Ensorcelée.* Pour son étude sur Jacques II, il lit aussi les *Chroniques de la Canongate* auxquelles il fait allusion dans la lettre citée. Je pense que, grâce à cette œuvre, s'opéra la cristallisation; les rapports sont évidents entre les patriotes écossais que peint Walter Scott et les Chouans; le projet d'écrire un ensemble de romans montre assez que Barbey conçoit son *Ouest* dans la forme même qu'a employée

le romancier écossais. Un autre ouvrage eut quelque influence,
les *Mémoires* de Mme de Créquy, ouvrage apocryphe — il
l'ignore et s'en soucierait peu d'ailleurs —; Mme de Créquy
était d'origine normande, les premiers chapitres de ses
mémoires évoquent la Normandie, ses coutumes, son histoire,
d'une manière anecdotique et vivante qui dut séduire notre
romancier; quelques pages aussi sont consacrées à la Chouannerie. Barbey prend des notes, relève quelques détails, sans
ordre, sous un titre « Ouest ».

On voit bien comment les circonstances, ces lectures,
conduisent d'Aurevilly à ce projet. Il se tourne vers le passé;
les *Mémoires* de Mme de Créquy lui révèlent tout l'intérêt de
cette histoire normande qu'il connaît bien ou croit connaître;
Balzac ou Walter Scott l'aident à saisir les procédés, la
technique, dont il pourra user.

Lorsqu'il annonce à Trebutien : « Je sais beaucoup sur cette
époque et sur mon pays... », ne le croyons pas trop. Il a fait
quelques recherches, ou plutôt établi une rapide bibliographie
et lu quelques ouvrages. « Penser pour mon *Ouest* », note-t-il
en tête d'une page de son cahier; suivent quelques détails —
inutilisés d'ailleurs —, des notes prises dans un ouvrage sur *Le
Comte d'Aché*. En fait, Barbey a surtout des souvenirs. Je crois
avoir montré qu'aucun membre de sa famille n'a chouanné,
mais aussi qu'une sorte de légende familiale s'était créée.
Enfant, Jules Barbey a entendu raconter par sa grand-mère,
par une vieille bonne aussi, les exploits des chouans; l'attitude
nostalgique qui fut celle de ses parents, de ses oncles, prêtait à
cet embellissement du passé. L'enfant hérita de toute une
geste familiale, de légendes que le moment était venu
d'exploiter.

Il écrit très vite, dans un mouvement d'enthousiasme, les
premiers chapitres de son roman. Le 31 décembre 1849, il
annonce à Trebutien : « J'étais bien sûr que l'idée de mon
Ouest vous plairait. Allez, je ferai cela royalement. J'ai une
moitié de volume écrite. » Il anticipe quelque peu. Le
24 avril 1850, il « s'occupe » encore « voluptueusement de mon
Ouest », dit-il. Il lui manque des éléments et il questionne
anxieusement Trebutien : « Ne vous lassez pas. Envoyez-moi
toujours ce que vous pourrez. » Il veut être vrai : « A côté de
l'intérêt romanesque, je ne me préoccupe que d'une chose,
c'est de la fidélité historique du détail. »

A examiner de près ses lettres, on voit qu'il se leurre; à
l'histoire, il demande un aliment pour l'imagination; l'aspect

romanesque domine, il s'enquiert des « détails intimes, profonds » du « dessous de cartes », de tout ce qui donne vie à l'histoire, et lorsque ces détails manquent, il les imagine. Il prend même avec la réalité des libertés plus grandes : *L'Ensorcelée*, on le verra, commence par une évocation de la lande de *Lessay;* toute cette description fut rédigée sans aucun renseignement et les variantes prouvent qu'il n'apporta guère de modifications à sa première rédaction —; bien mieux, il n'a jamais vu cette lande : « ... la terrible lande de *Lessay*, dont j'ai tant entendu parler dans mon enfance et qui, de *tous* les points de mon département que je connais, est le seul que je ne connais pas. Je suis bien sûr que je l'imagine telle qu'elle est, mais pourtant, pour me rassurer à cet égard, je voudrais bien quelques détails *topographiques*. Je suis persuadé qu'avec des impressions comme celles des récits de mon enfance et de l'imagination, on arrive à une espèce de somnambulisme très *lucide*, mais je voudrais que la lucidité du mien me fût attestée par une expérience. »

Le 21 mai 1850, il annonce : « Quand vous m'aurez répondu exactement à toutes ces questions (il s'agit de Lessay), ma première nouvelle de mon *Ouest* sera finie. *Hear! Hear!* quel beau titre ! *La Messe de l'abbé de La Croix-Jugan.* » Mais le 19 septembre : « Je viens de finir et de recopier toute une partie du premier volume de l'*Ouest*. » En janvier : « Si je vais à Caen, je vous apporterai et vous lirai mon premier volume qui forme un tout complet : *La Messe de l'abbé de La Croix-Jugan.* » Il semble bien que le roman soit alors achevé. Barbey n'en parlera plus à Trebutien qu'au moment de sa publication en feuilleton.

Rarement d'Aurevilly a écrit plus vite, avec plus d'enthousiasme une de ses œuvres. D'autant plus que l'agitation de sa vie est grande en ces années. En décembre 1849, il publie dans *L'Opinion publique* le premier article des *Prophètes du passé*, en 1850 il entre au journal légitimiste, *La Mode*, dans lequel il donne des articles politiques souvent fort violents. La même année, il prépare simultanément l'édition d'*Une vieille maîtresse* et celle des *Prophètes du passé*. Tout ceci ralentit quelque peu l'achèvement de *L'Ensorcelée*.

Les sources

Pour aucun roman aurevillien, la recherche des sources ne peut être à la fois plus fructueuse et plus décevante. A tout instant, le chercheur croit saisir une source certaine; il s'aperçoit vite que trop de différences existent entre la réalité et l'œuvre de Barbey. L'explication est simple : comme le montrent clairement les lettres adressées à Trebutien, le romancier a travaillé d'imagination, créé aussi sur ses souvenirs. Comment suivre les événements réels à travers les déformations que leur ont fait subir la tradition orale, l'imagination de l'enfant qui écouta ses récits, et la création romanesque?

On peut retrouver avec une certaine précision les lieux (voir P. Leberruyer, *Au pays de Barbey d'Aurevilly*), retrouver aussi les noms des personnages de Barbey, tous normands, « aromatiquement normands », disait-il. P. Leberruyer a noté des analogies curieuses entre certains épisodes chouans et le roman : une Le Hardouey, mêlée à l'assassinat d'un prêtre, par exemple; l'exécution par les chouans d'un ecclésiastique dans des conditions très proches du meurtre de La Croix-Jugan... J'ai retrouvé avec lui, dans les archives paroissiales de Saint-Sauveur, les traces d'un procès en sorcellerie intenté contre une bande de bergers errants, au XVIIIe siècle; on les accusait d'avoir assassiné — ou poussé au suicide en lui jetant un sort — un homme retrouvé noyé dans un étang; cet homme, un Le Révérend, pouvait être un parent de la famille Barbey, et ce procès eut lieu du vivant des grands-parents de l'écrivain. On connaît aussi plusieurs chouans blessés aussi atrocement que Jéhoël, ne fût-ce que Nez-de-Cuir, le héros de La Varende.

Tout cela peut intéresser la curiosité et prouve seulement que Barbey invente moins qu'il ne se souvient, ou plutôt qu'il reprend, déforme des récits entendus dans son enfance. Ici ou là tel détail précis apparaît, tel nom exact se retrouve. L'important est que son imagination a été formée par de tels récits. En revenant à ces souvenirs, il trouvait l'atmosphère propre aux passions étranges qu'il désirait peindre.

II. — DEUX PROBLÈMES

Le patois normand

Ce roman pose le problème du patois. Dans *Le Chevalier des Touches*, dans *Un prêtre marié* encore, le romancier en usera, assez largement parfois. Il s'en explique volontiers, se justifie au nom de la vérité d'abord : « Vous verrez que je n'y parlerai pas normand du bout des lèvres (dans *Une vieille maîtresse*), mais hardiment, sans bégaiement, comme un homme qui n'a pas désappris la langue du Terroir dans les salons de Paris et qui porte, comme un descendant des Pêcheurs-Pirates, d'*azur à deux barbets adossés et écaillés d'argent*. J'ai déjà dit deux mots de ma vieille Normandie. La côte de la Manche est peinte à grands traits dans le second volume de *Vellini*, et les Poissonniers y parlent comme des poissonniers véritables. Est-ce que Shakespeare, s'il avait été Normand tout entier, au lieu de l'être à moitié, aurait eu peur de notre patois? et toute langue n'est-elle pas le moule-à-balles du Génie dans lequel il coule l'or et en fait de ces projectiles qui cassent toutes les résistances sur leur passage?... » (*Lettres à Trebutien.*) Il est très fier de cette idée : « Vous verrez quelle langue c'est et quel patois! » Trebutien, lui, a quelques craintes qui contraignent Barbey à se justifier de nouveau :

« J'ai pesé, dans ma misérable sagesse, ce que vous me dites sur l'emploi du patois, et la balance, qui n'a point tremblé, n'a pas penché du côté de l'opinion que vous m'exprimez. J'ai pour moi *Walter Scott*, mais c'est un Anglais; j'ai *Burns*, mon favori *Burns*, même objection, c'est un Écossais! — J'ai *Balzac*, un maître et un grand Maître. Mais laissons les noms! La poésie pour moi n'existe qu'au fin fond de la réalité et la réalité parle patois. Les langues sont le clavier des Artistes, ils les animent, ils les idéalisent, ils en doublent, triplent, multiplient le jeu, les fonctions, la portée, et, qui le croirait, le sens et même le son. Il ne s'agit que d'être intelligible. » Il a demandé conseil à Amédée Renée, un de ses amis — historien et normand — qui l'a approuvé. Plus tard, Trebutien se ralliera à cette opinion et donnera des conseils à Barbey pour certains détails, certains mots.

Baudelaire, qui admirait fort *L'Ensorcelée*, fit des réserves, voulut corriger la seconde édition. « Baudelaire qui se pique de correction avait voulu joindre ses corrections aux miennes, mais presque toutes étaient des erreurs et je les ai effacées. Rien d'étonnant. Il ne sait pas le *patois normand* qui est une langue, et même une très belle langue, et c'est sur ce patois que ses corrections avaient porté. »

A tort ou à raison, d'Aurevilly s'obstina. Il est intéressant de remarquer qu'ici encore il se fie surtout à ses souvenirs; les mots qu'il donne comme normands ne le sont pas tous, il commet des erreurs de sens. Il s'agit moins, quoi qu'en ait dit

— ou cru — le romancier, d'un souci de « réalisme » que du besoin d'expressivité si sensible dans toute son œuvre ; il use du patois, comme, dans *L'Amour impossible* par exemple ou *Léa*, de mots recherchés, vieillis, comme il use de néologismes parfois étonnants. La langue commune ne lui suffit pas.

Le fantastique

Jusqu'à *L'Ensorcelée*, les romans de Barbey sont remarquablement réalistes ; tout au plus dans la seconde partie d'*Une vieille maîtresse*, les légendes normandes permettaient-elles de faire intervenir un élément nouveau ; rien ne demeurait inexplicable, si ce n'est le pouvoir de divination que le romancier y prête à Vellini. Dans *L'Ensorcelée*, encore que les réserves et les excuses soient nombreuses, encore que le récit permette de rejeter la responsabilité des éléments mystérieux sur le conteur, le fantastique a un rôle essentiel. Très vite, par la suite, dès *Un prêtre marié*, Barbey tentera de le transposer. Il n'est pas inutile de rappeler ce qu'il en a dit lui-même :

« J'ai tâché de faire du Shakespeare dans un fossé du Cotentin et je crois vous avoir dessiné un personnage entre autres que vous reverrez dans vos rêves... »

« Et puis il y a là-dedans, encore, l'audacieuse tentative d'un *fantastique* nouveau, sinistrement et crânement surnaturel, — car on voit que l'auteur y croit sans petite bouche et sans fausse honte, — fantastique qui n'est nullement celui d'*Hoffmann* ou de *Goethe*, ni celui de *Lewis* ou d'*Anne Radcliffe*. »

J'ai rapproché ces deux passages de lettres à Trebutien, parce que leur confrontation donne l'explication. Le fantastique est un moyen d'obtenir les effets « épiques » que cherche le romancier, il est surtout ici la possibilité de dévoiler — ou de suggérer — l'élément surnaturel, sans lequel l'œuvre n'a plus aucun sens. Les procédés n'ont qu'un intérêt secondaire, peu importe que le romancier tente de nous rassurer, l'effet essentiel est obtenu.

III. — LA PUBLICATION

Feuilleton

L'Ensorcelée a paru, en feuilleton, dans *L'Assemblée nationale* du 7 janvier au 11 février 1852. Le titre en était alors : *La Messe de l'abbé de La Croix-Jugan*.

L'Assemblée nationale annonça à plusieurs reprises le roman de Barbey comme « une œuvre remarquable pleine d'intérêt et d'émotion ». Barbey rédigea lui-même une note qu'il demanda à Trebutien de faire passer dans les journaux normands :

L'Assemblée nationale *annonce un roman de M. Barbey d'Aurevilly, intitulé* L'Ensorcelée *ou* La Messe de l'abbé de La Croix-Jugan. *On parle beaucoup de ce roman, qui doit, à ce qu'il paraît, frapper très vivement l'attention. L'auteur est normand, et son œuvre profondément normande. On dit qu'elle se distingue par une foule de détails curieux sur les mœurs et les superstitions de nos campagnes, et principalement sur cette guerre de la chouannerie qui ne fut pas sans gloire dans notre pays. Nous, plus qu'aucun autre, nous devons faire accueil à ce livre qui, malgré la donnée romanesque du sujet, a pourtant la fidélité d'une chronique et qui peint notre Normandie avec l'amour filial que* Walter Scott *trouvait sous ses pinceaux, quand il peignait sa vieille Écosse.*

Quelques détails d'expression, une scène — vers la fin du roman — avaient toutefois gêné la rédaction du journal : « Le livre seul sera toute l'œuvre et toute ma pensée. *Mallac,* le roi des Trembleurs, rassuré par le docteur en Théologie *Dulac* sur le fond des choses et l'effet général de la composition, m'a demandé le sacrifice de bien des expressions brûlantes, incisives [...] j'en ai passé par tout ce qu'il a voulu. [...] Sans doute, il y aura (dans le journal) les grandes lignes de la composition, le *repoussé* des caractères, les Rondes-bosses de la physionomie, le torrent du récit, mais les traits du détail, les traits aimés de ceux qui veulent le fini et l'audacieux de l'expression ne seront que dans le livre. » (*Lettres à Trebutien.*)

D'Aurevilly, à son habitude, exagère quelque peu les exigences de Mallac. On en jugera par les variantes : quelques

réflexions, quelques outrances, une scène dont le sens politique
pouvait gêner sont les modifications essentielles.

Une introduction précédait le premier feuilleton; en voici le
texte :

*Le livre dont nous commençons aujourd'hui la publication fait
partie d'une suite de romans que l'auteur doit publier plus tard
sous un nom collectif. La guerre de la Chouannerie, assez mal
connue, et qu'on ne retrouve, ressemblante et vivante, que dans les
récits de quelques hommes qui s'y sont mêlés comme acteurs et qui,
maintenant parvenus aux dernières années de leur vie, sont trop
fiers ou trop désabusés pour penser à écrire leurs mémoires, cette
guerre de guérillas nocturnes qu'il ne faut pas confondre avec la
grande guerre de la Vendée, est un des épisodes de l'histoire
moderne qui doivent attirer avec le plus d'empire l'imagination
des conteurs. Les ombres et l'espèce de mystère historique qui
l'entourent ne sont qu'un charme de plus. On se demande ce que
l'illustre auteur des* Chroniques de la Canongate *aurait fait des
chroniques de la Chouannerie si, au lieu d'être Écossais, il avait
été Breton ou Normand.*

*Il est bien probable qu'on se le demandera encore après avoir lu
le livre que nous publions. Cependant, des circonstances particu-
lières ont mis l'auteur en position de savoir sur la guerre de la
Chouannerie des détails qui méritent d'être recueillis. Les
populations au sein desquelles la Chouannerie éclata, pour
s'éteindre si vite, sont les populations de France les plus
fortement caractérisées. Quoique essentiellement actives et se
distinguant par les facultés qui servent à dominer les réalités de la
vie, la poésie ne manque pas à ces races, et les superstitions qu'on
retrouve parmi elles, et dont* L'Ensorcelée *est un exemple, ou
plutôt un calque, montrent bien que l'imagination est au même
degré dans ces hommes que la force du corps et que la raison
positive. Du moins si, comme les populations du Midi, ils n'ont
pas cette poésie qui consiste dans l'éclat des images et le
mouvement de la pensée, ils ont celle-là, peut-être plus puissante,
qui vient de la profondeur des impressions...*

*C'est cette profondeur d'impression qu'ils ont jusqu'à ce
moment opposée aux efforts tentés depuis cinquante ans pour
arracher des âmes le sentiment religieux. Ni les fausses lumières
de ce temps ni la préoccupation, incontestable chez les Normands,
des intérêts matériels, auxquels ils tiennent en vrais fils de pirates
et pour lesquels ils plaident, comme l'immémorial proverbe le
constate, depuis qu'ils ne se battent plus, n'ont pu affaiblir les
croyances religieuses que leur ont transmises leurs ancêtres. En ce*

moment encore, après la Bretagne, la Basse-Normandie est une
des terres où le catholicisme est le plus ferme et le plus identifié
avec le sol. Cette observation n'était peut-être pas inutile quand il
s'agit d'un roman dans lequel l'auteur a voulu montrer quelle
perturbation épouvantable les passions ont jetée dans une âme
naturellement élevée et pure et, par l'éducation, ineffaçablement
chrétienne, puisque, pour expliquer cette catastrophe morale, les
populations fidèles qui en avaient eu le spectacle ont été obligées
de remonter jusqu'à des idées surnaturelles.

Quant à la manière dont l'auteur de L'Ensorcelée a décrit les
effets de la passion et en a quelquefois parlé le langage, il a usé de
cette grande largeur catholique qui ne craint pas de toucher aux
passions humaines lorsqu'il s'agit de faire trembler sur leurs
suites. Romancier, il a accompli sa tâche de romancier, qui est de
peindre le cœur de l'homme aux prises avec le péché, et il l'a peint
sans embarras et sans fausse honte. Les incrédules voudraient
bien que les choses de l'imagination et du cœur, c'est-à-dire le
roman et le drame, la moitié pour le moins de l'âme humaine,
fussent interdites aux catholiques, sous le prétexte que le
catholicisme est trop sévère pour s'occuper de ces sortes de sujets...
A ce compte-là, un Shakespeare catholique ne serait pas possible,
et Dante même aurait des passages qu'il faudrait supprimer... On
serait heureux que le livre offert aujourd'hui au public prouvât
qu'on peut être intéressant sans être immoral, et pathétique sans
cesser d'être ce que la religion veut qu'un écrivain soit toujours.

Éditions

La première édition, parue chez Cadot en 1854, reprend
cette introduction. Elle porte en outre une dédicace :

A M. le Marquis de Custine
          Monsieur,
Vous m'avez permis d'attacher Votre nom à ce livre, et jamais
on n'a mis sur un ballot lancé dans cette belle mer de l'oubli, où
les livres sombrent si bien, une étiquette plus éclatante et qui
puisse mieux le faire retrouver.
En voyant ici le nom d'un homme que toute l'Europe connaît
comme un des observateurs les plus profonds et en même temps
l'un des esprits les plus poétiques du XIX⁰ siècle, on croira que ce
livre, hommage accepté, cache le mérite de Vous avoir plu, et on le
lira sur cette confiance, qui peut décider du succès.
Je Vous remercie donc, Monsieur, d'avoir accepté mon

Ensorcelée. *Vous lui aurez jeté un* sort *de bonheur, sans nul
doute. Dans tous les cas, c'en est un pour moi de Vous dire, à
cette place, ce que je Vous suis par les deux plus graves
sentiments de notre âme, — l'admiration et le respect.*

> *Jules Barbey d'Aurevilly.*
> *Paris, 24 juin 1854.*

La seconde édition, parue à la Librairie nouvelle en 1858,
contient en outre une préface, datée de septembre 1858:

Le roman de L'Ensorcelée *est le premier d'une série de romans
qui vont suivre, et dont les guerres de la Chouannerie seront le
théâtre, quand elles n'en seront pas le sujet.*

*Ainsi que l'auteur le disait dans l'introduction de son ouvrage
publiée pour la première fois en 1854, diverses circonstances de
famille et de parenté l'ont mis à même de connaître mieux que
personne (et ce n'est pas se vanter beaucoup) une époque et une
guerre presque oubliées maintenant, car, pour que le destin soit
plus complet et plus grande la cruauté de la Fortune, il faut
parfois que l'héroïsme et le malheur ressemblent à ce bonheur dont
on a dit qu'il n'a pas d'histoire.*

*L'histoire, en effet, manque aux Chouans. Elle leur manque
comme la gloire, et même comme la justice. Pendant que les
Vendéens, ces hommes de la guerre de grande ligne, dorment,
tranquilles et immortels, sous le mot que Napoléon a dit d'eux, et
peuvent attendre, couverts d'une telle épitaphe, l'historien qu'ils
n'ont pas encore, les Chouans, ces soldats de buisson, n'ont rien,
eux, qui les tire de l'obscurité et les préserve de l'insulte. Leur
nom, pour les esprits ignorants et prévenus, est devenu une
insulte. Nul historien d'autorité ne s'est levé pour raconter
impartialement leurs faits et gestes. Le livre assez mal écrit, mais
vivant, que Duchemin des Scépeaux a consacré à la Chouannerie
du Maine, inspirera peut-être un jour le génie de quelque grand
poète; mais la Chouannerie du Cotentin, la sœur de la
Chouannerie du Maine, a pour tout Xénophon un sabotier, dont
les mémoires, publiés en 1815 et recherchés du curieux et de
l'antiquaire, ne se trouvent déjà plus. Dieu, pour montrer mieux
nos néants sans doute, a parfois de ces ironies qui attachent le
bruit aux choses petites et l'obscurité aux choses grandes, et la
Chouannerie est une de ces grandes choses obscures auxquelles, à
défaut de la lumière intégrale et pénétrante de l'Histoire, la
Poésie, fille du Rêve, attache son rayon.*

C'est à la lueur tremblante de ce rayon que l'auteur de
L'Ensorcelée *a essayé d'évoquer et de montrer un temps qui n'est*

plus. Il continuera l'œuvre qu'il a commencée. Après L'Ensorcelée, *il publiera* Le Chevalier des Touches, Un gentilhomme de grand chemin, Une tragédie à Vaubadon, *etc., entremêlant dans ses récits le roman, cette histoire possible, à l'histoire réelle. Qu'importe, du reste? Qu'importe la vérité exacte, pointillée, méticuleuse, des faits, pourvu que les horizons se reconnaissent, que les caractères et les mœurs restent avec leur physionomie, et que l'Imagination dise à la Mémoire muette :* « C'est bien cela! » *Dans* L'Ensorcelée, *le personnage de l'abbé de La Croix-Jugan est inventé, ainsi que les autres personnages qui l'entourent; mais ce qui ne l'est pas, c'est la couleur du temps, reproduite avec une fidélité scrupuleuse et dans laquelle se dessinent des figures fortement animées de l'esprit de ce temps. L'écueil des romans historiques, c'est la difficulté de faire parler, dans le registre de leurs voix et de leur âme, des hommes qui ont des proportions grandioses et nettement déterminées par l'Histoire, comme Cromwell, Richelieu, Napoléon; mais le malheur historique des Chouans tourne au bénéfice du romancier qui parle d'eux. L'imagination de l'auteur ne trouve pas devant lui une imagination déjà prévenue et renseignée, moins accessible, par conséquent, à l'émotion qu'il veut produire, et plus difficile à entraîner.*

L'introduction était maintenue intégralement; la première phrase toutefois en était supprimée, puisqu'elle était reprise dans la préface.

L'accueil de la critique

Ce roman, dont Barbey espérait tant, semble avoir paru dans le silence le plus complet de la critique. *L'Univers, Le Figaro, Le Pays,* auquel d'Aurevilly collabore depuis deux ans, *Le Constitutionnel,* journal parallèle... tous se turent. Il faut attendre le 15 juillet 1856 pour que Lerminier, à propos des *Reliquiæ* d'Eugénie de Guérin, publiées par Barbey, dise quelques mots de ce roman. Il répondait ainsi aux demandes instantes de son ami. L'article est fort large d'ailleurs; Lerminier donne son opinion sur l'œuvre entière de Barbey, imprégnée de « l'impérieuse influence » de Byron; dans *L'Ensorcelée,* juge-t-il, l'auteur s'est rapproché de Balzac et de Walter Scott par l'étude des caractères qu'il « creuse à fond, jusqu'au tuf », « mais comme Balzac il subtilise outre mesure, ou bien encore, il exagère les effets ». Quelques pages lui

paraissent dignes de Scott; le dénouement « a une incontestable grandeur ». D'Aurevilly, conclut-il, doit justifier les
espérances qu'il a éveillées, mais « l'écueil de son tempérament
vraiment original est l'intempérance : il n'a pas de plus grand
ennemi que lui-même, quand il se laisse emporter au-delà du
but après l'avoir atteint ».

Nous savons que Baudelaire jugeait *L'Ensorcelée* un chef-
d'œuvre : « Je viens de relire ce livre qui m'a paru encore plus
chef-d'œuvre que la première fois. » (A Malassis, 13 novembre 1858.) Lors de la réédition, la critique fut tout aussi
silencieuse; on avait beaucoup parlé d'*Une vieille maîtresse,*
sujet de plaisanterie facile pour les ennemis du critique et du
romancier; des amis, il n'en avait pas, ou si peu, dans le
journalisme. Pontmartin toutefois dit son mot; il ne voulait
pas parler d'*Une vieille maîtresse,* ce « premier roman » : « Son
titre même ne doit pas trouver place dans ces pages. » Il
reproche à Barbey ses contradictions : catholique, il publie un
roman aux premières pages duquel un prêtre tente de se
suicider... et, reprenant un mot de Barbey sur la « grande
largeur catholique », remarque : « Je m'arrête : ne trouvez-vous
pas que la largeur catholique devient décidément trop large? »
Il n'en aime pas plus le style, critique « les solécismes, les
barbarismes, les néologismes, les figures incohérentes, les
métaphores apoplectiques ou dissonantes ». Voici sa conclusion :

« Enfin l'on pouvait être un écrivain distingué, un critique
utile, un romancier énergique, et l'on n'est qu'une singularité
littéraire, une figure problématique, occupant une place
indécise entre Joseph de Maistre et M. de Laclos, entre Balzac
et Bilboquet. »

IV. — LE TEXTE

Nous donnons le dernier texte revu par Barbey d'Aurevilly,
celui de l'édition Lemerre, « Petite Bibliothèque littéraire », 1873. Nous avons toutefois tenu compte de quelques
corrections d'auteur évidentes faites sur l'édition Lemerre de
1888, en particulier l'ajout du « détail historique » (p. 85).

NOTES

Aux notes s'ajoutent quelques variantes, tirées d'un manuscrit fragmentaire (il comprend le début : chapitres ɪ et ɪɪ) ou du feuilleton.

Page 35.

1. Rappelons que Barbey a entendu parler de la lande de Lessay, mais ne l'a jamais vue. « Je suis bien sûr que je l'imagine telle qu'elle est », dit-il à Trebutien, tout en sollicitant quelques précisions topographiques. En fait, il s'inspire des trois landes de Rauville-la-Place, à quelques kilomètres de Saint-Sauveur-le-Vicomte; moins étendues et moins sauvages que celle de Lessay, elles ne manquent pas de pittoresque et avaient frappé son imagination d'enfant. Il lui suffit ici d'agrandir et de rendre plus sauvage un paysage qu'il connaissait bien.

Page 36.

2. Cette diatribe contre l'industrialisme moderne, contre la Civilisation, le Progrès n'est pas seulement une justification du romancier, une sorte de défense. Sans doute Barbey prend-il ici quelques précautions avant d'entraîner son lecteur dans un récit où le fantastique et le mystère ont leur part; il exprime aussi des idées qui lui tiennent à cœur, et que l'on trouverait aisément dans ses articles. Il s'en prend souvent à ce qu'il appelle « l'américanisme » du xɪxᵉ siècle; ainsi, dans un de ses premiers articles, en 1853 :

« L'Amérique ne vaut que quand elle est un désert, une forêt, une chose anté-diluvienne et sauvage, un chaos virginal et tout-puissant, une solitude du cinquième jour de la Création. L'Amérique, avec les Américains qui la cultivent et la prosaïsent, n'est, hélas! que le plus vulgaire des pays. »

Vingt ans plus tard, il écrit encore : « Civilisation, c'est le mot du siècle! [...] C'est le mot de l'orgueil moderne, le plus endiablé des orgueils! C'est le mot qui fait claquer tout le monde : philanthropes, hommes d'État, professeurs, journalistes, avocats — surtout avocats, — enfin tous les postillons de Longjumeau du Progrès! Tous, à propos de tout et de rien, clament ce grand mot de Civilisation, qui semble avoir quarante syllabes. Rengaine du temps! Chaque siècle a ses mots, qui sont ses rengaines... »

Page 37.

3. En marge de ce passage, Barbey a noté simplement : « Guérin ». Il ne s'agit pas bien entendu d'une imitation littéraire, mais en décrivant ce paysage, il retrouvait une ressemblance de sensibilité, le souvenir du poète qui fut son ami. Jusqu'ici Barbey n'avait guère dans son œuvre romanesque manifesté son goût pour ces paysages tristes, sauf peut-être dans quelques pages d'*Une vieille maîtresse.*

Page 38.

4. Barbey invente; ce cabaret ne semble pas avoir existé.

5. Barbey affirmera qu'il partage les croyances relatives aux faits mystérieux qui interviennent dans le roman; il nous en donne cependant ici une explication psychologique, qui pourrait détruire ces légendes. On retrouvera, à plusieurs reprises, cette apparente contradiction, qui laisse au lecteur sa liberté.

6. Barbey commet une erreur : il y a, dans le bourg de Lessay, dont il omet de noter l'existence, une abbaye. L'abbaye de Blanchelande est à quelques kilomètres de là, près de La Haye-du-Puits. Le nom et la réputation de cette abbaye expliquent son choix.

Page 39.

7. Tout ce passage, depuis : *Fondée par...*, ne se trouve pas dans le manuscrit. Ces détails historiques ont été fournis à Barbey un peu plus tard. La poésie l'emporte sur la vérité.

8. Trebutien fit quelques objections, il ne savait rien de ces prétendus scandales. « J'ai une mémoire infernale (répliqua Barbey). C'est chez moi une hypertrophie de facultés. Étant

très enfant, j'ai connu un prêtre septuagénaire, spirituel
comme on l'était dans l'ancien régime et qui avait fait, comme
on dit, les cent dix-neuf coups; il s'appelait l'abbé de *Lécange*,
chanoine de Coutances, et il expiait les frasques de sa jeunesse
(*Frasques!* ce mot est de lui) par une tenue et des devoirs
extérieurs qui étaient du génie, s'ils n'étaient de la conscience.
Eh bien, on l'accusait d'avoir passé, lui et l'évêque *Talaru* (un
terrible évêque mort en émigration d'un cancer vénérien dans
la bouche et dont lui, *Lécange*, était le favori et le secrétaire)
bien des *neuvaines* en tout autre chose que des macérations et
des prières, avec des Religieuses à Lessay ou à Blanchelande. »

Page 40.

9. En 1836, d'Aurevilly était allé voir son frère au séminaire
de Coutances, il notait : « La ville est vieille, à petites rues, à
maisons basses; le tout enveloppé dans une pluie fine et dense
et recouvert d'un ciel sombre et gris m'a paru d'une indicible
tristesse. » (*Memorandum*, 3 décembre 1836.)

Page 41.

10. Ce passage écrit en marge et travaillé montre le souci de
bien marquer à travers le paysage la tristesse.

Page 46.

11. « Le fermier de mon père s'appelait Louis Dainnebouy
et c'est lui qui est peint en pied, avec une ressemblance digne
du daguerréotype colorié. » (*Lettres à Trebutien*, 20 mars 1852.)

Page 47.

12. Trémaine, nom vulgaire du trèfle.

13. Barbey, dans le manuscrit, a d'abord écrit à la suite de
cette phrase : « *Tant il y a d'intensité dans les Êtres qui n'ont
pas été gâtés par nos éducations stupides et nos détestables
institutions.* »

Cette remarque était assez inattendue à propos d'un animal
et l'on comprend que Barbey l'ait supprimée. Elle traduisait
aussi cette hargne qui l'anime alors contre toute son époque.

Page 49.

14. Vieille chanson normande, peut-être remise en honneur
pendant la chouannerie; elle évoquait les exploits de Matignon
qui, en 1574, reprit, au nom du roi, Saint-Lô alors tenu par les
protestants.

15. Expression locale pour désigner les bourrasques d'automne; on fête saint François le 4 octobre.

Page 51.

16. La Crottée, foire qui a lieu à Valognes le 9 décembre.

17. Créances est un bourg à une vingtaine de kilomètres de Coutances.

18. Ferme appartenant aux Barbey et tenue par un Dainnebouy.

Page 52.

19. Barbey vient de lire, ou plutôt de relire, Bonald pour écrire le chapitre qu'il lui a consacré dans les *Prophètes du passé*. C'est de lui que viennent ces idées sur la tradition. Dans ce livre, Barbey oppose la tradition défendue par Bonald à « cette mobilité d'institutions et de mœurs que tend à créer la Démocratie, avec ses remaniements perpétuels, ses progrès sans arrêt et sans fin... »

Toute cette fin de paragraphe, profession de foi de Barbey, ne figure pas dans la première rédaction, mais dans une reprise presque immédiate.

Page 54.

20. *Hargagne :* de mauvaise humeur.

21. Courées, que Barbey écrit, dans le feuilleton également, *couraies*, n'est pas spécifiquement normand. Poumon ou fressure de certains animaux.

Page 56.

22. Je ne sais ce que signifie cette allusion ajoutée au moment de l'édition : « l'ami de Michaud ».

Page 57.

23. Voici l'explication que donne de ce mot le *Dictionnaire du patois normand :* « Boue : ce mot qui se trouve aussi dans le patois de Rennes, vient sans doute des bulles de gaz qui s'élèvent à la surface des eaux fangeuses; on appelle une lande du canton de Bricquebec, dont les extrémités sont très marécageuses, *Lande des Bouillons.* »

Page 58.

24. Il est question de cette foire célèbre dans *Un prêtre marié,* auquel elle fournit un épisode important.

25. Hameau tout proche de Saint-Sauveur, sans rapport, en

dépit des apparences, avec le nom du romancier. Mais sans doute le cite-t-il pour suggérer un rapprochement, affirmer son appartenance à la Normandie.

26. Mot normand : le brouillard.

Page 60.

27. A propos de ces bergers errants, j'ai indiqué dans la *Notice : Les sources,* qu'on en trouvait effectivement trace en Normandie, qu'à Saint-Sauveur même un procès pour sorcellerie avait été intenté, au XVIIIe siècle, contre une de leurs bandes, accusée d'avoir contraint au suicide, en lui jetant un sort, un habitant du bourg. Dans le même procès, on les accusa d'avoir fait périr des troupeaux de la même manière. C'est donc bien à des souvenirs d'enfance, à des récits entendus autrefois, que le romancier fait appel.

Si leur existence et les croyances des paysans à leur sujet n'ont pas été inventées par Barbey, il semble bien que les hypothèses qu'il émet sur leur origine lui soient toutes personnelles.

Page 62.

28. Réflexion importante, puisque Barbey semble ici dénoncer le fantastique, en donnant une explication toute rationnelle. Cependant, quelques pages plus loin, il va prendre vigoureusement parti. C'est tout le problème du fantastique dans *L'Ensorcelée* que pose cette contradiction.

Page 64.

29. Barbey annonce évidemment son futur roman; dès 1849, en effet, il songe à écrire *Le Chevalier des Touches.* Mais ce voyage d'information à Coutances est de pure imagination; il faut simplement accentuer l'impression de vérité.

30. Catéran, nom donné aux partisans écossais. Souvenir des *Chroniques de la Canongate,* de Scott.

31. Être de la *vache à Colas,* cette expression s'employait pour désigner les protestants. Il faut comprendre sans doute « qui ne se sont jamais soumis aisément »...

Page 65.

32. Battu.

33. Barbey a laissé entendre que *Bras-de-Violon* était l'un de ses oncles. Rien n'est moins sûr. D'autant que tout ce récit manque dans le manuscrit.

34. Cette ville d'Espagne fut prise par les troupes françaises en 1810, après un siège difficile qui dura un mois.

Page 66.

35. C'est évidemment Walter Scott qui inspire cette réflexion. *Waverley, Les Chroniques de la Canongate...* font allusion à ces événements, évoqués d'ailleurs dans la préface de ce dernier roman.

36. Barbey avait d'abord écrit : « ... *de cette guerre civile, la plus triste, mais la plus grande et après tout la plus raisonnable des guerres, car les autres se font pour de misérables intérêts de territoire ou de puissance et la Guerre civile se fait pour les principes mêmes d'où dépend la vie morale des Nations...* » Cette remarque rappelle un de ses articles qui fit scandale : *Le Sacerdoce de l'Épée*, paru dans *La Mode* en mai 1850 ; Barbey y faisait l'apologie de la guerre civile, ce qui provoqua même une intervention parlementaire.

Page 67.

37. Frotté fut en effet arrêté à Alençon, au cours d'une conférence avec des généraux républicains, alors qu'un armistice avait été conclu et la liberté des négociateurs garantie.

38. Molière, *Le Sicilien ou l'Amour peintre*, sc. 1 : « Il fait noir comme dans un four : le ciel s'est habillé ce soir en Scaramouche et je ne vois pas une étoile qui montre le bout de son nez. »

Page 70.

39. Ne plaisantez pas!

40. Barbey écrit ceci sur des souvenirs personnels ; j'ai cité plus haut une lettre à Trebutien sur cet évêque. Bien entendu, aucun moine de Blanchelande n'a chouanné et le personnage de l'abbé de La Croix-Jugan est inventé par Barbey.

Page 71.

41. Barbey prend soin, une fois de plus, de préciser — ce qui est évidemment important — que l'intérêt de son roman n'est pas dans le « merveilleux », mais dans le « choc des passions ».

42. Notation importante qui crée un lien entre le prélude et le récit, le présent et le passé.

Page 72.

43. Le manuscrit portait au lieu de « récalcitrants » « optimistes ». D'Aurevilly n'est certes pas, lui, un optimiste. Il ne l'a jamais été; il l'est moins encore à cette époque. Rappelons ici les derniers mots de l'*Introduction* des *Prophètes du passé :* « Si, comme le disait Mirabeau l'Ancien, père de Mirabeau le Superbe, c'est une loi qu'il y ait des excréments dans toute Race, on peut se demander par quoi le dix-neuvième siècle finira. »

44. Ces paroles sont, en effet, un peu graves pour le début d'un roman; elles contredisent en outre, je l'ai noté, bien d'autres passages dans lesquels Barbey fait des réserves sur les événements « merveilleux » qu'il raconte. C'est, je crois, que Barbey veut affirmer sa croyance aux interventions surnaturelles « dans les affaires humaines », mais ne point donner sa caution à tous les faits étranges qu'il rapporte. Ce texte donne au « fantastique » ce caractère « crânement surnaturel » dont parle Barbey dans une lettre à Trebutien. Les détails — sorts jetés par les bergers, prédictions... — ne sont là que pour rendre manifeste cette présence constante d'un autre monde — infernal ou divin — dans lequel les actions des personnages prennent leur sens véritable. Plus tard, dans *Un prêtre marié,* Barbey se servira pour cela non plus de superstitions populaires, mais de phénomènes physiologiques. L'intention est identique. Le fantastique n'est pas un but, mais un moyen.

Il faut encore donner à cette protestation une autre portée : de même que, dans les pages précédentes, le romancier a clairement exprimé ses convictions politiques — fort réactionnaires —, il traduit ici, d'une manière volontairement provocante, ses croyances religieuses. Le polémiste pendant quelques instants se substitue au romancier.

45. On pourrait définir tout un aspect de l'esthétique aurevillienne à partir de ce désir : faire naître chez son lecteur le rêve.

46. Toute cette fin était assez différente dans le manuscrit : *On comprendra mieux l'intérêt que je trouvai dans cette histoire et que je voudrais faire partager. Quand je fus arrivé vers les trois heures du matin à la Haie-du-Puits, j'écrivis avant de m'endormir cette chronique à laquelle j'aurais voulu conserver le ton et les allures de langage de mon narrateur. Ceux qui ont comme moi le sentiment qui n'est pas du tout celui du voyage et que j'appelle le sentiment rôdeur, apprécieront la volupté d'écrire une histoire étrange recueillie par les chemins, sur la table grossière d'une*

auberge entre deux chandelles qui coulent auprès d'un feu de fagot que la fille vient de vous allumer et par le silence et la nuit au fin fond d'une bourgade solitaire où on ne connaît pas un chat, pour voler à maître Tainnebouy une de ses locutions. Ceux-là peut-être se transporteront-ils par la pensée dans les circonstances où je me trouvais pour partager au moins quelques-unes de mes sensations. Quant aux autres qui ne se sont jamais rencontrés dans ces circonstances et qui n'ont pas la même âme que nous pour les sentir, ils me permettront de leur dire que ce n'est point pour eux que cette histoire fut écrite et de les conjurer en amis de ne pas même la commencer.

Le cahier finit ici et Barbey a noté : « La suite prochainement. »

L'introduction du roman s'achève ici. Certains critiques ont jugé inutiles ces préliminaires et les ont reprochés au romancier. La Varende, par exemple, y voyait même la marque d'une sorte de timidité, affirmait que le romancier, en présentant le récit de cette manière, en rejetait la responsabilité sur son personnage. Les pages précédentes prouvent amplement le contraire. Le problème est autre, à la fois psychologique et esthétique.

Une certaine lenteur de l'imagination impose à Barbey ce long préambule : le manuscrit prouve que ces deux chapitres ont bien été écrits les premiers (voir la variante précédente); le romancier crée ainsi l'atmosphère, le climat, qui lui sont indispensables. Il éprouve aussi le besoin de s'expliquer. Esthétiquement, cette préparation, pour lente qu'elle soit, est utile, bien menée; la progression est habile, de la description générale du début aux deux incidents, la blessure de la jument et cette angoissante sonnerie de cloches, à minuit, dans cette solitude alarmante; peu à peu, le lecteur se trouve entraîné, préparé à lire l'étrange récit. On se rappelle Anatole France qui disait avoir vraiment compris *Le Chevalier des Touches*, en le lisant, un soir de solitude, à Valognes même, dans l'atmosphère aurevillienne. Ce que le romancier cherche à produire par ces deux chapitres est une impression toute proche, une sensation de dépaysement, sans laquelle le roman perdrait de sa couleur et de sa profondeur.

Page 73.

47. On a dit, et répété, que d'Aurevilly était plus un conteur qu'un romancier. Il est vrai qu'il aime le mode du récit direct, et que ses meilleurs ouvrages sont ainsi composés.

Outre la liberté qu'il offre au romancier d'intervenir, ce procédé lui permet de donner une certaine couleur à son récit; bien qu'il ne laisse pas la parole à maître Tainnebouy, dans *L'Ensorcelée*, Barbey le fera intervenir fréquemment pour justifier une expression un peu vulgaire ou un peu vive, une opinion qu'il ne partage pas.

48. Barbey songe peut-être déjà au roman qu'il voulait intituler « Un gentilhomme de grand chemin », dont le thème eût été cette attaque de malle-poste dont Balzac s'est servi dans *L'Envers de l'histoire contemporaine*.

Page 76.

49. L'image de la douleur de Niobé pleurant ses enfants revient très fréquemment sous la plume de Barbey, comme obsédante.

50. Barbey aime la couleur rouge, et fera porter aussi à Calixte, l'héroïne d'*Un prêtre marié*, un large bandeau rouge sur le front.

51. Le combat de la Fosse eut lieu le 3 novembre 1799; les historiens ne sont pas d'accord sur l'importance qu'il convient de lui donner. Barbey suit une tradition en y voyant la défaite définitive de la Chouannerie.

Page 77.

52. Voir chapitre ii, p. 65.

53. Allusion à une légende bretonne connue, que Barbey aime à citer. « Bois ton sang, Beaumanoir! dit la légende bretonne. Bois le sang de ton pays. »

Page 78.

54. Le romancier qui, bien entendu, condamne le suicide, et condamnera explicitement plus loin celui de l'abbé de La Croix-Jugan, ne peut se défendre de l'admirer. Lucifer, déchu, garde toute sa puissance de séduction.

Page 80.

55. Petite lampe à huile.

Page 82.

56. Mot normand : mousse, écume.

Page 84.

57. Monroc. centre de fabrication de poterie, dans le

Cotentin; assez proche de Saint-Sauveur. Barbey, dans le feuilleton, écrit Monreau.

58. Allusion évidente à la fable de La Fontaine.

59. Le général républicain Rossignol avait organisé des bandes de *contre-chouans*, chargés de perpétrer les pires atrocités, que la voix publique mettrait au compte des chouans.

Page 85.

60. Il est probable que l'indication « Historique » est un leurre ; au moins y a-t-il une erreur de nom, car le seigneur de Pontécoulant semble avoir eu, à l'époque, une attitude peu glorieuse.

Page 89.

61. Les recherches faites sur la famille de Barbey n'ont pas permis de découvrir le personnage auquel il fait ici allusion. Ce pouvait être évidemment un parent éloigné. Je croirais plutôt — si le fait est exact — que la parenté est tout imaginaire.

Page 90.

62. D'Aurevilly, qui disait ne pas estimer *Le Génie du christianisme*, semble bien ici s'en inspirer.

Page 91.

63. Ce nom appartenait à une vieille famille, originaire de la Hague et répandue dans tout le Cotentin.

Page 92.

64. Barbey a très légèrement modifié le texte : « et aussitôt viendra le Dominateur. »

Page 93.

65. Barbey a longtemps voulu écrire une nouvelle qui s'appellerait *La Vieille Fille*, allusion évidente au roman de Balzac. On peut difficilement douter d'ailleurs qu'il vise, en écrivant cette phrase de *L'Ensorcelée* et même tout ce passage, ce roman. Je cite simplement ces quelques lignes auxquelles il pouvait songer : « Forcée d'être fille, elle se fortifiait dans sa vertu par les pratiques religieuses les plus sévères. Elle avait eu recours à la religion, cette grande consolatrice des virginités bien gardées » (*La Vieille Fille*). Tout le roman, du reste, fait de Mlle Cormon un personnage plus ridicule que sympathique.

Celui de Barbey, peut-être par instants ridicule, demeure attachant.

Page 94.

66. Barbey avait une préférence pour cet office; dans le *Memorandum* de 1864, il note qu'il a assisté au salut et que cette cérémonie a remué en lui « les plus profondes cordes de l'âme, cette harpe enfoncée dans nous ».

Page 98.

67. Coupée et déchiquetée.
68. Courageuse.

Page 99.

69. C'est, ordinairement, en Normandie, la petite porte amovible qui permet de nettoyer un tonneau.

Page 100.

70. Passage dans une clôture, barré pour empêcher les bêtes de passer et qu'un homme peut enjamber facilement.
71. Ce lieu est bien connu à Saint-Sauveur. Ces gros chats qui y rôdaient étaient soit des sorciers, soit le diable. La légende est très proche de celle du loup-garou.

Page 101.

72. Sentiers ou ruelles.

Page 103.

73. On a souvent, à juste titre, semble-t-il, appliqué ce passage à la propre famille de Barbey. Roturiers jusqu'en 1756, les Barbey furent anoblis par l'acquisition d'une charge de conseiller-secrétaire du roi.
74. Barbey a écrit dans le feuilleton : « était consommée », ce qui correspond mieux à son attitude : le xixe siècle est dominé par la Révolution. Il se peut toutefois que la correction traduise l'espoir bien fugitif qu'il a mis dans le Second Empire.

Page 105.

75. Sang-d'Aiglon semble bien inventé par Barbey. Haut-mesnil est un nom normand.

Page 110.

76. Sans vouloir chercher de difficiles explications, on peut noter combien l'imagination de Barbey se complaît dans l'évocation de ce type féminin. Audacieuse — elle rappelle l'image de Clorinde ou de Bradamante, déjà notée dans *Une vieille maîtresse* —, Louisine a aussi « une suave faiblesse ». Servante et maîtresse, elle apparaît comme une ébauche de Hauteclaire, l'héroïne du *Bonheur dans le crime*, l'une des *Diaboliques*.

Page 112.

77. Barbey, à la fin du chapitre ii, a indiqué qu'il avait complété le récit de Tainnebouy; il précisera aux chapitres xv et xvi comment il le fit; indication purement fictive, d'ailleurs.

Page 113.

78. On pourra rapprocher cette image de l'amazone, qui hante aussi Barbey, d'un poème, « Treize ans ». Un souvenir dominerait ainsi les personnages féminins du romancier : en aidant sa cousine à se mettre en selle, le jeune garçon, amoureux sans le dire, lui embrasse le genou.

> *Elle oublia. Moi non. Et nulle de ces femmes*
> *Qui, depuis, m'ont le mieux passé les bras au cou,*
> *N'arracha de ma lèvre, avec sa lèvre en flammes,*
> *L'impression de ce genou.*

C'est tardivement, vers 1870, que Barbey écrivit ce poème, revenant ainsi à ses premiers émois.

Page 115.

79. Manteau de berger que Barbey trouvait très digne d'un dandy; il avait demandé à Trebutien de lui en procurer un qu'il fit doubler de velours noir.

Page 116.

80. Salamandre terrestre.

Page 118.

81. Nouvelle possibilité d'interprétation psychologique du roman, que Barbey donne au lecteur par ses explications.

82. Bande de cuir ou de peau qui garnit les sabots au cou-de-pied.

Page 119.

83. Lieu-dit des environs de Saint-Sauveur.

84. Fléau.

85. A rapprocher évidemment de gain. On dit gainage ou gaignage, en Normandie.

Page 120.

86. Il semble que Barbey décrive ici une propriété de ses parents, le petit manoir des Tuileries. On a remarqué déjà que Barbey, qui ne connaît ni Blanchelande ni Lessay, situe en fait l'action dans son propre pays, à Saint-Sauveur.

Page 122.

87. Bien que Barbey l'ait mis en italique, ce mot n'a rien de spécifiquement normand; il désigne, on le sait, du café mêlé d'eau-de-vie; c'est, il est vrai, une habitude normande de prendre ainsi le café.

Page 124.

88. Tous ces détails sont exacts, empruntés par Barbey à un ouvrage sur la Normandie.

89. On appelait ainsi les campagnes que devaient faire les chevaliers de Malte, lors de leur entrée dans l'ordre.

90. Barbey imagine l'histoire de la famille de La Croix-Jugan, d'après celle d'une des rares familles de bonne noblesse qu'il ait un peu connue : les Lefebvre du Quesnoy, qui étaient de Saint-Sauveur; l'un d'eux était bailli de l'ordre de Malte, l'autre abbé de Saint-Sauveur et évèque de Coutances. Un Barbey était allié à cette famille. Ce détail a sans doute peu d'importance; il contribue à montrer, comme tant d'autres, que les souvenirs d'enfance du romancier constituent la source presque essentielle de son œuvre.

Page 125.

91. Voir pour ces détails p. 70.

Page 129.

92. Regneville est un bourg proche de Coutances. La famille Matignon est normande; on ne connaît pas d'autres précisions sur cette anecdote, peut-être tout imaginaire.

Page 133.

93. Ce mot vieilli n'est pas spécifiquement normand : petit jardin.

Page 136.

94. Tablier, l'Académie donne : devantier, mais Barbey tente de maintenir la prononciation.

Page 139.

95. Le manteau était blanc comme la robe.

Page 140.

96. Dans le feuilleton, manque depuis : « Tiens, lui disait... ». Suppression demandée sans doute par la rédaction du journal.

Page 141.

97. Comparaison nécessaire pour donner à l'abbé de La Croix-Jugan son caractère satanique. (Voir aussi note 104.)

Page 142.

98. Tous ces noms sont normands. Néhou est un village proche de Saint-Sauveur. Barbey appellera Néel de Néhou un des personnages d'*Un prêtre marié*.

99. Lucas de Lablaierie, ou plutôt Lucas-Lablaierie, était le nom, parfaitement roturier, de la grand-mère paternelle de Barbey.

Page 143.

100. Phrase supprimée dans le feuilleton.

Page 144.

101. Les têtes de chat sont de grosses pierres surélevées qui permettent de passer à pied sec un ruisseau ou un endroit marécageux.

102. Phrase supprimée dans le feuilleton.

103. Le destin de Dlaïde Malgy est tout proche de celui qui attend Jeanne Le Hardouey. Ce récit est comme une préfiguration. Elle aussi voudra recourir aux charmes, elle aussi deviendra folle et mourra de son amour pour La Croix-Jugan.

Page 145.

104. L'assimilation de Jéhoël à Satan est bien facile à faire. A plusieurs reprises dans ce récit, le romancier l'a comparé à un archange; il lui a attribué un pouvoir diabolique, de l'orgueil et une insensibilité infernale. C'est par orgueil, comme Satan, que Jéhoël tombe, et non par amour. Il semble même, comme Satan encore, incapable d'aimer. Mais, comme l'ar-

change déchu — et son horrible blessure est d'une certaine manière la marque de cette déchéance — il a gardé toute sa séduction. On retrouve ici le couple romantique d'Eloa et de Satan; c'est la pitié, Barbey l'a noté un peu plus haut, qui conduit d'abord Jeanne. Puis une admiration horrifiée. Viendra le moment où, comme Eloa, elle choisira l'enfer.

Ces grandes images romantiques sont à peine masquées par une affabulation romanesque plus simple.

105. Versé.

Page 147.

106. Le sens de ce mot, qu'on ne trouve pas dans les dictionnaires, est clair.

Page 148.

107. Phrase supprimée dans le feuilleton.

Page 149.

108. C'est en effet au ixe siècle que les invasions normandes se multiplièrent. Barbey est très attiré par ces événements dont il pensait sans doute tirer une œuvre romanesque.

Page 150.

109. Encore un passage dans lequel Barbey semble se défendre d'écrire un roman fantastique. Il est d'ailleurs ambigu peut-être à dessein.

Page 151.

110. Tondue.

Page 154.

111. On retrouve cette expression dans *Une vieille maîtresse;* elle semble désigner une vision horrible.

Page 156.

112. Ce détail rappelle la rougeur d'Aimée de Spens dans *Le Chevalier des Touches...* et ce thème lancinant du sang dans les romans de Barbey.

113. Il faut prendre « enfer » au vrai sens du mot, et non comme une image banale; c'est pour cela sans doute que Barbey renforce le mot par l'image de la flamme.

114. Faits réels et connus. Gaufridi, ou Gofridi, fut

condamné par le Parlement d'Aix comme sorcier et mourut
sur le bûcher.

Page 158.

115. On sait que les menées des chouans se poursuivirent
pendant tout l'Empire. La situation qu'imagine Barbey est
donc historiquement vraisemblable.

Page 162.

116. Cailloux : ce jeu est analogue aux jeux d'osselets.

Page 166.

117. Cette remarque, à demi ironique, est à la fois protestation de réalisme et dénonciation du romanesque.

Page 167.

118. Il est dit dans l'Apocalypse, XIII, 16, que les hommes
seront marqués du « signe de la Bête ».

Page 168.

119. Witikind, ou Widukin, héros saxon, célèbre pour sa
résistance contre Charlemagne.

Page 169.

120. Barbey mettra une longue note relative à Quintal,
dans *Une vieille maîtresse;* ce personnage eut une certaine
importance dans la chouannerie, il fut pris et fusillé. Pour des
Touches, on sait qu'il lui a consacré un roman.

Page 171.

121. Tout ce chapitre avait été, dans le feuilleton, assez
nettement expurgé. Les variantes en sont à cet égard
curieuses. Dans l'édition, Barbey reprit sa liberté; voir la
Notice : la publication.

Page 173.

122. Il est inutile de donner des précisions sur Cadoudal. Ce
détail permet toutefois de dater le roman : 1803 ou 1804; c'est
en effet en 1803 que Cadoudal fomenta un complot avec
Pichegru et Moreau. Il fut arrêté et exécuté l'année suivante.

Page 175.

123. En Espagne, les condamnés étaient préparés à la mort
dans une chapelle.

Page 177.

124. Feuilleton, manque : « J'aime un prêtre. »
125. Feuilleton, manque : « L'enfer sera bon... la vie. »
126. Feuilleton : Ah! tu n'es pas un saint, Jéhoël, *et il y a des saints qui ont succombé et perdu leur âme! Ce n'est pas Dieu qui est au fond de ta froideur. Dieu ne te défendra pas. Tu tomberas, Jéhoël,* je t'entraînerai dans ma perdition! »

Page 178.

127. Feuilleton : « de cet homme ».
128. Feuilleton, manque : « J'en aurais mangé... poussière! »
129. Bijou consistant généralement en deux bracelets attachés par une chaînette.
130. Feuilleton, manque : « l'imbiber de ma sueur. »

Page 179.

131. Feuilleton; le texte avait été sensiblement allégé. « J'ai taillé et cousu de mes mains une chemise d'homme. Mais la honte m'a prise dans ce fol ouvrage. *La vertu de* toute *ma vie* s'est *soulevée dans mon cœur et* m'a *arrêtée.* Le pâtureau se vengeait... »
132. On notera que Jeanne accomplit les mêmes gestes qu'avait accomplis Dlaïde Malgy; elle en a d'ailleurs parfaitement conscience, comme si son destin était tracé.

Page 180.

133. Thème essentiel qui rattache la chute de La Croix-Jugan à celle de Satan, dans laquelle la sensualité n'intervient pas.
134. Feuilleton : « Il n'a peut-être jamais aimé que sa cause. *Ah! s'il pouvait écraser tout ce qu'il y a de Bleus au prix d'un crime, peut-être le commettrait-il?* Mais... »

Page 181.

135. Feuilleton, manque depuis : « Quand tu avais... »
136. On appela ainsi les sociétés qui achetaient de grandes propriétés, détruisaient les monuments qu'elles contenaient et morcelaient les terres.

Page 182.

137. Agar est seulement ici l'image de la désolation; la lande suggère sans doute un bien vague rapprochement.

138. Barbey emploie à plusieurs reprises ce mot *courroux* dont je n'ai pu préciser le sens. Il semble qu'il désigne un accident proche de la syncope

Page 186.

139. Ce mot rappelle les protestations des premiers chapitres contre le monde moderne et les inquiétudes de Barbey.

Page 188.

140. Pousser.
141. Allusion au personnage de Shakespeare (*Henri VI*); elle étonne dans la bouche d'un berger.
142. Assommé.
143. Écrasée.

Page 189.

144. Pleurait.

Page 190.

145. Rappelons que, dans *Une vieille maîtresse*, un miroir permet à Vellini de voir ce qui se passe au loin; de même dans *Un prêtre marié*, la Malgaigne verra dans l'eau le destin de Sombreval. La scène a ici une valeur dramatique beaucoup plus intense.

Page 192.

146. La réaction de l'animal donne à la scène son caractère « surnaturel ». Le roman entre vraiment ici dans le fantastique

Page 193.

147. Ricanant.

Page 199.

148. Je n'ai rien à faire

Page 202.

149. Pourrir.

Page 204.

150. La verveine passait pour avoir de nombreux pouvoirs; on l'utilisait comme médicament et aussi dans les conjurations magiques.

Page 207.

151. Cidre, et plus généralement boisson.

Page 208.

152. Ce peut être un souvenir d'enfance. Barbey, dans sa jeunesse, a dû entendre souvent parler de morts semblables. En examinant les registres d'état civil, on constate que le nombre de décès par noyade était assez important à Saint-Sauveur.

Page 214.

153. C'était, en effet, une croyance répandue. Voir sur ce point et pour des superstitions analogues l'ouvrage de Pierre Leberruyer, *Au pays de Barbey d'Aurevilly.*

Page 215.

154. Barbey veut préparer le lecteur aux scènes qui vont suivre, le faire patienter aussi, car il va longuement préparer son récit. Comme *Le Chevalier des Touches,* le roman, qui pourrait ici s'achever, reprend par une série de scènes dramatiques, se succédant sans interruption.

Page 229.

155. On rapprochera cette scène de celle de la bataille, à Avranches, dans *Le Chevalier des Touches,* dans laquelle, avec le même art, le romancier anime toute une foule.

156. Barbey aurait ici, une fois de plus, mêlé les lieux; la lande qu'il évoque ici serait celle de Mortefemme, près de Vindefontaine. Il est possible qu'une légende, justifiant le nom de cette lande, ait ici inspiré le romancier.

Page 237.

157. Corsage.

Page 242.

158. C'est ainsi que Dante voit Ugolin, dans *La Divine Comédie.*

Page 243.

159. Soue.

Page 246.

160. Barbey a déjà fait une allusion plus discrète à cette

légende, qu'il aime à citer. Elle témoigne de l'ordre et de la justice que Rollon faisait régner en Normandie.

Page 252.

161. Brille.

Page 255.

162. On remarquera ici encore le besoin d'explication psychologique qui semble tourmenter Barbey.

Page 257.

163. Julien Médicis fut en effet assassiné et son frère, Laurent, blessé, dans une église de Florence en 1478. Barbey pouvait connaître cet épisode, soit par les historiens, soit par la tragédie qu'en a tirée Alfieri. Pour le meurtre de l'abbé de La Croix-Jugan, j'ai signalé dans la *Notice* que certains épisodes révolutionnaires avaient pu en donner l'idée à Barbey. Il a évidemment dramatisé en plaçant ce meurtre au moment le plus solennel de la messe, ce qui a aussi une signification symbolique : c'est en consacrant que l'abbé de La Croix-Jugan reprenait vraiment sa fonction de prêtre.

Page 258.

164. On mâchait les balles pour rendre leur forme irrégulière ; elles produisaient ainsi des blessures plus dangereuses en déchirant les tissus.

Page 259.

165. Pour des raisons politiques sans doute, les pages qui suivent, jusqu'à la fin du chapitre, ne parurent pas dans le feuilleton.

Page 260.

166. Il semble bien que Barbey invente de toutes pièces son personnage ; seuls les noms ont quelque vraisemblance ; ils appartiennent à des familles normandes connues.

Page 262.

167. Le duc d'Enghien a été fusillé en 1804. Cette date concorde avec la mention faite précédemment de Cadoudal. Tout le roman se déroulerait ainsi entre 1802 et 1805 environ.

Page 263.

168. Après « Le Hardouey avait été l'assassin, par ven-

geance, de l'ancien moine », le texte reprenait dans le feuilleton à ce mot « J'avoue... » Barbey tenait beaucoup au passage qu'il avait dû supprimer. Il signale, en envoyant le volume à Trebutien, le 9 novembre 1854 : ... « la scène de la *chaire noire*, qui, j'en suis sûr, vous plaira et que cette courageuse *Assemblée nationale* n'avait pas publiée » (*Lettres à Trebutien*).

169. Barbey fut contraint pour le feuilleton d'écrire quelques lignes de transition. Voici le texte du début de ce chapitre : « J'avoue, — dis-je à l'herbager cotentinais quand il eut fini son récit tragique, *et quoique la vieille comtesse de Montsurvent me l'ait allongé d'observations et de détails qui tenaient à la manière de sentir et de juger d'une femme née comme elle, cependant il était le même au fond, quant aux conséquences dramatiques dans la version de la centenaire féodale que dans celle de l'honnête fermier,* j'avoue que voilà *une étrange et sinistre histoire.* Mais... »

Page 265.

170. Épouvanté.

171. Ébloui par une lumière trop vive.

Page 266.

172. Sourd.

Page 267.

173. Environnaient.

Page 268.

174. On a déjà rencontré ce mot de sens incertain; voir note 138.

Page 269.

175. Mousse, écume

DU MÊME AUTEUR

Dans la même collection

Impression Société Nouvelle Firmin-Didot
à Mesnil-sur-l'Estrée, le 19 novembre 2003.
Dépôt légal : novembre 2003.
1ᵉʳ dépôt légal dans la collection : janvier 1977.
Numéro d'imprimeur : 66184.

ISBN 2-07-036910-2/Imprimé en France.